JN197434

小児の近視 第2版

診断と治療

編 集

日本近視学会
日本小児眼科学会
日本視能訓練士協会

三輪書店

第2版の序

近年，小児の近視が東アジア諸国だけでなく世界的に急増し，重要な社会問題となっている．2020 年以降の COVID-19 感染拡大による外出規制などの影響により，その増加はさらに加速化している．近視の多くが小児期に進行することから，この時期の近視の管理と治療は生涯にわたり重要な影響があると考えられる．

初版の『小児の近視—診断と治療』は，小児の近視に対する教科書として多くの方にお読みいただき好評を得た．今回の第 2 版では，最新の情報とアップデートされたガイダンスを提供している．今回，新たに加わった点としては，わが国で初の近視調査である，文部科学省の「児童生徒の近視実態調査」の結果の概要，小児の近視の定義と診断基準に関する IMI（国際近視研究所）の指針，近視の診断と管理に眼軸長を用いる新たなアプローチや最新のソフトウェアがある．これらにより，より精確な診断と効果的な管理が可能となる．

さらに，小児の近視の早期発見と早期介入の重要性にも焦点を当て，海外で採用されている新たな評価方法や管理のガイドラインである「PreMO リスク指標」と IMI の「臨床近視抑制法ガイドラインレポート」を紹介している．

近年大きな話題になっている近視進行抑制治療に対しては，オルソケラトロジー，低濃度アトロピンなどの従来の治療に加え，新たな近視治療法であるレッドライト治療についても詳しく説明し，最新の研究および治療について解説した．

また，学校保健における健康診断についても触れ，3 歳児健診での屈折検査の効果や，日本眼科医会が行う啓発活動についても紹介している．巻末には，日本近視学会や日本眼科医会などの近視や近視進行予防の啓発活動の情報を QR コードとしてまとめて掲載し，日常診療や患者さんの啓蒙に役立つと期待される．

小児の近視に関する最新の知識とアプローチを満載した本書が，小児の近視の診断と管理において先生方のお役に立てることを願っている．

2023 年 10 月

日本近視学会 理事長　大野京子
日本小児眼科学会 理事長　東 範行
日本視能訓練士協会 会長　南雲 幹

初版の序

近年，世界的に近視人口が急増し，社会問題となっている．Holden らの試算によると，これまでの増加傾向が続くと，2050 年には全世界人口の約半数である 48 億人が近視に，全世界人口の 1 /10 である 9.4 億人が強度近視になると発表し，国際的な警鐘を鳴らしている．わが国の文部科学省の学校保健統計でも，30 年間で裸眼視力 0.3 未満の小学生の頻度が約 3 倍に増加しており，この多くは近視の増加であると推察される．

このように，近視はいわばありふれた疾患であり，多くの眼科医・視能訓練士が日常的に最も多く遭遇する疾患といえる．以前は，近視の治療は眼鏡やコンタクトレンズにより矯正するのみであり，近視進行を抑制する治療はなかった．それを大きく変えたのは低濃度アトロピンの登場である．アトロピンは従来から近視進行抑制に有効であることがわかっていたが，副作用のために臨床応用には至らなかった．ところが低濃度アトロピンは副作用を軽減しかつ有効性を維持していることが示され，近視進行抑制治療が注目されることとなった．それ以外にも，オルソケラトロジーや多焦点コンタクトレンズなど，近視進行抑制治療のエビデンスが続々と出てきている．

近視の進行は多くが学童期に生じることから，近視の治療は従来の屈折矯正だけでなく，近視進行をどう抑制していくかという側面が重要となっている．そこで，近視進行抑制の最新の知見を網羅し，エビデンスに基づいた近視治療を全国の眼科医・視能訓練士が行うことができるよう参考となる書として，日本近視学会・日本小児眼科学会・日本視能訓練士協会の合同で，本書を企画した．本書では，小児の近視の疫学，定義，診断基準などの基礎的側面から，視力・屈折検査の実際や眼鏡処方の方法など実践的側面，そして近視進行抑制の治療法という新しい側面，最後によく聞かれる質問にお答えする Q＆A コーナーを設けており，読者の皆様に実臨床の場で傍に置いていただくハンドブックとして日常的にお使いいただけたら幸いである．

2019 年 9 月

日本近視学会 理事長　大野京子
日本小児眼科学会 理事長　東 範行
日本視能訓練士協会 会長　南雲 幹

執筆者一覧

編 集

日本近視学会	（代表編集：理事長　大野京子）
日本小児眼科学会	（代表編集：理事長　東 範行）
日本視能訓練士協会	（代表編集：会長　南雲 幹）

執 筆（掲載順）

所　敬	東京医科歯科大学 名誉教授
川崎　良	大阪大学大学院医学系研究科 社会医学講座公衆衛生学 教授
大野京子	東京医科歯科大学大学院医歯学総合研究科 眼科学 教授
五十嵐多恵	東京医科歯科大学大学院医歯学総合研究科 眼科学 講師（キャリアアップ）
宇田川さち子	金沢大学 眼科（視能訓練士）
杉山能子	金沢大学 眼科
十河亜梨紗	視能訓練士
保沢こずえ	視能訓練士
長谷部佳世子	すぎもと眼科医院（視能訓練士）
南雲　幹	井上眼科病院 診療技術部 部長（視能訓練士）
福下公子	烏山眼科医院 院長
富田　香	平和眼科 院長
仁科幸子	国立成育医療研究センター小児外科系専門診療部 眼科 診療部長
佐野研二	あすみが丘佐野眼科 院長
平岡孝浩	筑波大学医学医療系 眼科 准教授
長谷部聡	川崎医科大学 眼科学 2 教室 教授
西山友貴	東京医科歯科大学大学院医歯学総合研究科 眼科学（視能訓練士）
森山無価	おろく眼科 院長
柏井真理子	柏井眼科医院 院長，日本眼科医会 乳幼児・学校保健担当
方　雨新（Yuxin Fang）	東京医科歯科大学大学院医歯学総合研究科 眼科学
細田祥勝	ほそだ眼科 院長
山城健児	高知大学医学部眼科学講座 教授
世古裕子	国立障害者リハビリテーションセンター 学院長
東　範行	東京医科歯科大学難治疾患研究所 非常勤講師

CONTENTS

本書での定義
学童近視：小学生の近視
学校近視：小学生から高校生までの近視
小児の近視：乳幼児から高校生までの近視

小児の近視

診断と治療

序論―小児の近視に対する考え方と疫学

小児の近視に対する考え方

近視は，平行光線が無調節時の眼に入射したとき網膜の前方に結像する（**図1A**）か，有限距離から開散する光線が網膜に結像する（**図1B**）屈折異常である．小児期は近視の発生あるいは進行期であるが，小児といえば，乳幼児から18歳の高校生までを指す．近年では近視が世界的に増加しているが，これは主として小児の近視の増加である．

統計上の正視と近視

屈折異常である近視を論じるには，正視との関係が必要になる．正視とは，無調節時の眼に平行光線が入射したとき網膜に結像する眼である（**図1C**）．しかし通常，屈折度数分布曲線を描くときには正視に幅をもたせている．従来わが国の屈折度数分布曲線の記載では，近視度を右側に遠視度を左側に記載している（**図2**）．そして，区間を1Dとした場合，正視の区間を＋0.50～－0.49Dまたは，＋0.49～－0.50Dとしていることが多い．一般に近視を－0.50D以下（裸眼視力0.7程度）として取り

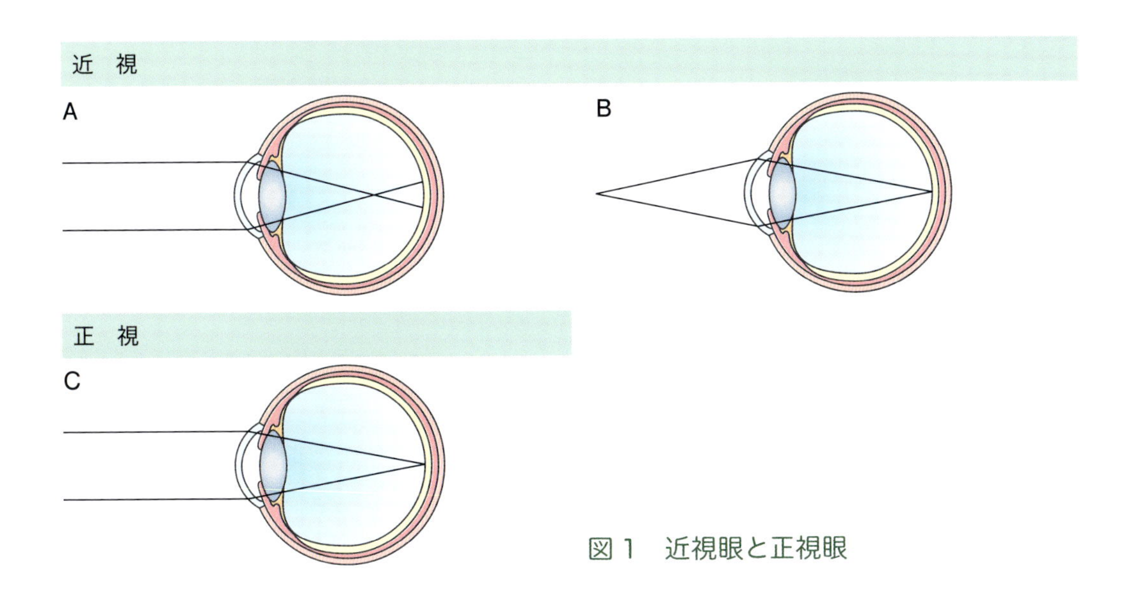

図1　近視眼と正視眼

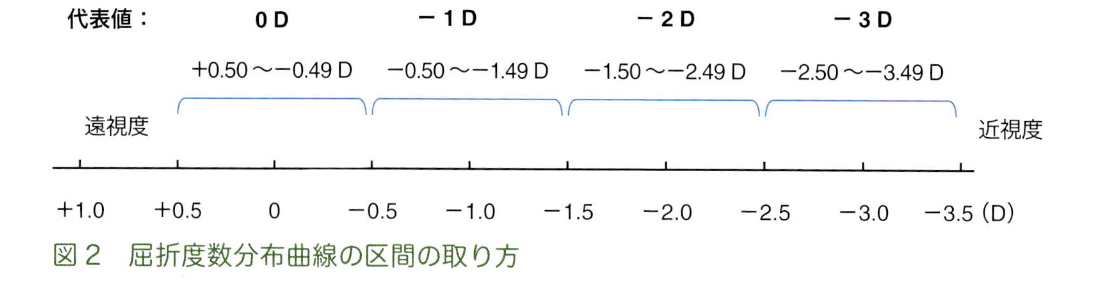

図2　屈折度数分布曲線の区間の取り方

表1　病的近視の診断基準

年齢(歳)	屈折度(D)	矯正視力
5 以下	−4.25 以下	0.4 以下
6〜8	−6.25 以下	0.6 以下
9 以上	−8.25 以下	0.8 以下

(文献4より引用)

扱っているので，+0.50〜−0.49 D を正視とするのが適切と考える．この場合，区間を 1 D とすれば，代表値−1 D は−0.50〜−1.49 D，−2 D は−1.50〜−2.49 D，−3 D は−2.50〜−3.49 D になる．

無調節状態とは調節を休止した遠方視の状態をいうが，小児では遠方視でも必ずしも無調節状態ではなく，調節緊張状態にあることが多い．そのため，屈折検査には調節麻痺薬として，通常 1%シクロペントラート塩酸塩(サイプレジン®)点眼を用いている[1, 2]．1977 年の丸尾ら[3]による小・中学校生徒 10,512 人の屈折検査成績は 1%サイプレジン®点眼後の結果であるが，現在では学校の検査でこのような点眼を行うことは不可能に近い．そこで，今後行う集団検査では調節麻痺薬を使用していないことを結果に明記するしかない．

強度近視の統計で−5.50 D 以下や−6.00 D 以下が診断基準に使われているが，根拠が明確ではないうえ，年齢によってこの数値に差をつける必要がある(**表1**)[4]．また，近視の視機能に関して等価球面屈折度が使用されているが，近視の発生原因の研究には球面屈折度を使用したほうがよいという考えがある．これは乱視の発生は角膜が主であり，近視の発生は主として眼軸の延長が原因であるからである．

わが国では小児の近視に関する大規模統計はなく，文部科学省の学校保健統計調査による低視力者の統計のみである．この低視力者の増加から，近視の増加を類推するしかない．

日本の小児近視の頻度

眼科通院患者における 3〜6 歳の幼児近視の頻度は 20〜30%程度である[5, 6]．所[6]によると，幼児 723 眼の検査のうち−4.25 D 以下は 30 眼(4.1%)であり，そのう

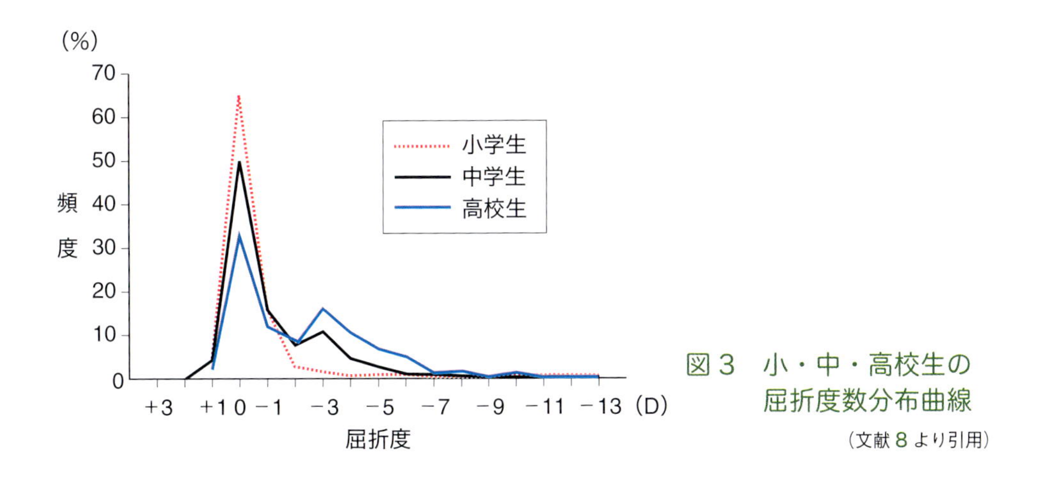

図3　小・中・高校生の屈折度数分布曲線
(文献8より引用)

ち黄斑部を含む広範囲の萎縮は6眼(20.0%)，視神経乳頭周囲に軽度の萎縮のあるものは10眼(33.3%)で，幼児でもかなりの頻度で眼底に萎縮がみられている．これらは，すでに屈折度が−4.25 D以下で，しかも萎縮といった眼底の変化がみられるので病的近視といえる(**表1**)．丸尾ら[3)]は1%サイプレジン®点眼後の検査で，近視は小学生の12.5%，中学生の37.6%と報告している．

近視の発生原因

1957年以前は，近視の発生は遺伝によるとされていた．両親あるいは片親が近視の小児で近視の発生率が高いという報告や弱度近視の遺伝子も発見されていて[7)]，遺伝は重要な要因である．しかし，遺伝だけでは説明できない．

学童・生徒の屈折度数分布曲線では，正視化現象によって正視に大きな尖りがあり，さらに，後天的な近業に適応すると思われる約−3 D付近に小さな山が出現している(**図3**)[8)]．この小さな山は30 cmの近業に適応したもので，これを「学校近視」と名付け，この発生原因についての論争が行われた．すなわち，佐藤 邇氏の屈折説と大塚 任氏の眼軸長説であったが明確な結論は出ていない．しかし近年では，近視の発生原因は眼軸の延長が主流になっている．

このほかに，大塚[9)]による一卵性双生児182組と二卵性双生児113組で双生児間の屈折度差を調べた報告では，一卵性双生児でも屈折度差が3.50 Dや5.50 Dのものが存在していた．一卵性双生児間でこのような屈折度差が生じるのは，環境要因を考えざるを得ない(**図4**)．

1977年Wieselら[10)]によって，サルの片眼を瞼々縫合した形態覚遮断により眼軸が延長するという近代的な実験近視が始まった．その後，ヒヨコ，ツパイ，マウスなどが用いられている．次いで，ヒヨコやサル眼に凹レンズ装用させると，装用レンズ度数と同等の近視を発生することが報告された[11)]．これらにより，後天的に眼軸が延長して近視が発生することが明らかになった．現在この実験動物の結果に基づいて，ヒト眼に対して種々の近視進行抑制法が行われている．

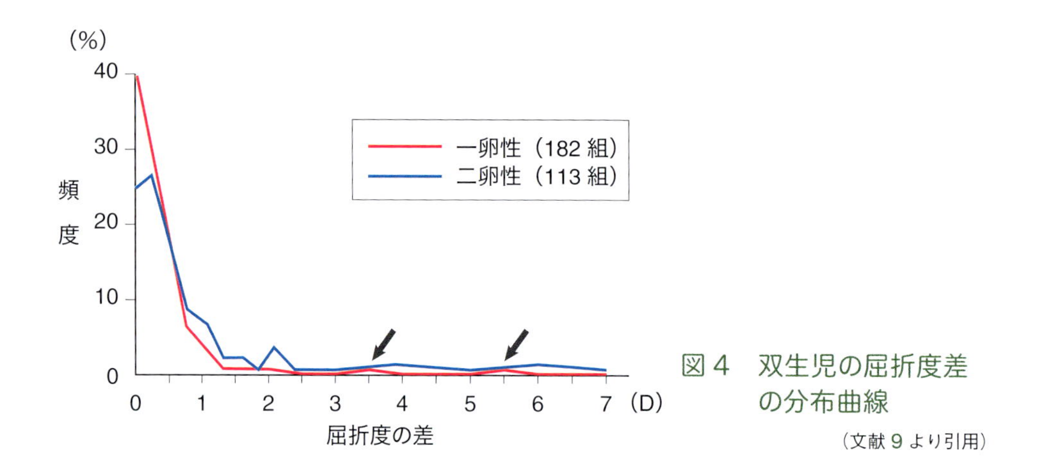

図 4　双生児の屈折度差の分布曲線

（文献 9 より引用）

以上から，近視の発生には遺伝的要因と環境要因が関与していることは明らかである．しかし，環境要因による眼軸延長機転は明確でなく，今後解明すべき問題である．また，環境要因は従来から近業が考えられていたが，最近では近業の様式が変わり，学童・生徒によるパソコンやスマートフォンの長時間の使用が問題で，この対策も必要である．

小児の近視の進行

近視の多くは学童期に発症し，小学校 4～5 年生にかけて進行が著しく[12]，24～25 歳くらいで進行が止まることが多い．しかし，小児の近視が，将来とも単純近視にとどまるか, あるいは病的近視に進展するかを見極めることは大切である．そこで，病的近視の基準が必要になる．強度近視は眼軸の延長が主因であるので，眼軸長が異常に長く，正視の眼軸長の平均値から標準偏差の 3 倍以上離れているものを病的近視として，これを屈折度に換算すると，

① 5 歳以下では－4.00 D を超えるもの
② 6～8 歳では－6.00 D を超えるもの
③ 9 歳以上では－8.00 D を超えるもの

となる[13]．この基準に矯正視力を加えたものが，厚生省特定疾患網膜脈絡膜萎縮症調査研究班による病的近視の診断基準である（**表 1**）[4]．屈折度がこの基準に適合した 246 眼中 236 眼（95.9％）に何らかの視機能障害を認めることから，この基準はおおよそ妥当なものと考えられる[14]．5 歳以下で病的近視の基準である－4.25 D 以下の幼児の眼底検査を行うと，かなりの頻度で網膜脈絡膜萎縮がみられる症例があることも注意が必要である[5]．Yokoi ら[15]は，幼児期に眼底の視神経乳頭周辺部に網膜脈絡膜萎縮のある症例では将来，病的近視になる可能性が高いと報告している．

小児の近視に対する近視進行抑制法

現在行われている近視進行抑制法には，屈折矯正と薬物による方法とがある[16)].

屈折矯正による近視進行抑制

屈折矯正による方法のうち，眼鏡レンズには，調節ラグを補正する累進屈折力レンズ[17, 18)]，軸外収差を補正する眼鏡[19)]あるいは新しいデザインの眼鏡レンズである defocus incorporated multiple segments（DIMS）[20)]での近視進行抑制の報告がある．コンタクトレンズには軸外収差を補正するコンタクトレンズ[21)]があり，2019 年には MiSight®（CooperVision 社）が近視進行抑制用コンタクトレンズとして米国 FDA から承認された[22)]．このレンズは defocus incorporated soft contact（DISC）lens と称され，原理は DIMS 眼鏡レンズと同様である[23)]．その他，オルソケラトロジーは眼軸延長を抑制するが[24)]効果は年々減少すること，中止後のリバウンドがあること，さらに，感染の危険性，経済的負担も考慮に入れての評価が必要である．オルソケラトロジーに 0.01％のアトロピン点眼を併用したときの近視進行抑制効果の検討では，アトロピン点眼追加群のほうがオルソケラトロジー単独群より眼軸長の伸長抑制効果が大きいとの報告がある[25)].

薬物による近視進行抑制

薬物による方法には，ピレンゼピンゲル点眼[26)]，アトロピン点眼（低濃度アトロピン点眼，0.01％）[27)]，1％サイプレジン®点眼[16)]などがある．これらの年間の抑制効果は 1％アトロピン点眼が 0.80 D と最大で，その他は 0.30 D 程度である[16)]．低濃度アトロピン点眼（0.01％）の有効性は，わが国でも多施設二重盲検試験で検討され有効性が認められた．特に，瞳孔径が小さい群ほど効果が大きい[28)]．一方，LAMP study[29)]における低濃度アトロピン点眼で濃度依存性があるかの検討では，1 年間の近視進行は，アトロピン 0.05％で−0.27±0.61 D，0.025％で−0.46±0.45 D，0.01％で−0.59±0.61 D，プラセボ群で−0.81±0.53 D とプラセボ群と比べて 3 つのアトロピン濃度は濃度依存的に近視進行抑制効果があった（$P<0.001$）．また，脈絡膜厚は濃度依存性に厚くなっていた[30)]．この効果の原因について，主として眼軸延長の抑制にあるとの報告がある[31)]．治療を含めた近視進行抑制法とその効果のまとめを**表 2** に示す．

近視進行抑制法の適応と注意点

学童期の近視進行は年間 0.60～0.70 D との報告があり[32～34)]，近視進行が近視進行抑制効果を凌駕している．したがって，近視を正視にすることは困難で，進行を緩徐にする程度である．効果の最も大きい 1％アトロピン点眼でも，若年者，近視の強い症例，両親近視，近視進行が速い症例，遺伝的要因が強い症例では効果がない報告がある[35]．したがって，近視進行抑制法はすべての症例に適応するのではなく，症例を選んで行うべきである．

次に，病的近視になるのを抑制できるかの問題である．現在の近視進行抑制法の効果は前述のごとく年間平均 0.30 D 程度であるので，10 年間行ったとしても 3 D である．しかも，この効果は年々減少することを考えると，病的近視になるのを抑制するには困難を伴い，しかも遺伝的要因も考慮に入れる必要がある．そこで，近視進行抑制法を行うにあたっては，患者に対して的確なインフォームド・コンセントが必要になる．

小児の近視の治療

治療は屈折矯正を行い，眼鏡，コンタクトレンズ，オルソケラトロジーなどがある．小児では一般に，手術法は適応にならない．治療法といっても近視進行抑制を伴う方法が望ましい．

低矯正眼鏡か完全矯正眼鏡か

近視進行抑制に関して，低矯正眼鏡と完全矯正眼鏡のどちらがよいかについては賛否両論がある．Chung ら[36]は前向き比較二重盲検試験で，低矯正群のほうが完全矯正群より有意に近視の進行が速いという結果を出している．また，Adler ら[37]は有意ではないが同様の結果を報告している．この 2 報告に基づいて Cochrane Database of Systematic Reviews[16]は，完全矯正眼鏡は年間 0.15 D の近視抑制効果があると記載している（**表 2**）．長谷部[39]は，以上の結果など[36〜38]をメタ解析で検討した結果，完全矯正と低矯正の両群間に有意差はみられず，低矯正眼鏡は少なくとも近視の進行に対する抑制効果はないと考えられると述べている．近年の報告では，両者に差がない[40]・低矯正眼鏡のほうが有意に良い[41]などの報告があり，一定の結

表 2　近視進行抑制法とその効果

近視進行抑制法	コントロールの方法	近視進行抑制効果
完全矯正眼鏡	低矯正眼鏡	0.15 D/年[16]
累進屈折力眼鏡と遠近両用眼鏡	単焦点眼鏡	0.14 D/年[16]
軸外収差抑制眼鏡	単焦点眼鏡	0.29 D/年[19]
軸外収差抑制コンタクトレンズ	単焦点眼鏡	0.29 D/年[21]
オルソケラトロジー	単焦点眼鏡	眼軸長 0.11 mm/年[24]
1％アトロピン点眼	プラセボ点眼	0.80 D/年[16]
2％ピレンゼピンゲル点眼	プラセボ点眼	0.31 D/年[16]
1％シクロペントラート点眼	プラセボ点眼	0.34 D/年[16]

論は出ていない．現実問題としては，いつから眼鏡装用を開始するかである．完全矯正が良ければ，近視になったらただちに眼鏡を処方したほうがよいことになる．

完全矯正が良い理由として，遠方視でのボケ理論が採用されている．確かに，低矯正眼鏡を装用すると遠方視ではボケ像になるが，日常生活での中間距離や近距離は明視できる．また，完全矯正眼鏡に比べて低矯正眼鏡は，

①近方視での調節量は少ないこと
②網膜の前方に焦点を結び，動物実験で凸レンズを装用させた場合と同様で動物では近視にならず遠視化すること
③完全矯正眼鏡に比べて周辺網膜での遠視化は少ないこと
④近方視で調節ラグは少ないこと

などから，完全矯正眼鏡で近視進行抑制が可能である機序の説明は難しいように思われる．

その他の屈折矯正

近視進行抑制のために調節ラグを減少させる累進屈折力眼鏡や軸外収差を補正する眼鏡，あるいはソフトコンタクトレンズの装用などは患者に負担が少ない方法であるが，近視抑制効果は小さい[42)]（**表2**）．また，小児へのコンタクトレンズ装用には問題点もある．オルソケラトロジーは眼軸延長を抑制するが[24)]効果は年々減少すること，中止後のリバウンドの可能性が大きいと推察されること，さらに，感染症や経済的負担も考慮に入れての評価が必要である．

小児の近視の予防法

「長時間近業をしない」[43, 44)]，「戸外での活動を奨励する」[45)]，「ストレスを除去する」[43)]などは，いずれも患者に負担をかけずに日常生活で注意できるので，勧めるべき方法と考える．

戸外での活動の有効性について，太陽光線のどの波長が関与しているかの問題がある．Torii ら[46)]はバイオレット光（360～400 nm），Williams ら[47)]は中波長紫外線（291～320 nm），Jiang ら[48)]は 650 nm の弱赤外光が近視進行抑制に有用であることを報告している．これらを総合すると種々の波長の光が近視進行抑制に有効であり，戸外での活動が小児の近視の予防に最も適していると考えられる．

おわりに

世界的に近視が増加している．現代社会は眼を酷使する環境下にあるが，可能な限り原因を除くこと，予防法を積極的に行うこと，また，近視進行抑制法にも期待したい．しかし，近視進行抑制法に対する有効性の評価は今後の課題である．

小児の近視の疫学：最近の動向と今後の予測（日本および世界）

わが国を含む東アジア諸国では，小児から成人にかけてすべての年代でほかの地域に比べて近視の頻度が高いことが知られている[49〜51]．現在の東アジア諸国では，比較的若い世代が成人になったときには近視有病割合が80〜90%とすでに高止まりの状態にある．世界的に近視有病割合は若い世代でより高くなりつつある傾向にあると考えられている．このような近視の増加は「myopia boom」として注目されている[50]．近視有病者は，2020年までには世界人口の約1/3（約25億人），2050年までには世界人口の約1/2（約50億人）に上るとも推計されている[51]．東アジア諸国でなぜ近視の頻度が高いのか，その明確な理由はいまだ明らかではないが，遺伝的要因，社会環境要因，そして生活習慣など，近視にはさまざまな関連要因があることが報告されており[52, 53]，今後の世界的な近視人口の増加への対策を考えるうえでもその疫学的資料の蓄積は重要である．

小児の近視有病割合

年齢と人種差

Matsumuraら[54]は，奈良県内の幼稚園から高等学校までの生徒から抽出された対象について，屈折検査に基づく近視（等価球面度数が−0.50 D以上の近視）の有病割合について，1984年と1996年に行った疫学調査の結果を報告している（**図5**）．この結果からは，年齢が上がるとともに近視の有病割合が上昇すること，1984〜1996年の12年間に7歳以降で近視の有病割合が上昇している傾向がそれぞれみ

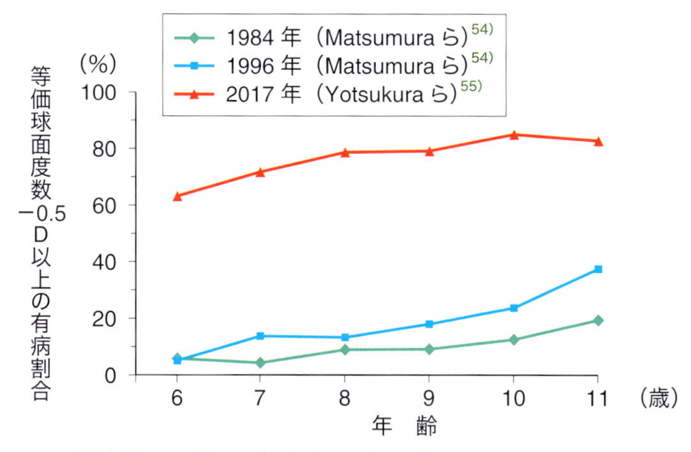

図5　学童期の近視の有病割合変遷（1984年・1996年・2017年）
（文献54，55を参照して作成）

てとれる．そして，7歳以降の年齢では12年間で近視の有病割合が10～20％増加し，近視有病割合に達する年齢が約2歳若年化していた．

Yotsukuraら[55)]は，2017年に東京都内の小中学生1,478人を対象に調査を行い，非調節麻痺下屈折検査をもとに近視の有病割合を報告している．Matsumuraら[54)]の報告に重ねてみると，その後の約20年で近視者の割合が6～11歳の小学生の年代全体で増えている可能性が示唆されている（**図5**）．

台湾では1983～2000年にかけて行われた調査で，学童期の年齢別近視（等価球面度数が−0.25 Dを超えるもの）の有病割合が年齢とともに増加することに加え，全年齢層において時代とともに増加していた[56)]．また，1995年と2000年の結果からは，16歳で近視有病割合が80％を超えるとすでにそれ以上の増加はなく，頭打ちになっている可能性もある．強度近視の有病割合と近視の有病割合についてみてみると，近視の増加と強度近視の増加が必ずしも並行ではない可能性が示唆される．

筆者らは2017年日本近視学会総会において，文部科学省学校保健統計調査報告書[57)]の学校健診の結果から「裸眼視力1.0未満のもの」の割合を出生年に従って報告した[58)]．年齢とともに視力1.0未満の割合が増え，特に，中学生，高校生で視力1.0未満の割合が増えている傾向であった．裸眼視力1.0未満の原因となるのは近視だけではないが，所によれば裸眼視力低下の原因の大部分が近視であることが報告されており（小学生で約46％，中学生で約73％，高校生で約91％）[59)]，視力1.0未満の割合の増加が中学生以降で顕著になる背景に，近視の増加があることが示唆される．

Rudnickaら[60)]は，小児の近視有病割合についてのシステマティックレビューとメタ解析の結果を報告している．人種別の5歳，10歳，15歳，18歳における推定近視有病割合は**図6**の通りで，10歳，15歳と年齢が上がるにつれ，東アジア人種での近視有病割合が大きく上昇し，18歳では約80％にも達していた．このように，小児期から近視は年齢とともに増加し，特に東アジア人種ではその頻度が高い．

地域差

2012～2016年の文部科学省学校保健統計調査報告書[57)]に基づき，14歳時の裸眼視力1.0未満の割合を男女別にマッピングすると，地理的にその割合の変化に差があり，また，調査年ごとに変化する様子がみてとれる（**図7**）．近視有病割合の地域差の理由についてはいまだに明らかではない．社会環境要因として都市化，高い人口密度，長い教育歴などとの関連が報告されている．

たとえば，Refractive Error Study in Children（RESC）[61～64)]はインド，ネパール，中国，チリなど複数の地域で調査を行い，いずれの地域でも都市部における近視有病割合は農村部に比べて2倍程度高かったことを報告している．Rudnickaら[60)]によるメタ解析においても，人種，年齢，調査年を調整したうえで，都市部では農村部に比べて約2.6倍近視の有病割合が高かった．また，Zhangら[65)]は，中国南部に住む12～16歳の児において，年齢，性別，親の教育歴，近業時間，屋外活動時間

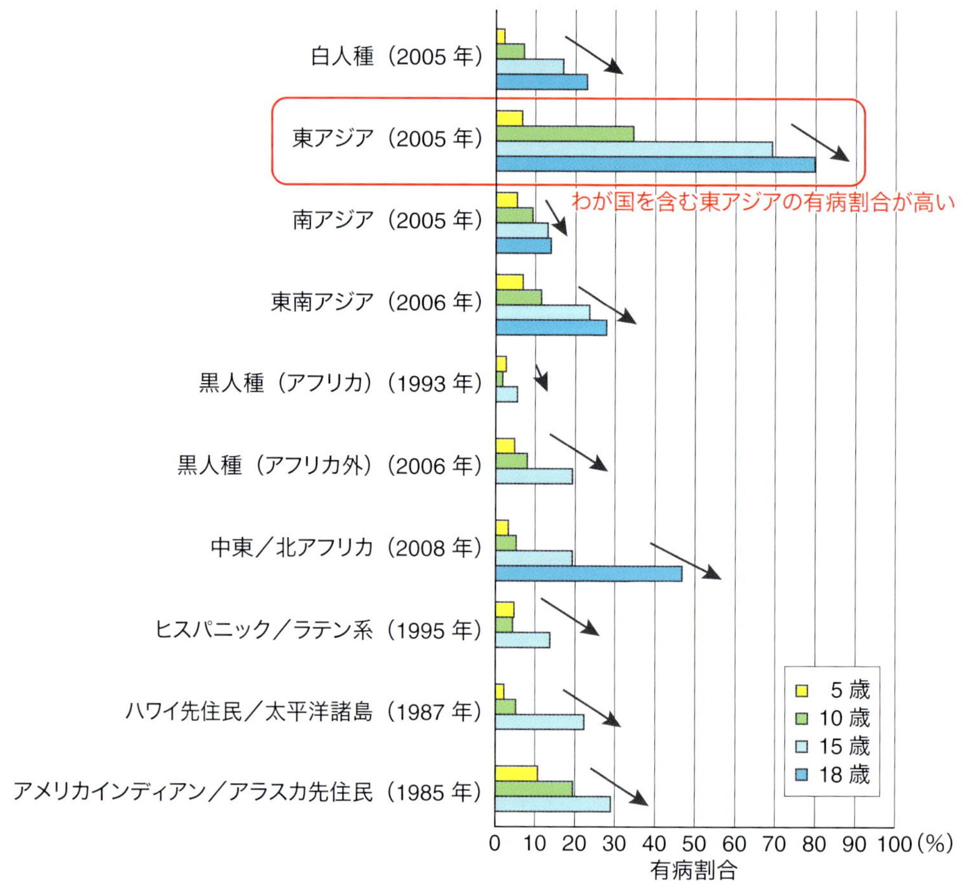

図 6　5 歳, 10 歳, 15 歳, 18 歳の推定近視有病割合

年齢とともに近視有病割合が上昇する．（文献 60 を参照して作成）

で調整を行ったうえで，居住地域の人口密度が高いほど近視有病割合が高いことを報告した．さらに，ヨーロッパ地域の 15 の疫学研究コンソーシアム（E^3 Consortium）[66]においては，近視有病割合が上昇していることの背景に，時代とともに教育歴が長くなっていることが原因の一つとして考察されている．

このようなことを考えると，今後も近視有病割合は小児期においても世界的に増加すると予想される．一方，わが国を含む東アジア地域では成人の近視有病割合はすでに高止まりし，近視発症時期の若年化が今後の指標としてより重要な意味をもつと思われる．また，社会環境や生活習慣などにより近視化が進んでいることの結果として，強度近視，病的近視が増加しているかについては，現状では十分な疫学的資料があるとはいえない．

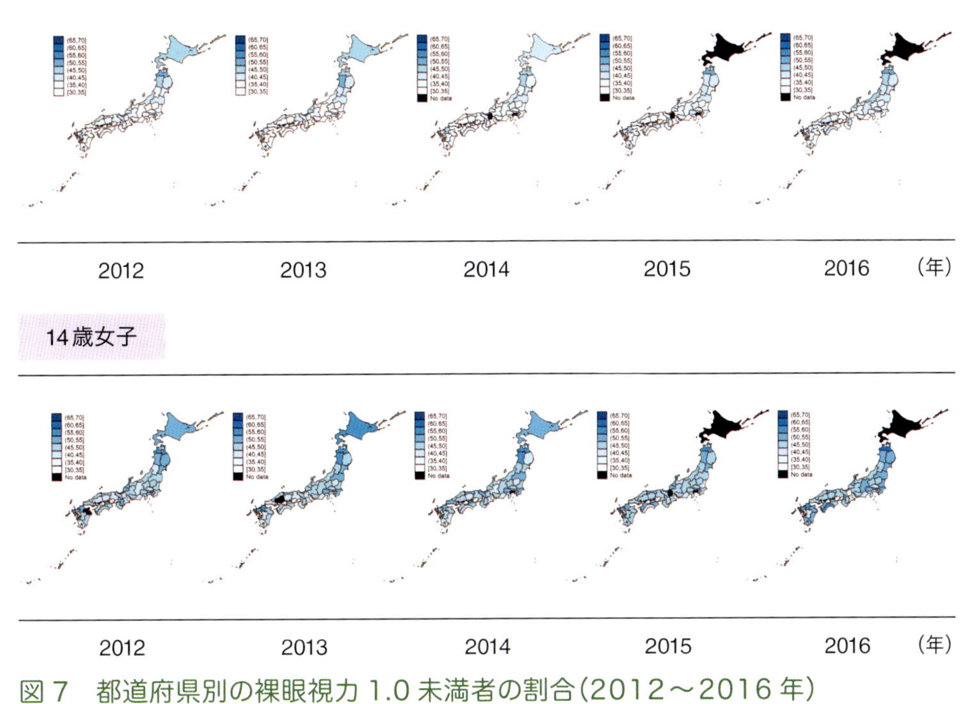

図7　都道府県別の裸眼視力 1.0 未満者の割合(2012〜2016 年)

(文献 57 を参照して作成)

文部科学省「児童生徒の近視実態調査」

近視が増加している可能性が示されながら，わが国で小児期の近視の実態を詳細に調査した研究は限られている．わが国では学校保健法に基づき，学校健診において視力検査が長らく行われてきたが，学校健診の結果だけでは屈折異常についてどのような状況にあるかを知ることはできない．このような背景から文部科学省が，小中学生を対象とした実態調査を令和 3 年(2021 年)度から新たに開始した[67]．

調査の概要

背景と目的

学校健診における児童生徒の裸眼視力 1.0 未満の有病割合は，昭和 54 年から一貫して増加傾向にある．それに加えて社会のデジタル化の進展，GIGA スクール構想やデジタル教科書の使用なども背景に，ICT 機器の使用による視力への影響についての関心が高まっている．そこで地域の医療関係者などの協力のもと，視力低下が進行する時期となる小中学生を対象に，近視の実態調査を行い，有効な対策の検討に資するよう調査が計画された．

対　象

各都道府県・指定都市の教育委員会担当者に対して募集説明会が行われ，その結果，参加を希望した全国29校の小中学生が対象となった．調査の目的，データの利活用などについて協力の意思を確認したうえで，不同意を表明した204人を除く8,607人が対象となっている．

調査項目

学校健診で行われる370方式視力検査法に基づく視力判定，身長，体重などの基礎情報に加えて，レフラクト・ケラトメータの測定値(球面度数・乱視度数・乱視軸角度・等価球面度，角膜曲率半径・角膜乱視軸角度・角膜乱視量)，光学式眼内寸法測定装置の測定値(眼軸長・前房深度・水晶体厚・角膜厚)，そして，生活習慣に関するアンケート調査(眼鏡またはコンタクトレンズの使用，屋外活動時間，パソコン，タブレット，手元を見ながら楽しむタイプのデジタル機器の使用時間，起床時間，就寝時間，ほか)が行われている．

結果および今後の展望

裸眼視力が学校健診の視力区分A，B，C，Dと低くなるにしたがって，等価球面度数は近視寄りになり，眼軸は長くなっていること，裸眼視力1.0未満者の割合に一定の地域差が存在すること，また，裸眼視力1.0未満者であって眼鏡またはコンタクトレンズを使用していないものの割合が小学校低学年で約60％，中学校で約40％いることが明らかとなった．また，休み時間の屋外活動時間，学校以外の屋外活動時間は，低学年であっても短い現状などが示唆された．

令和5年(2023年)度現在もこの調査が続いており，近視の有病割合とそれに関連する要因，さらには経年的な変化などの疫学知見が報告されることが期待される．調査が長期に継続され，小児期から生涯にわたって眼を守るために学校保健のなかで何ができるか，具体的に考えるための基礎資料となることを期待したい．

おわりに

近視は適切な矯正ができる疾患ではあるが，屈折矯正を得られない種々の状況下では視力障害の原因となりうる．特に小児期には，近視に対して眼鏡による屈折矯正が十分ではない例も見受けられる．その背景には，日常生活で屈折矯正を要する不便さに加え，屈折矯正へのアクセスや費用，近視に対する保護者の嫌悪感などが挙げられる．適切な屈折矯正を提供すると同時に，近視が増加している現状を把握し，また，そのなかから近視の予防につながる知見を見いだすことは，近視有病割合が高いわが国をはじめとする東アジア地域が世界に先駆けて担うべき重要な役割であると考える．

文献

1) Sanfilippo PG, Chu BS, Bigault O, et al.：What is the appropriate age cut-off for cycloplegia in refraction? Acta Ophthalmol 92：e458-462, 2014.
2) Hashemi H, Khabazkhoob M, Asharlous A, et al.：Cycloplegic autorefraction versus subjective refraction：the Tehran Eye Study. Br J Ophthalmol 100：1122-1127, 2016.
3) 丸尾敏夫，久保田伸枝，有本秀樹，他：小，中学校児童・生徒の塩酸 Cyclopentolate 使用による屈折検査成績．眼臨医報 71：709-711, 1977.
4) 所　敬，丸尾敏夫，金井　淳，他：病的近視診断の手びき．厚生省特定疾患網膜脈絡膜萎縮症調査研究班，昭和 62 年度報告書，1987，pp 1-14.
5) 湖崎　克，森　和子：小児屈折異常の矯正．眼科 12：270-278, 1970.
6) 所　敬：乳幼児の近視の問題点．眼臨医報 80：81-86, 1986.
7) Hayashi H, Yamashiro K, Nakanishi H, et al.：Association of 15q14 and 15q25 with high myopia in Japanese. Invest Ophthalmol Vis Sci 52：4853-4558, 2011.
8) 中島　実：学校近視の成因について．日眼会誌 45：1378-1386, 1941.
9) 大塚　任：眼屈折に及ぼす遺伝と環境の影響に関する研究（双生児眼屈折調査成績）．日眼会誌 47：890-894, 1943.
10) Wiesel TN, Raviola E：Myopia and eye enlargement after neonatal lid fusion in monkeys. Nature 266：66-68, 1977.
11) Smith EL 3 rd, Hung LF, Harwerth RS：Effects of optically induced blur on the refractive status of young monkeys. Vision Res 34：293-301, 1994.
12) 山下牧子，中込真知子，三浦真由美，他：近視の進行と眼鏡．日眼紀 42：1554-1559, 1991.
13) 所　敬，林　一彦，打田昭子，他：眼軸長よりみた高度近視の診断基準について．厚生省特定疾患網膜脈絡膜萎縮症調査研究班，昭和 52 年度研究報告書，pp 7-12，1978.
14) 所　敬，林　一彦，佐藤百合子：高度近視の視力障害について．厚生省特定疾患網膜脈絡膜萎縮症調査研究班，昭和 53 年度研究報告書，pp14-18，1979.
15) Yokoi T, Jonas JB, Shimada N, et al.：Peripapillary Diffuse Chorioretinal Atrophy in Children as a Sign of Eventual Pathologic Myopia in Adults. Ophthalmology 123：1783-1787, 2016.
16) Walline JJ, Lindsley KB, Vedula SS, et al.：Interventions to slow progression of myopia in children. Cochrane Database Syst Rev 1：CD004916, 2020.
17) Gwiazda JE, Hyman L, Norton TT, et al.：Accommodation and related risk factors associated with myopia progression and their interaction with treatment in COMET children. Invest Ophthalmol Vis Sci 45：2143-2151, 2004.
18) Hasebe S, Ohtsuki H, Nonaka T, et al.：Effect of progressive addition lenses on myopia progression in Japanese children：a prospective, randomized, double-masked, crossover trial. Invest Ophthalmol Vis Sci 49：2781-2789, 2008.
19) Sankaridurg P, Donovan L, Varnas S, et al.：Spectacle lenses designed to reduce progression of myopia：12-month results. Optom Vis Sci 87：631-641, 2010.
20) Lam CSY, Tang WC, Tse DY et al.：Defocus Incorporated Multiple Segments（DIMS）spectacle lenses slow myopia progression：a 2 -year randomised clinical trial. Br J Ophthalmol 104：363-368, 2020.
21) Sankaridurg P, Holden B, Smith E 3 rd, et al.：Decrease in rate of myopia progression with a contact lens designed to reduce relative peripheral hyperopia：one-year results. Invest Ophthalmol Vis Sci 52：9362-9367, 2011.
22) 長谷部聡：学童期の近視進行抑制—原理と効果．日本の眼科 92：1129-1134, 2021.
23) Chamberlain P, Peixoto-de-Matos SC, Logan NS et al.：A 3 -year Randomized Clinical Trial of MiSight Lenses for Myopia Control. Optom Vis Sci 96：556-567, 2019.
24) Hiraoka T, Kakita T, Okamoto F et al.：Long-term effect of overnight orthokeratology on axial length elongation in childhood myopia：a 5 -year follow-up study. Invest Ophthalmol Vis Sci 53：3913-3919, 2012.

25) Kinoshita N, Konno Y, Hamada N et al.：Additive effects of orthokeratology and atropine 0.01 % ophthalmic solution in slowing axial elongation in children with myopia：first year results. Jpn J Ophthalmol 62：544-553, 2018.
26) Siatkowski RM, Cotter S, Miller JM, et al.：Safety and efficacy of 2 % pirenzepine ophthalmic gel in children with myopia：a 1 -year, multicenter, double-masked, placebocontrolled parallel study. Arch Ophthalmol 122：1667-1674, 2004.
27) Chia A, Chua WH, Wen L, et al.：Atropine for the treatment of childhood myopia：changes after stopping atropine 0.01%, 0.1% and 0.5%. Am J Ophthalmol 157：451-457, 2014.
28) Hieda O, Hiraoka T, Fujikado T et al.：Efficacy and safety of 0.01 % atropine for prevention of childhood myopia in a 2 -year randomized placebo-controlled study. Jpn J Ophthalmol 65：315-325, 2021.
29) Yam JC, Jiang Y, Tang SM et al.：Low-Concentration Atropine for Myopia Progression（LAMP）Study：A Randomized, Double-Blinded, Placebo-Controlled Trial of 0.05%, 0.025%, and 0.01 % Atropine Eye Drops in Myopia Control. Ophthalmology 126：113-124, 2019.
30) Yam JC, Jiang Y, Lee J et al.：The Association of Choroidal Thickening by Atropine With Treatment Effects for Myopia：Two-Year Clinical Trial of the Low-concentration Atropine for Myopia Progression（LAMP）Study. Am J Ophthalmol 237：130-138, 2022.
31) Li FF, Kam KW, Zhang Y et al.：Differential Effects on Ocular Biometrics by 0.05%, 0.025%, and 0.01% Atropine：Low-Concentration Atropine for Myopia Progression Study. Ophthalmology 127：1603-1611, 2020.
32) 所　敬，加部精一：屈折度と眼屈折要素の推移よりみた近視の発生について．日眼会誌 68：1240-1253, 1964.
33) Saw SM, Tong L, Chua WH, et al.：Incidence and progression of myopia in Singaporean school children. Invest Ophthalmol Vis Sci 46：51-57, 2005.
34) Edwards MH, Li RW, Lam CS, et al.：The Hong Kong progressive lens myopia control study：study design and main findings. Invest Ophthalmol Vis Sci 43：2852-2858, 2002.
35) Loh KL, Lu Q, Tan D, et al.：Risk factors for progressive myopia in the atropine therapy for myopia study. Am J Ophthalmol 159：945-949, 2015.
36) Chung K, Mohidin N, O'Leary DJ：Undercorrection of myopia enhances rather than inhibits myopia progression. Vision Res 42：2555-2559, 2002.
37) Adler D, Millodot M：The possible effect of undercorrection on myopic progression in children. Clin Exp Optom 89：315-321, 2006.
38) 所　敬，加部精一：近視の治療とその屈折要素の推移について．第 2 報：眼鏡の全矯正と低矯正．日眼会誌 69：140-144, 1965.
39) 長谷部聡：小児の近視予防．あたらしい眼科 27：757-761, 2010.
40) Li SY, Li SM, Zhou YH, et al.：Effect of undercorrection on myopia progression in 12-year-old children. Graefes Arch Clin Exp Ophthalmol 253：1363-1368, 2015.
41) Sun YY, Li SM, Li SY, et al.：Effect of uncorrection versus full correction on myopia progression in 12-year-old children. Graefes Arch Clin Exp Ophthalmol 255：189-195, 2017.
42) Fujikado T, Ninomiya S, Kobayashi T, et al.：Effect of low-addition soft contact lenses with decentered optical design on myopia progression in children：a pilot study. Clin Ophthalmol 23：1947-1956, 2014.
43) 所　敬：弱度近視の発生機序とその治療の可能性．日眼会誌 102：796-812, 1998.
44) Mallen EAH, Kashyap P, Hampson KM：Transient axial length change during the accommodation response in young adults. Invest Ophthalmol Vis Sci 47：1251-1254, 2006.
45) Rose KA, Morgan IG, Ip J, et al.：Outdoor activity reduces the prevalence of myopia in children. Ophthalmology 115：1279-1285, 2008.
46) Torii H, Kurihara T, Seko Y et al.：Violet Light Exposure Can Be a Preventive Strategy Against Myopia Progression. EBioMedicine 15：210-219, 2017.
47) Williams KM, Bentham GCG, Young IS et al.：Association Between Myopia, Ultraviolet B Radiation

Exposure, Serum Vitamin D Concentrations, and Genetic Polymorphisms in Vitamin D Metabolic Pathways in a Multicountry European Study. JAMA Ophthalmol 135：47-53, 2017.
48) Jiang Y, Zhu Z, Tan X et al.：Effect of Repeated Low-Level Red-Light Therapy for Myopia Control in Children：A Multicenter Randomized Controlled Trial. Ophthalmology 129：509-519, 2022.
49) Morgan I, Rose K：How genetic is school myopia? Prog Retin Eye Res 24：1-38, 2005.
50) Dolgin E：The myopia boom. Nature 519：276-278, 2015.
51) Holden BA, Fricke TR, Wilson DA, et al.：Global Prevalence of Myopia and High Myopia and Temporal Trends from 2000 through 2050. Ophthalmology 123：1036-1042, 2016.
52) Pan CW, Ramamurthy D, Saw SM：Worldwide prevalence and risk factors for myopia. Ophthalmic Physiol Opt 32：3-16, 2012.
53) Morgan IG, Ohno-Matsui K, Saw SM：Myopia. Lancet 379：1739-1748, 2012.
54) Matsumura H, Hirai H：Prevalence of myopia and refractive changes in students from 3 to 17 years of age. Surv Ophthalmol 44：S109-S115, 1999.
55) Yotsukura E, Torii H, Inokuchi M, et al.：Current Prevalence of Myopia and Association of Myopia With Environmental Factors Among Schoolchildren in Japan. JAMA Ophthalmol 137：1233-1239, 2019.
56) Lin LL, Shih YF, Hsiao CK, et al.：Prevalence of myopia in Taiwanese schoolchildren：1983 to 2000. Ann Acad Med Singapore 33：27-33, 2004.
57) e-Stat 政府統計の総合窓口：学校保健統計調査報告書.
http://www.e-stat.go.jp/SG1/estat/NewList.do?tid=000001011648
58) 川崎　良：近視および強度近視の疫学と疾病負担，シンポジウムⅠ　近視の展望．第1回日本近視学会総会，東京，2017.
59) 所　敬：3．屈折度の推移，第Ⅰ章 総論．“近視―基礎と臨床” 所　敬，大野京子 編著．金原出版，2012，pp 8-15.
60) Rudnicka AR, Kapetanakis VV, Wathern AK, et al.：Global variations and time trends in the prevalence of childhood myopia, a systematic review and quantitative meta-analysis：implications for aetiology and early prevention. Br J Ophthalmol 100：882-890, 2016.
61) Negrel AD, Maul E, Pokharel GP, et al.：Refractive Error Study in Children：sampling and measurement methods for a multi-country survey. Am J Ophthalmol 129：421-426, 2000.
62) Zhao J, Pan X, Sui R, et al.：Refractive Error Study in Children：results from Shunyi District, China. Am J Ophthalmol 129：427-435, 2000.
63) Pokharel GP, Negrel AD, Munoz SR, et al.：Refractive Error Study in Children：results from Mechi Zone, Nepal. Am J Ophthalmol 129：436-444, 2000.
64) Maul E, Barroso S, Munoz SR, et al.：Refractive Error Study in Children：results from La Florida, Chile. Am J Ophthalmol 129：445-454, 2000.
65) Zhang M, Li L, Chen L, et al.：Population density and refractive error among Chinese children. Invest Ophthalmol Vis Sci 51：4969-4976, 2010.
66) Williams KM, Bertelsen G, Cumberland P, et al.：Increasing Prevalence of Myopia in Europe and the Impact of Education. Ophthalmology 122：1489-1497, 2015.
67) 文部科学省：令和3年度児童生徒の近視実態調査 調査結果報告書.
https://www.mext.go.jp/content/20220622-mxt_kenshoku-000013234_1.pdf

総説—近視の分類

背景—増加を続ける近視

近年，世界的な近視人口の増加が報告されている[1〜3]．各国の研究をまとめたメタ解析では，2015 年における中等度または高度視力低下を示す 2 億人のうち，矯正されていない屈折異常が 1 億人にみられ，視力低下の最大の原因であったと報告されている[4]．ここでみられる屈折異常の多くは，近視であると推察される．Holden ら[5]は，合計 200 万人を対象とした 145 の研究のメタ解析を行い，2000 年には世界の近視人口は 14 億人，強度近視人口は 1.6 億人と推察されるが，これまでの増加傾向が続くと，2050 年には近視人口は 48 億人と 3〜4 倍に，強度近視人口も 9.4 億人と約 6 倍に増加すると発表し，国際的な警鐘を鳴らしている．わが国の文部科学省の学校保健統計調査でも，40 年間で裸眼視力 0.3 未満の小学生の頻度が 3.8 倍に増加している(**図 1**)．

さらに，このような近視の増加に伴い，強度の近視も増加していることが報告されている[6]．しかしその結果，病的近視による失明が増えるのか，それとも近視の進行と病的近視は異なる疾患であるのか，解明するにはさらなる研究が必要である．

しかしいずれにしても，増加し続ける近視を抑制することは，次の 2 つの観点から重要である．

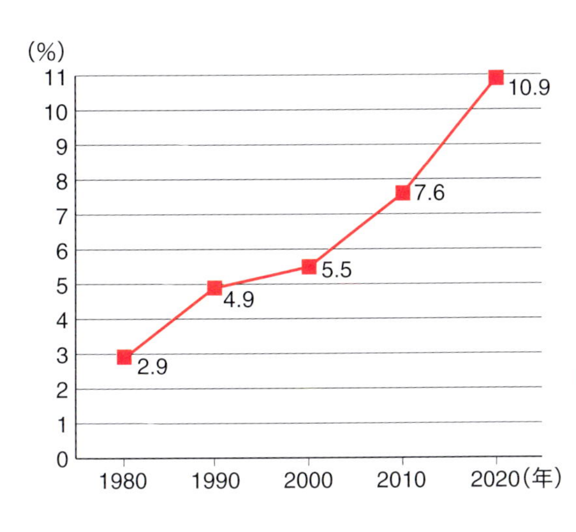

図 1　小学生の裸眼視力不良の頻度

文部科学省学校保健統計調査における裸眼視力 0.3 未満の小学生の頻度の推移．40 年間で 3.8 倍に増加している．

①近視が起因となる学業や生活上の不便，経済上の不便（近視による世界的な経済的負担は年間2,000億円と試算されている[7]）を抑制すること

②直接のエビデンスはいまだ確かではないが，病的近視による失明の危険因子を抑制すること

このような背景のもと，ここでは近視とは何か，近視にはどのような種類があるか，今後の課題は何かを概説したい．

近視とは何か

眼の屈折状態は，正視（emmetropia）と屈折異常（refractive error, ametropia）に分けられる．無調節状態の眼に光線が入射したときに網膜に像を結ぶ外界の点を“遠点”という．遠点が無限遠の距離にある眼が正視，それ以外に遠点がある眼を屈折異常という[8]．わかりやすく言い換えると，調節による影響がない環境下で，眼に入射した光線が網膜上にピントを結ぶ状態を正視，そうでない場合は屈折異常といえる．

屈折異常のなかに，遠視（hyperopia, hypermetropia），近視（myopia），乱視（astigmatism）がある．近視とは，遠点が眼前有限距離に遠点がある状態であり，わかりやすく言い換えると，「眼球の形が前後方向に長くなって，眼の中に入った光線のピントが合う位置が網膜より前になっている状態」である（**図2**）．凹レンズで光線の屈折を弱め，ピントが合う位置を網膜上に合わせることにより，鮮明に見えるようになる．

近視と眼軸長

眼の屈折状態は3つの構成要素，①角膜屈折力，②水晶体屈折力，③眼軸長によって決定されるが，近視の発症と進行のほとんどは眼軸延長によるものである．6～10歳の学童を調査したシンガポールの報告[9]でも，近視眼では正視眼に比較して，眼軸延長がより速く進行していた．しかし，水晶体厚は低年齢学童ではいったん菲薄化する現象がみられ，屈折を構成する3大要素は近視化において並行して進行するのではなく，眼軸延長が主たる進行要因であることがわかる．

眼軸長が近視の発症と進行の主たる構成要素とすると，屈折度数ではなく眼軸長から近視を定義することが理想かもしれない．40歳以上の住民1,893人を対象とした福岡県のHisayama study[10]では，屈折度数が男性平均−0.60 D，女性平均−0.50 Dの集団で，眼軸長の平均は男性23.6 mm，女性23.1 mmであった．また，6～9歳の学童4,734人を調査したオランダの研究[11]では，平均屈折度数＋0.73±1.29 D，平均眼軸長22.3±0.72 mmであり，6～9歳までの間で平均の眼軸延長は年間0.21±0.009 mmであった．しかし，実地臨床においては，眼軸長を必ずしも測定すると限らないため，近視の診断は従来通り，屈折度数によるものが現実的であると考えられる．

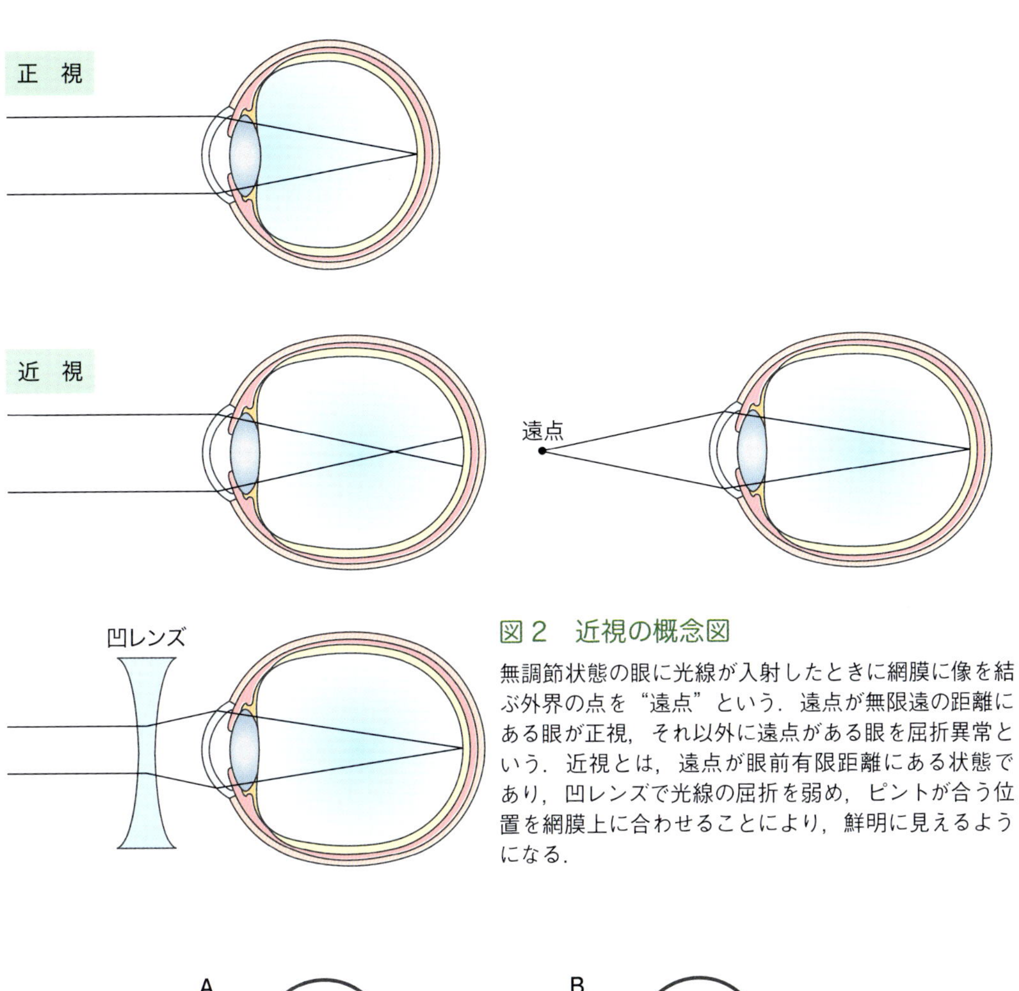

図２　近視の概念図

無調節状態の眼に光線が入射したときに網膜に像を結ぶ外界の点を“遠点”という．遠点が無限遠の距離にある眼が正視，それ以外に遠点がある眼を屈折異常という．近視とは，遠点が眼前有限距離にある状態であり，凹レンズで光線の屈折を弱め，ピントが合う位置を網膜上に合わせることにより，鮮明に見えるようになる．

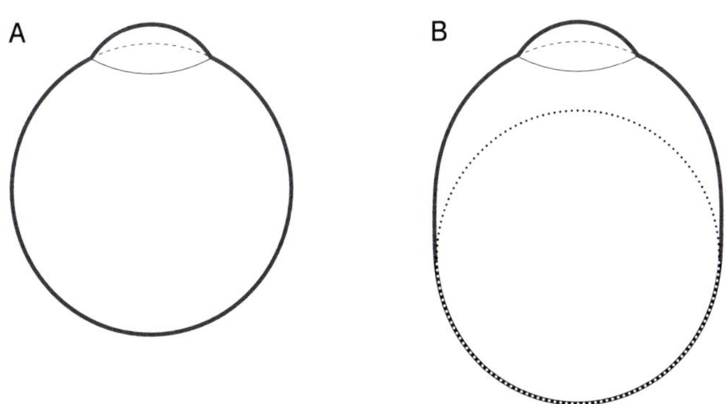

図３　赤道部の眼軸延長

正視眼（A）に比べ，近視による眼軸延長眼（B）では眼球赤道部付近が主に伸長し，眼球の前方および後方カップは形状を保ったままそれぞれ前後に移動する．

近視の発症や進行における眼軸延長は，主に眼球赤道部の伸長として生じる（**図３**）[12〜14]．そのため眼球の前方カップと後方カップは，形状を保ったまま前方と後方に移動する．これが，病的近視ではない近視眼において，ピント調節により矯正視力が良好にでる理由である．

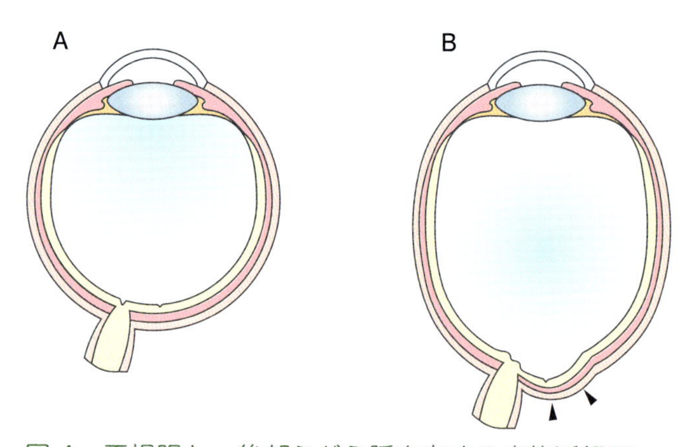

図4　正視眼と，後部ぶどう腫を有する病的近視眼

A：正視眼．B：後部ぶどう腫は病的近視眼に特徴的な病態であり，眼球後極部の一部が後方に突出する（►）．

一方，病的近視では，眼球後部の変形（後部ぶどう腫）が特徴である（**図4**）．眼軸延長と後部ぶどう腫は眼球において障害される部位が異なり，両者は異なる原因による病態と推察される．後部ぶどう腫の形成により黄斑部網膜や視神経を含む眼球後極部が機械的に障害され，視力障害を起こす．

近視の分類

近視は，①程度，②発症時期（先天性近視か後天性近視か），③視覚障害の合併（単純近視か病的近視か）によって分類される（**表1**）．

程度による分類

近視の屈折度数により，近視を分類するものである．学童における近視分類の基準は各国間でさまざまであったが，最近になり国際的に統一された基準を用いようとする動きがみられる．詳細はp.29「小児の近視の定義・診断基準」を参照されたいが，弱度近視と強度近視のみを定義しているもの，弱度近視・中等度近視・強度近視の3段階に分類しているもの，さらには，強度近視より強い最強度近視（極度近視）をおいているものなど多様である．わが国では2019年，日本近視学会，日本小児眼科学会，日本視能訓練士協会において統一した程度分類を確立した（**表1**）．

小児の近視

近視は小児では年齢とともに進行するため，低年齢の小児では，近視度数が低くても強度近視または病的近視とみなすべきであるとの報告もされている[15]．将来，強度近視や病的近視に進行する可能性の高い小児を早期に診断し，介入を行ってい

表 1　近視の分類

程度による分類	弱度近視　：−0.50 D 以上−3.00 D 未満の近視
	中等度近視：−3.00 D 以上−6.00 D 未満の近視
	強度近視　：−6.00 D 以上の近視
発症時期による分類	先天性近視
	後天性近視
視覚障害の合併による分類	単純近視：病的近視に合致しない近視
	病的近視：びまん性網膜脈絡膜異常の萎縮性変化もしくは後部ぶどう腫を有する近視(屈折度数は問わず)

くためには，低年齢児童におけるスクリーニング目的の診断基準やリスク評価も必要である.

発症時期による分類

先天性近視と後天性近視

ほとんどの近視は学童期に発症し，進行する後天性近視であるが，まれに幼少期から強い近視を呈する場合がある(先天性近視や先天性強度近視). 先天異常や未熟児網膜症などの出生時の異常に伴い生じる例もあるが，全身疾患の既往がないにもかかわらず幼少時から強い近視を呈する例もみられる.

定　義

先天性近視の定義は報告者によりさまざまであるが, Curtin[16]は 6 歳以下で−5.00 D 以上の近視を先天性近視と定義している. ちなみに，1987 年厚生省研究班の診断基準[15]では，5 歳以下で−4.00 D を超えるものを病的近視としている.

発生機序

発生機序として, 幼少時から強度近視を合併する全身疾患である, Stickler 症候群, Down 症候群，Marfan 症候群，Ehlers-Danlos 症候群などがある. また眼局所の疾患として，網膜色素変性，先天停在性夜盲，未熟児網膜症，視覚刺激遮断を伴う眼瞼下垂や先天白内障などもある.

先天性強度近視の発症機序は明らかではないが，類似した眼底変化〔傾斜乳頭と紋理眼底，ときに後部ぶどう腫(**図 5**)〕を示すことからも，先天的な眼球構造の異常であると考えられ，後天性近視とは異なる病態である.

進　行

学童期に始まる後天性近視は近視発生直後から経時的に進行するのに対し，先天性近視では近視の進行は少ないとされている[17]. 特に，先天性に非常に強度の近視を呈する症例では，その後の近視進行は少ない[18]. 視力経過は，Shih ら[18]によると

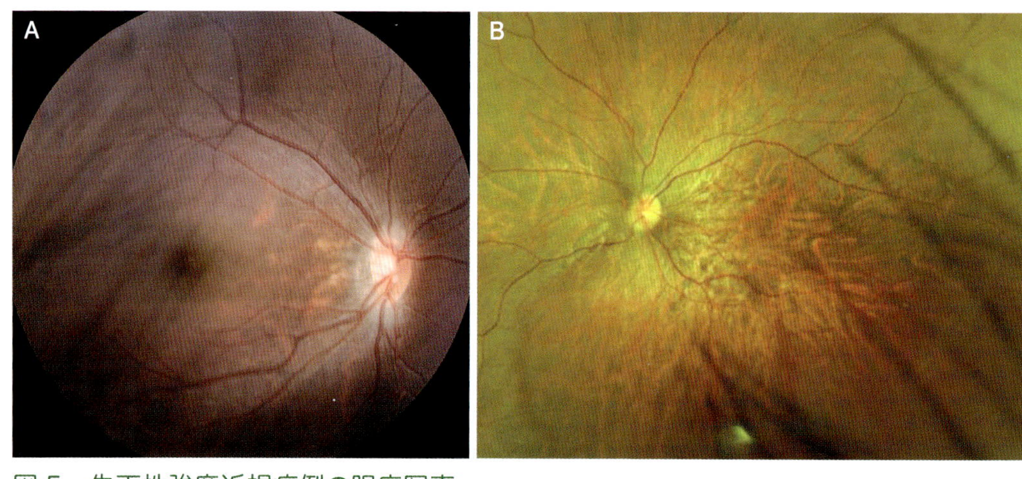

図 5　先天性強度近視症例の眼底写真

A：2 歳，女児．屈折度数－5.50 D，眼軸長 22.7 mm．視神経乳頭は傾斜し乳頭耳側に軽度のびまん性萎縮がみられる．B：Stickler 症候群の 4 歳，男児．屈折度数－17.75 D，眼軸長 30.8 mm．視神経乳頭から黄斑にかけての広い範囲にびまん性萎縮がみられる．

最終受診時の視力は 82％の症例で(0.5)以上と報告している．Nagaoka ら[19]も，先天性強度近視の 6 症例において，最終視力は(0.4)～(1.2)であったと報告している．

以上から，先天性強度近視は幼少時にすでに特徴的な眼底変化を示すものの，その後の近視進行や眼底病変の進行はほとんどなく，比較的良好な視機能を維持できると示唆される．

視覚障害の合併による分類

単純近視と病的近視

単純近視(simple myopia)と病的近視(pathologic myopia)とに分ける分類がある．単純近視とは，視機能障害を伴わず眼鏡レンズなどで視力が矯正できるもので，一方，病的近視は矯正視力の低下など視機能障害を伴い，失明の原因となる近視である．病的近視は，赤道部の伸長による眼軸延長だけでなく，眼球後部の変形(後部ぶどう腫)を特徴とし，それにより視神経や網膜が機械的に障害され，失明を起こす．後述の病的近視の定義に合致しない近視を単純近視とみなす．日本近視学会，日本小児眼科学会，日本視能訓練士協会の 3 学会による病的近視の定義は，びまん性網膜脈絡膜異常の萎縮性変化もしくは後部ぶどう腫を有する近視(屈折度数は問わず)である(**表 1**)．

病的近視の定義

病的近視の国際メタ解析研究グループ(META-PM)は，病的近視の近視性黄斑症を Category 1～4 まで分類している(**表 2**)[20]．さらに Category の進行と独立して生じる病変を“プラス”病変としている．

表２　病的近視の国際メタ解析研究グループによる近視性黄斑症の分類

	近視性黄斑症		“プラス”病変
Category 0	黄斑病変なし	＋	Lacquer cracks (Lc) 近視性脈絡膜新生血管 Fuchs 斑
Category 1	紋理眼底		
Category 2	びまん性萎縮病変		
Category 3	限局性萎縮病変		
Category 4	黄斑部萎縮		

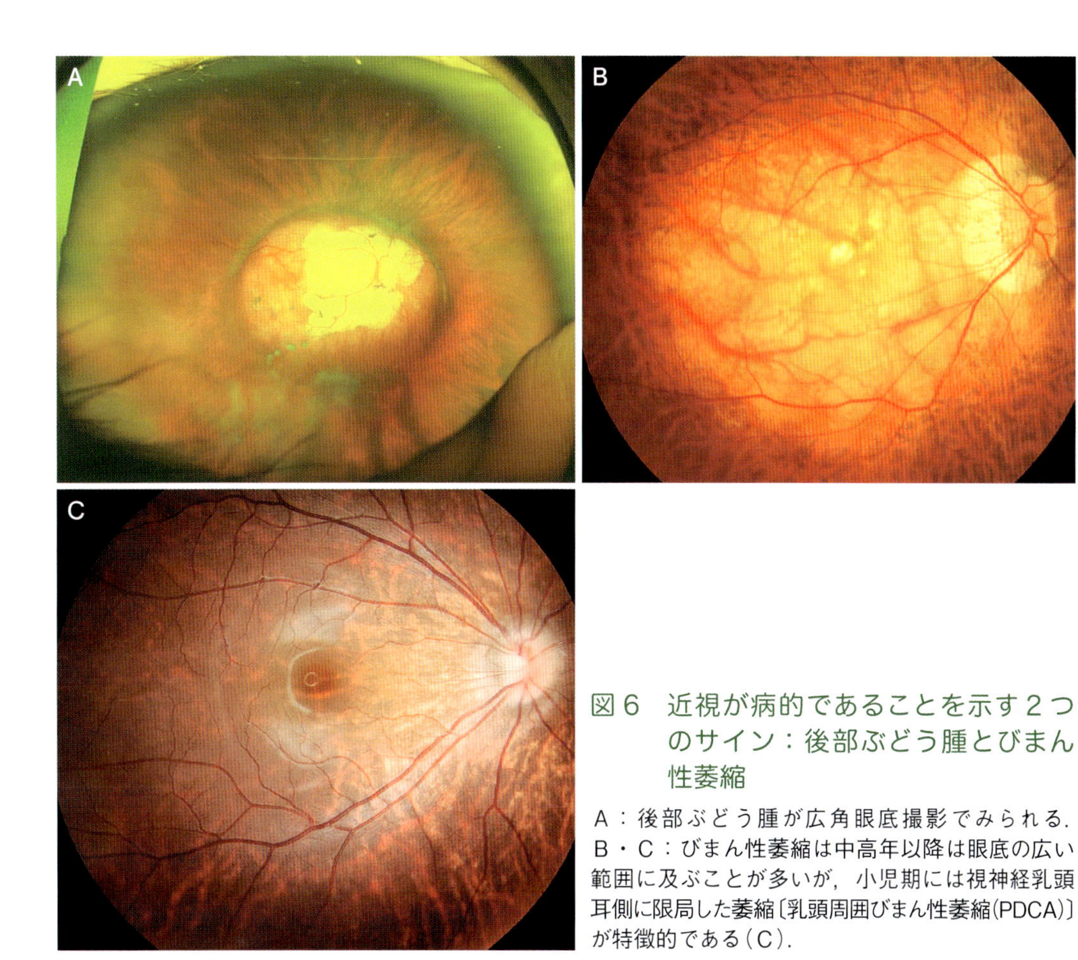

図６　近視が病的であることを示す２つのサイン：後部ぶどう腫とびまん性萎縮

A：後部ぶどう腫が広角眼底撮影でみられる．B・C：びまん性萎縮は中高年以降は眼底の広い範囲に及ぶことが多いが，小児期には視神経乳頭耳側に限局した萎縮〔乳頭周囲びまん性萎縮(PDCA)〕が特徴的である(C)．

病的近視は，① Category 2 以上の近視性黄斑症がある，または②後部ぶどう腫がある，ことにより定義されている(**図６**)[20〜22]．ここで重要なことは，後部ぶどう腫は必ずしも眼軸が長くない眼にも生じることがあり[23]，したがって，病的近視の診断基準には屈折度数，眼軸長は含まれていないという点である．

すなわち病的近視の診断に重要なキーとなる病変は，びまん性萎縮病変と後部ぶどう腫である．後部ぶどう腫は黄斑を含む広範囲に及ぶものが多く，その正確な診断には 3D MRI[24]や超広角 OCT[25, 26]による観察が望ましい．

びまん性萎縮の診断

びまん性萎縮の診断は，眼底所見を基本とする．Fang ら[27]は18年間という非常に長期での病的近視進行過程を報告し，そのなかで，びまん性萎縮を乳頭周囲びまん性萎縮（peripapillary diffuse chorioretinal atrophy：PDCA）と黄斑部を含む広範囲のびまん性萎縮（macular diffuse chorioretinal atrophy：MDCA）に分けている（**図6 B・C**）．小児では，ほとんどすべての症例でPDCAにとどまる．

小児の病的近視と乳頭周囲びまん性萎縮

Yokoi ら[28]は，将来病的近視に進行するハイリスクを示す小児期の重要なサインがPDCAであると報告した．OCTを用いたさらなる検討により，PDCAは視神経乳頭耳側脈絡膜の局所的で高度な菲薄化であり，中心窩から2,500 μm鼻側の脈絡膜厚が60 μm未満をcut off値とすると報告された[29]．したがって，小児期に検眼鏡的に視神経乳頭耳側にPDCAがみられる，または中心窩鼻側の脈絡膜厚が60 μm未満の小児に対しては，屈折度数にかかわらず，将来の病的近視への進行を考慮した経過観察が必要である．これに対し，視神経乳頭耳側脈絡膜が十分に保たれている小児では，病的近視による失明に将来至る可能性はまずないと考えられる．

今後の課題

小児の近視の増加は病的近視による失明につながるか？

近年の小児の近視の増加に伴い最も危惧されるのが，病的近視による失明は増加するのか，近視が進行するとやがて病的近視による失明に至るのか，という点である．

小児の近視全般の増加に伴い，強度近視が増えていることが報告されている[6]．中国で2001～2015年の15年間にわたり高校生約44,000人の近視の頻度の推移を調べた研究では，全体の近視（−0.5 Dを超える近視）は，79.5%から87.7%へ，中等度近視（−3.0～−6.0 Dまでの近視）は38.8%から45.7%へ，強度近視（−6.0 Dを超える近視）は7.9%から16.6%へ，最強度近視（−10.0 Dを超える近視）は0.08%から0.92%へと増加した（**図7**）．強度近視は「近視度数が強度のもの」という定義であるため，近視の増加に伴い強度近視が増加することは容易に想像できる．しかし，これが病的近視による失明の増加に直結するかのエビデンスはまだない．

その理由として，①病的近視の定義があいまいであったこと，②病的近視を定義する病変である後部ぶどう腫の多くは中高年以降に生じること，などが挙げられる．したがって，近視の増加に伴う強度近視の増加により病的近視の失明が増えるかについては，今後の前向き大規模研究の報告を検討する必要があり，現在進行中の結果が待たれる．

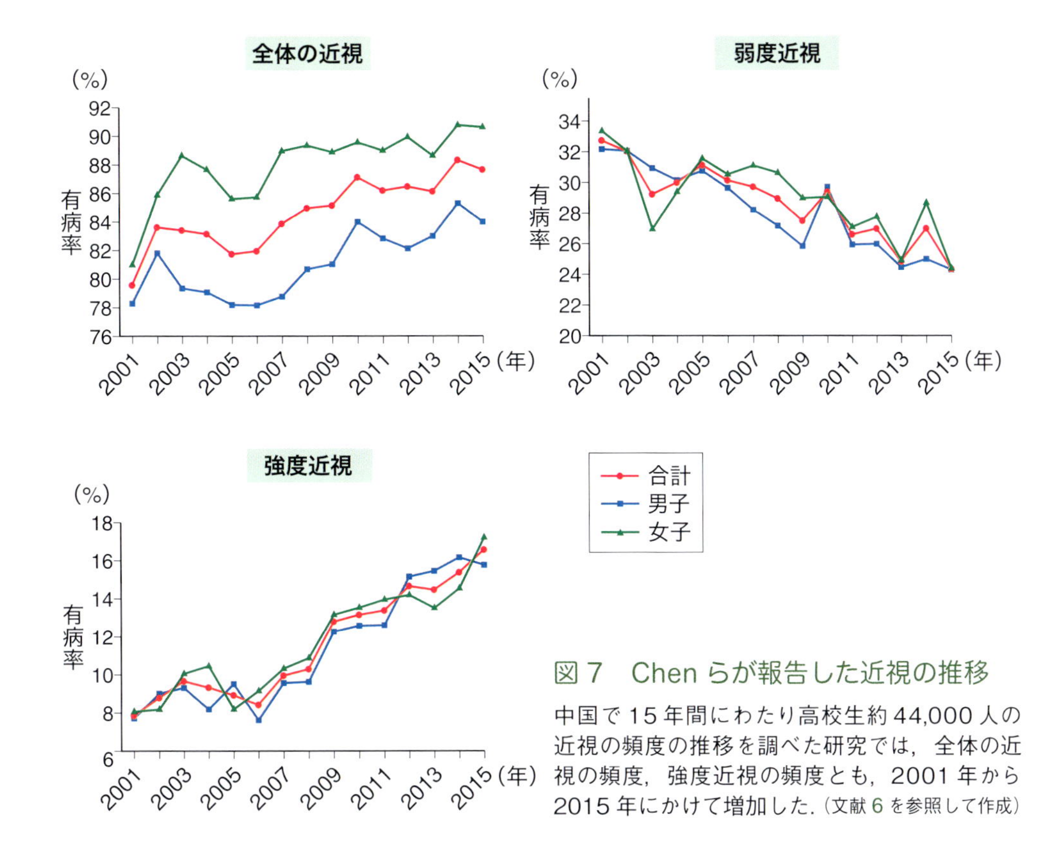

図 7　Chen らが報告した近視の推移

中国で 15 年間にわたり高校生約 44,000 人の近視の頻度の推移を調べた研究では，全体の近視の頻度，強度近視の頻度とも，2001 年から 2015 年にかけて増加した．(文献 6 を参照して作成)

文　献

1) Morgan IG, Ohno-Matsui K, Saw SM：Myopia. Lancet 379：1739-1748, 2012.

2) Dolgin E：The myopia boom. Nature 519：276-278, 2015.

3) Baird PN, Saw SM, Lanca C, et al.：Myopia. Nat Rev Dis Primers 6：99, 2020.

4) Flaxman SR, Bourne RRA, Resnikoff S, et al.：Global causes of blindness and distance vision impairment 1990-2020：a systematic review and meta-analysis. Lancet Glob Health 5：e1221-e1234, 2017.

5) Holden BA, Fricke TR, Wilson DA, et al.：Global Prevalence of Myopia and High Myopia and Temporal Trends from 2000 through 2050. Ophthalmology 123：1036-1042, 2016.

6) Chen M, Wu A, Zhang L, et al.：The increasing prevalence of myopia and high myopia among high school students in Fenghua city, eastern China：a 15-year population-based survey. BMC Ophthalmol 18：159, 2018.

7) Rudnicka AR, Kapetanakis VV, Wathern AK, et al.：Global variations and time trends in the prevalence of childhood myopia, a systematic review and quantitative meta-analysis：implications for aetiology and early prevention. Br J Ophthalmol 100：882-890, 2016.

8) 所　敬，大野京子：定義．“近視―基礎と臨床” 所　敬，大野京子 編著．金原出版，2012，p2.

9) Wong HB, Machin D, Tan SB, et al.：Ocular component growth curves among Singaporean children with different refractive error status. Invest Ophthalmol Vis Sci 51：1341-1347, 2010.

10) Asakuma T, Yasuda M, Ninomiya T, et al.：Prevalence and risk factors for myopic retinopathy in a Japanese population：The Hisayama Study. Ophthalmology 119：1760-1765, 2012.

11) Tideman JWL, Polling JR, Jaddoe VWV, et al.：Environmental Risk Factors Can Reduce Axial Length Elongation and Myopia Incidence in 6 - to 9 -Year-Old Children. Ophthalmology 126：127-136, 2019.

12) Ishii K, Iwata H, Oshika T：Quantitative evaluation of changes in eyeball shape in emmetropization and myopic changes based on elliptic fourier descriptors. Invest Ophthalmol Vis Sci 52：8585-8591, 2011.

13) Jonas JB, Ohno-Matsui K, Holbach L, et al.：Association between axial length and horizontal and vertical globe diameters. Graefes Arch Clin Exp Ophthalmol 255：237-242, 2017.
14) Bai HX, Mao Y, Shen L, et al.：Bruch's membrane thickness in relationship to axial length. PLoS One 12：e0182080, 2017.
15) 所　敬，丸尾敏夫，金井　淳，他：病的近視診断の手引き．厚生省特定疾患網膜脈絡膜萎縮症調査研究班，昭和62年度報告書，1987.
16) Curtin BJ：The nature of pathologic myopia. "The Myopias" Curtin BJ, ed. Philadelphia, Harper and Row, 1985, p177.
17) Hiatt RL, Costenbader FD, Albert DG：Clinical evaluation of congenital myopia. Arch Ophthalmol 74：31-35, 1965.
18) Shih YF, Ho TC, Hsiao CK, et al.：Long-term visual prognosis of infantile-onset high myopia. Eye 20：888-892, 2006.
19) Nagaoka N, Ohno-Matsui K, Saka N, et al.：Clinical characteristics of patients with congenital high myopia. Jpn J Ophthalmol 55：7-10, 2011.
20) Ohno-Matsui K, Kawasaki R, Jonas JB, et al.：International photographic classification and grading system for myopic maculopathy. Am J Ophthalmol 159：877-883, 2015.
21) Ohno-Matsui K, Lai TY, Lai CC, et al.：Updates of pathologic myopia. Prog Retin Eye Res 52：156-187, 2016.
22) Ohno-Matsui K：What is the fundamental nature of pathologic myopia? Retina 37：1043-1048, 2017.
23) Wang NK, Wu YM, Wang JP, et al.：Clinical characteristics of posterior staphylomas in myopic eyes with axial length shorter than 26.5 mm. Am J Ophthalmol 162：180-190, 2016.
24) Moriyama M, Ohno-Matsui K, Hayashi K, et al.：Topographical analyses of shape of eyes with pathologic myopia by high-resolution three dimensional magnetic resonance imaging. Ophthalmology 118：1626-1637, 2011.
25) Shinohara K, Shimada N, Moriyama M, et al.：Posterior staphylomas in pathologic myopia imaged by widefield optical coherence tomography. Invest Ophthalmol Vis Sci 58：3750-3758, 2017.
26) Shinohara K, Tanaka N, Jonas JB, et al.：Ultrawide-field optical coherence tomography to investigate relationships between myopic macular retinoschisis and posterior staphyloma. Ophthalmology 125：1575-1586, 2018.
27) Fang Y, Yokoi T, Nagaoka N, et al.：Progression of myopic maculopathy during 18-year follow-up. Ophthalmology 125：863-877, 2018.
28) Yokoi T, Jonas JB, Shimada N, et al.：Peripapillary diffuse chorioretinal atrophy in children as a sign of eventual pathologic myopia in adults. Ophthalmology 123：1783-1787, 2016.
29) Yokoi T, Zhu D, Bi HS, et al.：Parapapillary diffuse choroidal atrophy in children is associated with extreme thinning of parapapillary choroid. Invest Ophthalmol Vis Sci 58：901-906, 2017.

小児の近視の定義・診断基準

はじめに

成人と異なり，小児の近視を評価する場合はさまざまな配慮が必要である．まず，小児では調節力が大きいため，普通瞳孔下での他覚的屈折検査は信頼性が乏しく，調節麻痺薬の使用が不可欠である．また，近視発症の早期においては，調節緊張に伴ういわゆる「偽近視」を鑑別する必要もある．さらに学童期は近視の進行時期であるため，年齢に応じて近視の程度を評価する必要がある．ここでは小児のうち学童期の近視を定義・診断するためのこれまでの知見をまとめるとともに，今後の課題に関しても言及したい．

学童期の近視の定義と分類

近視の定義

2015年，世界的な近視人口の増加の問題に対応するために，著名な近視研究者らが集結し，国際近視研究所(International Myopia Institute：IMI)を設立した．IMIは，国際基準に沿った近視管理が普及するよう2019年に近視関連白書を一般公開する体制を整えた[1)]．白書の公開によって，近視研究が統一された基準で実施されるようになり，研究間での比較解析が容易となった．2019年にIMIが提唱した近視の定義を**表1**に示す[2)]．IMIでは，近視は等価球面屈折値が−0.50 D以上と定義される．学童においても同様に，必要に応じて調節麻痺を行った際の等価球面屈折値が−0.50 D以上と定義される．さらにIMIは，「ベースラインの屈折値，年齢，その他の定量化できる危険因子から，予防的介入に値する，将来の近視発症の可能性が十分にある子どもの眼の屈折状態」を，前近視(Pre-Myopia)として−0.50 D〜＋0.75 Dの範囲と定義している．

病的近視の定義

一方，病的近視に関して所らは，強度近視は眼軸の延長が主因であるので，病的

表 1　国際近視研究所(IMI)が提唱する定性的および定量的近視の定義

用語		定義
定性的定義	近　視	平行光線が無調節状態の眼に入ったとき，網膜前方に結像する屈折異常．通常，眼球が前後方向に長くなることで生じるが，過度に弯曲した角膜や屈折力が増大した水晶体が原因で生じることもある
	軸性近視	正常よりも長い眼軸長が主な原因で生じる近視
	屈折性近視	眼の結像組織(角膜や水晶体など)の構造や位置変化が主な原因で生じる近視
	二次性近視	近視発症の集団危険因子として認識されていない，単一の原因(たとえば薬物，角膜疾患または全身性臨床的症候群など)が特定できる近視
定量的定義	近　視	無調節状態で，等価球面屈折値が−0.50 D 以上である近視
	弱度近視	無調節状態で，等価球面屈折値が−0.50 D 以上−6.00 D 未満である近視
	強度近視	無調節状態で，等価球面屈折値が−6.00 D 以上である近視
	前近視	ベースラインの屈折値，年齢，その他の定量化できる危険因子から，予防的介入に値する，将来の近視発症の可能性が十分にある子どもの眼の屈折状態

(文献 2 を参照して作成)

表 2　丸尾による若年からの病的近視の診断基準

年　齢	屈折度(D)	矯正視力
5 歳以下	−4.00 を超える	0.4 以下
6～8 歳	−6.00	0.6 以下
9 歳以上	−8.00	0.6 以下

(文献 4 より引用)

近視を「眼軸が異常に長く，正視眼の眼軸長の平均値から標準偏差が 3 倍以上離れているもの」と定義した[3)]．さらにこれを屈折値に換算し，年齢を考慮した基準を定めた．その後，丸尾らは屈折値だけではなく矯正視力も入れることとして，最終的に**表 2** のように定義した[4)]．しかしながら 2015 年の META-PM study による新国際分類では，病的近視は眼底病変と後部ぶどう腫によってのみ定義することとなり[5)]，屈折値や眼軸長による基準は定義から除外された．

近視の分類

近視の分類にはさまざまあり，程度分類(弱度・中等度・強度・最強度・極度)以外にも，遺伝的分類(先天・後天)，発症原因からの分類(屈折性・軸性)，眼底所見あるいは視機能障害からの分類(単純近視・病的近視)，発症年齢による分類(先天発症・学童期/青年期発症・成人発生)などがある[6)]．IMI は定義の提唱だけでなく，分類

表3　成人の近視の定義と程度分類(日本近視学会)

区分	定義
弱度近視	−0.5 D 以上−3.0 D 未満の近視
中等度近視	−3.0 D 以上−6.0 D 未満の近視
強度近視	−6.0 D 以上の近視

(文献7より引用)

表4　山崎・三條による若年からの近視の程度分類

年　齢	弱　度	中等度	強　度	最強度
14歳まで	1.00 D 以下	1.00 D 以上	3.00 D 以上	15.00 D 以上
20歳まで	2.00 D 以下	2.00 D 以上	4.00 D 以上	—
21歳以上	3.00 D 以下	3.00 D 以上	6.00 D 以上	—

(文献8，9を参照して作成)

用語の整理を試みているが(**表1**)[2)]，用語の整理に関しては今後も改定が必要と考えられる．

学童期の近視の程度分類

IMIは近視の程度を，弱度近視−0.5 D 以上−6.0 D 未満，強度近視−6.0 D 以上の2つに分類しており，中等度近視の概念がない．一方で日本近視学会が定義する近視の程度分類は，弱度近視が−0.5 D 以上−3.0 D 未満，中等度近視が−3.0 D 以上−6.0 D 未満，強度近視が−6.0 D 以上である(**表3**)[7)]．

近視は学童期に年齢とともに進行するので，学童期の程度分類は年齢に従って変更する必要がある．進行は年齢が若年であるほど速く，15～16歳頃から緩やかになる．このため6歳で−2.0 D の小児が，将来的に屈折値−6.0 D 以上の強度近視に至る可能性は高いが，12歳で−2.0 D の近視の場合は強度近視に至る可能性は低い．したがって，6歳時点で−2.0 D の近視は十分に強度と考えられる．わが国における年齢を加味した指標に関しては山崎・三條らのものがあるが，この定義には明確な根拠がない(**表4**)[8, 9)]．

学童期の近視の重症度を評価する試み

学童期の近視の程度に関しては，現状ではコンセンサスの得られた評価基準はない．2016年Chenらは，将来，強度近視(等価球面屈折値が−6.0 D 以上)に至る可能性がある小児を早期に同定し適切な管理に結び付けられるよう，年齢に応じた強度近視の屈折値のcut off値を定める研究を行った[10)]．まずChenらは，1%シクロペントラート調節麻痺下屈折検査で得られた5～15歳の小児の等価球面屈折値を用

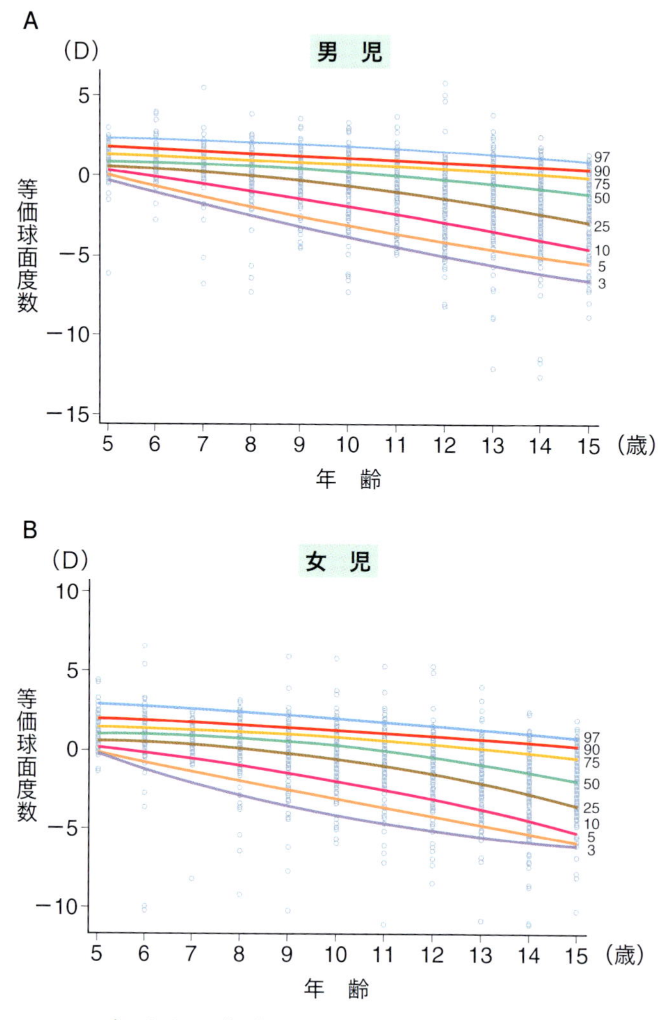

図 1　RESC study のデータから作成した屈折値のパーセンタイル曲線

A：男児．B：女児．3 パーセンタイル値に関しては，6～13 歳の間は，女児は男児よりも近視度数が強い傾向にある．一方で 50～97 パーセンタイル値に関しては，5～9 歳の間は，女児は男児よりも近視度数が強いが，その後逆転している．

（文献 10 より引用改変）

いて，男女別の参照パーセンタイル曲線を作成した(**図 1**)．データは，中国の南方都市で施行された Guangzhou Refractive Error Study in Children（RESC）study に参加した小児 4,218 人の人口ベース横断研究の結果を用いた．さらに Chen らは，Guangzhou Twin Eye Study（GTES）で得られた 7～15 歳の小児の等価球面屈折値の長期データ(354 人の双生児第 1 子における，1 年ごとの 1％シクロペントラート調節麻痺下屈折検査で得られた屈折値の 6 年間のデータ)を用いて，15 歳以降に強度近視に至った小児を，最も正確に診断できるパーセンタイル値を算出した．この結果，5 パーセンタイル値が最適 cut off 値(感度 93％，特異度 98％，陽性的中率 65％)であった．陽性的中率が 65％であることから，5 パーセンタイル値の範疇に入るほどの近視化を認める小児であっても，35％の小児は強度近視に至らない可能性がある．しかし，

表 5　RESC study で得られた，男女別の年齢およびパーセンタイル(3，50，97 パーセンタイル)ごとの屈折値の cut off 値

年齢(歳)	男児			女児			性差(女児－男児)		
	3rd	50th	97th	3rd	50th	97th	3rd	50th	97th
5	−0.25 D	0.92 D	2.38 D	−0.25 D	1.00 D	2.80 D	0.00 D	0.08 D	0.42 D
6	−0.90 D	0.85 D	2.26 D	−1.20 D	0.96 D	2.63 D	−0.30 D	0.11 D	0.37 D
7	−1.54 D	0.75 D	2.14 D	−2.06 D	0.86 D	2.44 D	−0.52 D	0.11 D	0.30 D
8	−2.17 D	0.63 D	2.02 D	−2.83 D	0.71 D	2.25 D	−0.66 D	0.08 D	0.23 D
9	−2.78 D	0.47 D	1.89 D	−3.52 D	0.50 D	2.05 D	−0.74 D	0.03 D	0.16 D
10	−3.38 D	0.29 D	1.75 D	−4.12 D	0.24 D	1.85 D	−0.74 D	−0.05 D	0.10 D
11	−3.96 D	0.09 D	1.61 D	−4.63 D	−0.08 D	1.65 D	−0.67 D	−0.17 D	0.04 D
12	−4.53 D	−0.14 D	1.47 D	−5.05 D	−0.45 D	1.44 D	−0.52 D	−0.31 D	−0.03 D
13	−5.08 D	−0.40 D	1.32 D	−5.38 D	−0.88 D	1.22 D	−0.30 D	−0.48 D	−0.10 D
14	−5.63 D	−0.69 D	1.16 D	−5.63 D	−1.36 D	1.00 D	0.00 D	−0.67 D	−0.16 D
15	−6.15 D	−1.00 D	1.00 D	−5.78 D	−1.89 D	0.77 D	0.37 D	−0.89 D	−0.23 D

(文献 10 より引用改変)

感度・特異度は非常に高く，強度近視を年齢に応じて定義するうえで有用な指標と考えられる．これを男女別にみると，男児では感度 86%，特異度 100%，陽性的中率 100%であり，女児では感度 100%，特異度 96%，陽性的中率 50%である．性別によって陽性的中率が 100%と 50%と大きく異なり，評価は男女別で行う必要があると考えられる．**表 5** は，男女別の年齢およびパーセンタイル(3, 50, 97 パーセンタイル)ごとの屈折値の cut off 値である．5 パーセンタイル値が示されていないものの，3 パーセンタイル値が掲載されており，**図 1** とあわせて，小児にとって程度が強いと考えられる近視度数を年齢別で評価する参考になる．

日本で小児の近視の程度分類を確立する試み

なお，わが国においてパーセンタイル曲線は，母子健康手帳に掲載されている成長曲線で活用されている．この曲線は，厚生労働省の乳幼児身体発育調査報告書(0～6 歳)と文部科学省の学校保健統計調査報告書(6～17 歳)から得られた 2010 年度のデータを用いて作成されたものである．乳幼児身体発育調査報告書は 10 年ごとに，学校保健統計調査報告書は毎年更新されている．これらの調査において調節麻痺下屈折検査の導入が可能であれば，わが国の小児の近視の疫学的データベースとなるだけでなく，年齢に応じた近視の程度分類の cut off 値を定めることが可能かもしれない．

単純近視と病的近視

近視は，眼底所見あるいは視機能障害から，単純近視と病的近視に分類される．

単純近視は良性で屈折値は比較的軽く，近視が強度に至っても紋理眼底のみであり（**図2A・B**），生涯にわたり眼鏡を用いて正常視力まで矯正が可能な近視である．いわゆる学童期に発症する学校近視の大部分は単純近視であり，後天的環境要因（高学歴，長い近業時間，短い屋外活動時間など）に強く影響される．

一方で病的近視は，後部ぶどう腫や，さまざまな種類の近視性黄斑症（びまん性網膜脈絡膜萎縮，限局性網脈絡膜萎縮，黄斑部萎縮，Lacquer cracks，近視性黄斑部新生血管，Fuchs 斑）の形成から網膜や視神経が徐々に障害され，中年期以降に視覚障害をきたす．病的近視は，先天発症の軸性近視の場合が多い．小児期から視神経乳頭周囲に

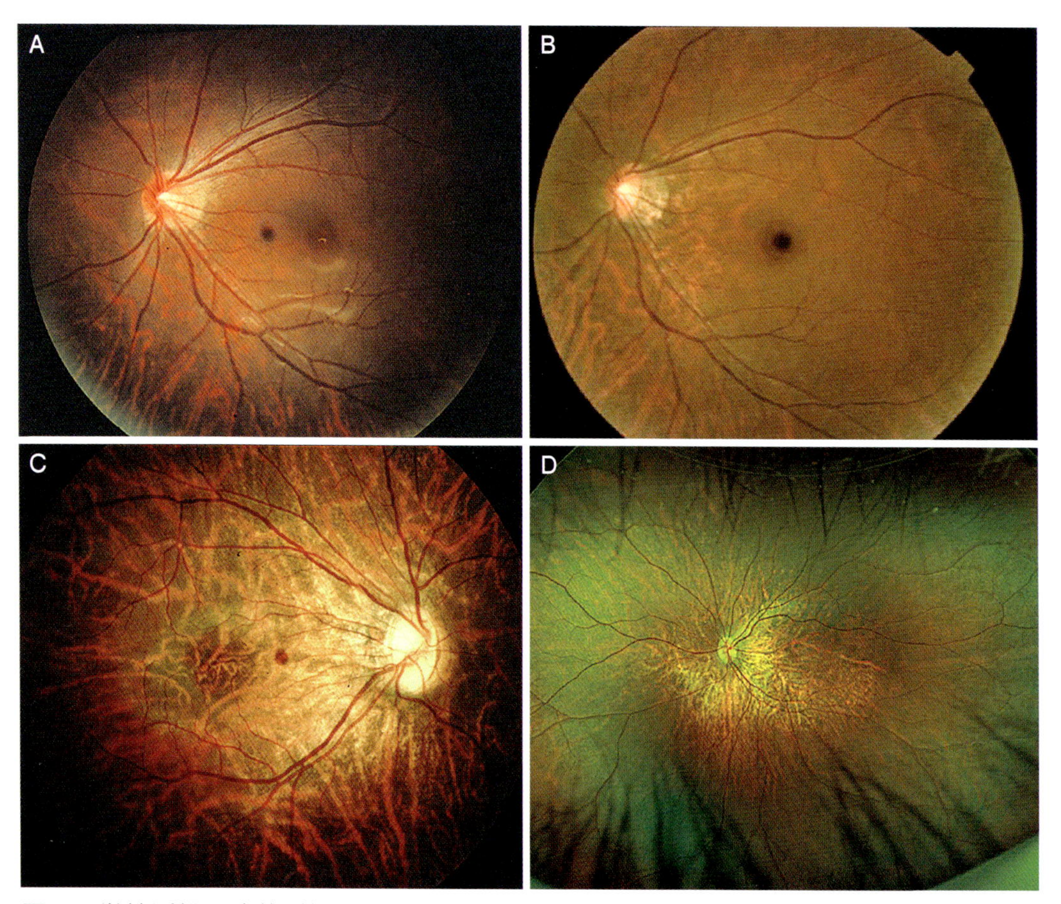

図2　単純近視と病的近視の眼底写真

A・B：単純近視の眼底写真．A：14 歳，男児．視神経乳頭コーヌスと紋理眼底を認める．屈折度数 −11.0 D，眼軸長 26.6 mm．B：41 歳での眼底写真（A と同一症例）．視神経乳頭コーヌスの拡大を認める．屈折度数 −14.0 D，眼軸長 28.4 mm．

C・D：病的近視の眼底写真．C：12 歳，男児．視神経乳頭周囲耳側に，すでにびまん性萎縮の形成を認める．屈折度数 −13.0 D，眼軸長 28.4 mm．D：5 歳，男児．視神経乳頭周囲と黄斑全体に及ぶびまん性萎縮病変をすでに認める．屈折度数 −5.0 D，眼軸長 26.7 mm．

びまん性萎縮病変の形成が認められることが多く(**図2C・D**), 学童期に単純近視と鑑別するための一助となる[11].

小児の近視を診断するための調節麻痺薬と検査の適切な選択

詳細は他稿〔「診断」(p.39), 「小児の屈折検査のコツ」(p.71)〕に譲り, 概略のみ記載する. 小児期の調節力は5歳で14D, 10歳で12D, 15歳で10Dといわれており, 年齢とともに低下する[12]. 屈折検査は無調節状態の静的屈折を評価することであるため, 若年であるほど強い調節麻痺薬の使用が必要となる.

調節麻痺薬

調節麻痺薬は効果が強い順に, 1%アトロピン硫酸塩(以下, アトロピン), 1%シクロペントラート塩酸塩(以下, サイプレジン®), トロピカミドとなる. より正確な屈折値を測定するためには1%アトロピンを使用することが望ましいが, 実際の使用に際しては作用強度だけではなく, 副作用, 最大作用時間, 持続時間などの特徴を念頭に置き, 症例ごとに使い分ける必要がある.

アトロピンの留意点

小児の屈折異常による疾患を疑った場合は, 1%サイプレジン®を第一選択で用いる. しかしながら1%サイプレジン®を用いた屈折検査で屈折異常が判明し, 後天内斜視や遠視などによる眼鏡処方が必要と判断した場合は, より強い調節麻痺作用を期待してアトロピンを用いる. 日本弱視斜視学会の多施設共同研究によれば[13], 84.5%の施設がアトロピンで全身的副作用(頻度は高い順に顔面紅潮と発熱)を経験している. 濃度が高いほど副作用の発現率が高いため, 乳幼児には1%点眼薬を薄めて処方する施設もある. 夏季に副作用の発現率が高まることも示されており, 抗コリン作用による発汗抑制によって体温が上昇しやすくなることが原因と考えられている.

1%サイプレジン®の留意点

学童(6～12歳)の近視進行抑制効果の研究や疫学研究, 日常診療での診断では, 第一選択として1%サイプレジン®を用いる. しかし日本弱視斜視学会の多施設共同研究[13]によれば, アトロピンに比較して少ないものの, 55.2%もの使用施設が全身的副作用(頻度は高い順に眠気と幻覚)を経験しており, 使用にはアトロピン同様に副作用への注意が必要である. また, 調節麻痺効果は24時間以内で消失するものの, 散瞳作用が最大3日間持続するため, 学童への使用時には休日前に使用するなどの配慮が必要である. pHが3.5～5.5と低めで眼にしみるため, 小児が嫌がり泣き出して点眼が不正確になる可能性にも注意する必要がある. これらの副作用から, わが国では大規模スクリーニング調査で，1％サイプレジン®を用いた調節麻痺下屈折検査の実施が困難である．

1％トロピカミドの有用性

トロピカミド点眼液に関しては従来，小児の調節麻痺下屈折検査での使用は不適切と考えられていた．しかしその根拠は，他覚的ではなく自覚的調節力検査で残余調節反応を計測した研究結果に基づくものとされる．2018年のレビューでは，1％サイプレジン®に対する1％トロピカミドの調節麻痺効果の差は0.175 Dであり，実地臨床での近視管理のために，1％サイプレジン®の代替薬としての1％トロピカミドの有用性が示されている[14]．1％トロピカミドの調節麻痺作用は点眼後約30分でピークに達し，その後速やかに失われる．検査を行うタイミングに注意する必要があるが，調節緊張・調節けいれんの診断，近視小児の屈折値の経過を追う場合の限定的使用において有用と考えられる．

検査方法

他覚的屈折検査法には，オートレフラクトメータと検影法(レチノスコピー・スキアスコピー)がある．検影法は，精度は高いが検査に習熟を要し，被検者の状態や検者の技能により測定結果の再現性にばらつきが大きい欠点がある．オートレフラクトメータは雲霧機能があるものの器械近視などの調節要素が混入し，実際よりマイナス側の結果が出る．調節麻痺薬を用いることで器械近視の影響を軽減し，再現性の高い結果を得ることができる．小児の近視の診断においては，第一選択は習熟を要さず，短時間で他覚的屈折値を測定できる赤外線オートレフラクトメータを用いた調節麻痺下屈折検査でよいと考えられる．しかし，サイプレジン®では完全に器械近視の影響を除外できない可能性がある．眼鏡処方に際しては過矯正を避けるため，雲霧法による自覚的屈折検査を怠らないことが重要である．

調節緊張(いわゆる偽近視)と弱度近視の鑑別

偽近視〔仮性近視(pseudomyopia)〕の本来の意味は，外傷や中毒などで毛様体筋がけいれんを起こし，調節けいれんとなり一過性に近視の状態になったものをいう．一方で，近業を続けると毛様体筋が異常に緊張して近視になるとの考えがあり，同様に偽近視(仮性近視)と呼ばれる．しかし，偽近視の本来の意味は「外傷や中毒などによる一過性近視」であるため，「緊張性近視」や「トーヌス性近視」との用語を用いて区別する研究者もいる[15]．

従来の偽近視の診断基準

いわゆる調節緊張による偽近視を，発症初期の弱度近視と鑑別する必要がある．しかし，その診断はしばしば困難である．所は「偽近視とは近視発症の最も初期段階であり，毛様体筋の緊張状態を概念的にいうが，診断基準は明確ではない」と述べている[15]．山地によれば，調節緊張による偽近視の診断基準は，ミドリン®P(0.5%トロピカミド+0.5%フェニレフリン塩酸塩配合剤)点眼前後の屈折値を比較して，次の項目のいずれかがあてはまるものとしている[16]．

①裸眼視力が良くなるもの
②同じ屈折値の矯正眼鏡レンズで矯正視力が良くなるもの
③同じ矯正視力を得るための矯正眼鏡レンズ度数がプラス側に動くもの
④検影値，手動レフラクトメータ値が1D以上プラス側に動くもの

丸尾らは，1%アトロピン1日3回3日間点眼によって生じる屈折値のプラス化が0.5Dのものは生理的緊張で，1.0Dを偽近視としている．さらに丸尾らは，7〜17歳までの，近視性屈折値が−3.5D以下の弱度近視を対象とした場合の偽近視の頻度は1%であり，いわゆる調節緊張に伴う偽近視の存在自体を疑問視している[17]．

現在の偽近視の診断基準

長谷部は，山地の診断基準①②に関しては，散瞳による球面収差や焦点深度の変化の影響を含む定性的評価で客観性に乏しいこと，④に関しては検査光が可視光であり調節の介入が否定できないことを指摘し，赤外線オートレフラクトメータが普及した現代の診断基準としてそぐわないとの見解を示した．そのうえで，6〜12歳の小児86人の近視(−6.25〜−1.25D)におけるミドリン®P点眼前後の赤緑試験による自覚的屈折値の変化(点眼後の自覚的屈折値の計測には3.0mmの人工瞳孔を使用)と，赤外線オートレフラクトメータで測定した他覚的屈折値の変化を詳細に検討した[18]．この結果，他覚的屈折値は赤外線オートレフラクトメータに内蔵されている自動雲霧装置の効果や内部視標に対する器械近視に左右されるため，内部視標をもつ赤外線オートレフラクトメータを用いる限りは，調節緊張(いわゆる偽近視)の診断は自覚的屈折値を基準とするべきとした．結論として，ミドリン®P点眼での調節緊張(いわゆる偽近視)の診断は，前述の条件下において自覚的屈折検査前後の近視度数が，近視症例の95%信頼区間であった0.8D以上の幅で軽減することが必要条件であると述べている．

おわりに

諸外国では小児の近視に対して，進行抑制治療が積極的に行われるようになっている．抑制治療の恩恵が特に大きいと考えられる，強度近視や病的近視に至る小児

や進行のリスクが高い近視を，できるだけ早期に同定できる，より正確な診断基準を定めることが重要な課題である．また，診断には適切な調節麻痺薬と検査方法の選択が不可欠である．頻度は少ないものの，調節緊張（いわゆる偽近視）を見逃して，過剰な屈折矯正を行わないよう留意することも重要である．

文献

1） International Myopia Institute：IMI white papers & clinical summaries. https://myopiainstitute.org/imi-white-papers-clinical-summaries/
2） Flitcroft DI, He M, Jonas JB, et al.：IMI – Defining and Classifying Myopia：A Proposed Set of Standards for Clinical and Epidemiologic Studies. Invest Ophthalmol Vis Sci 60：M20-M30, 2019.
3） 所　敬，丸尾敏夫，金井　淳，他：病的近視診断の手びき，厚生省特定疾患網膜脈絡膜萎縮症調査研究班（班長：中島　章），昭和 62 年度報告書．1988.
4） 丸尾敏夫：病的近視．眼臨医報 76：1-13，1982.
5） Ohno-Matsui K, Kawasaki R, Jonas JB, et al.：International photographic classification and grading system for myopic maculopathy. Am J Ophthalmol 159：877-883, 2015.
6） 所　敬：5．分類 第Ⅰ章 総論．“近視―基礎と臨床”所　敬，大野京子 編著．金原出版，2012．pp25-28.
7） 日本近視学会ホームページ：近視疾患診療，診断のガイドラインなど．近視の定義と分類. https://www.myopiasociety.jp/member/guideline/
8） 山崎　順：近視眼の遺伝に関する研究．日眼会誌 30：574-575，1926.
9） 三條かの子：近視の遺伝に関する研究．日眼会誌 37：296-307，1933.
10） Chen Y, Zhang J, Morgan IG, et al.：Identifying Children at Risk of High Myopia Using Population Centile Curves of Refraction. PLoS One 11：e0167642, 2016.
11） Yokoi T, Jonas JB, Shimada N, et al.：Peripapillary Diffuse Chorioretinal Atrophy in Children as a Sign of Eventual Pathologic Myopia in Adults. Ophthalmology 123：1783-1787, 2016.
12） Ishihara S：Accommodative amplitude in Japanese. Acta Soc Ophthalmol 23：203-210, 1919.
13） Wakayama A, Nishina S, Miki A, et al.：Incidence of side e ects of topical atropine sulfate and cyclopentolate hydrochloride for cycloplegia in Japanese children：a multicenter study. JJO 62：531-536, 2018.
14） Yazdani N, Sadeghi R, Momeni-moghaddam H：Comparison of cyclopentolate versus tropicamide cycloplegia：A systematic review and meta-analysis. J Optom 11：135-143, 2018.
15） 所　敬：1．定義 第Ⅱ章 単純近視．“近視―基礎と臨床”所　敬，大野京子 編著．金原出版，2012，pp46-47.
16） 山地良一：偽近視の研究．日眼会誌 72：2083-2150，1968.
17） 丸尾敏夫：近視（偽近視の問題を含めて）の予防と治療．眼科 18：337-338，1976.
18） 長谷部聡：学童期の屈折検査・眼鏡処方アップデート．あたらしい眼科 23：701-705，2006.

診　断

はじめに

近視は屈折異常の一つで，眼球の形状が前後方向に伸長し，焦点を結ぶ位置が網膜より前方になっている状態である．単純近視は視機能障害を伴わず，眼鏡やコンタクトレンズで屈折矯正を行えば良好な視力が得られる．病的近視は視力低下や視野障害などの視機能障害を伴い，失明の原因となる近視である．小児・学童期は視機能発達の途中でもあるため，適切な検査を行い，近視の診断と定期的な診察・検査を行う必要がある(**図1**)．

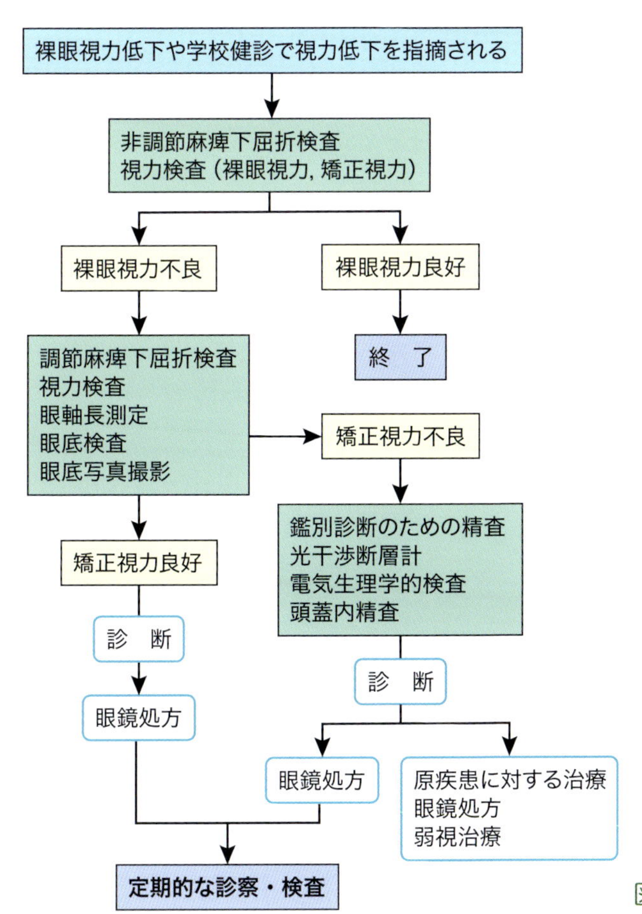

図1　近視を診断するための手順

近視を診断するための検査

視力低下のみられる児が近視かどうかを診断するためには，まず屈折検査を行う．屈折検査には，他覚的屈折検査と自覚的屈折検査（視力検査）がある．また，近視の診断や経過観察を行ううえでは，眼軸長測定，眼底検査，光干渉断層計での撮影といった眼の構造的な評価を行うことも必要である．

調節麻痺下屈折検査と非調節麻痺下屈折検査

乳幼児や小児は調節力が豊富であるため，調節麻痺薬を使用せずに屈折検査の正確な結果を得ることは困難である．そのため，乳幼児と小児の屈折検査には，調節麻痺下での検査が重要である[1, 2]．また，近視の若年成人では調節麻痺下屈折検査によって，−0.5 D の偽近視が明らかになったと報告されている[3]．

調節麻痺薬

調節麻痺薬として用いられるのは，抗コリン作用をもつ副交感神経遮断薬で，点眼によって調節麻痺と瞳孔散大を生じる．臨床で用いられる調節麻痺薬は，作用の強い順にアトロピン硫酸塩（アトロピン）やシクロペントラート塩酸塩（サイプレジン®），トロピカミド・フェニレフリン塩酸塩（トロピカミドとフェニレフリン塩酸塩を混合した点眼液）である．トロピカミド・フェニレフリン塩酸塩は，トロピカミドが瞳孔括約筋の弛緩，フェニレフリン塩酸塩が瞳孔散大筋の収縮にそれぞれ作用することによって散瞳するが，調節麻痺作用はアトロピンやサイプレジン®と比較すると弱い．そのため，乳幼児や小児の調節麻痺を目的とする場合には不十分であるといえる．しかし，調節麻痺下の屈折検査と眼底検査を同日に行う場合には，サイプレジン®と散瞳作用が強いトロピカミド・フェニレフリン塩酸塩の 2 種類を使用して検査・診察することもある．

薬剤によって，点眼方法，作用時間も異なる．また，年齢，弱視や斜視の有無，薬剤アレルギーや全身疾患の有無により，使用する調節麻痺薬を選択する必要がある．さらに，体調不良時に点眼すると，副作用との判別が難しい場合や，散瞳後の検査がスムーズに行えないこともあるため，保護者とも相談し，体調が万全のときに検査を行うとよい．調節麻痺薬を使用する際には，患児と保護者に下記の点をわかりやすく説明することが大切である．

①なぜ目薬を使って検査する必要があるのか（得た値を治療にどう生かすのか）
②どのような作用があるか
③作用はどれくらい続くのか
④点眼の手順
⑤副作用

①～⑤のポイントをわかりやすく記載した用紙を用いて説明し，検査を進める．

アトロピン硫酸塩：アトロピン[4)]

散瞳は点眼後数分から始まり，約 30～40 分で最大となる．作用は 7～10 日間持続する．調節麻痺作用は散瞳にやや遅れて発現し，作用の持続は 3～5 日である．調節と瞳孔反射は，7～12 日間は完全には回復しない．そのため当科では，検査する 1 週間前から 1 日 2 回(朝と夕)に点眼を続けてもらった後に来院し，屈折検査を行っている．アトロピン点眼の開始前に説明用紙(**図 2**)をもとに，患児へ点眼をする家族に使用方法を直接説明する．アトロピンは自宅で点眼してもらうため，来院時には点眼を決められたとおりにできたか，副作用はなかったか，点眼時に大泣きしたかどうかなどを確認する．

アトロピンの使用方法

① アトロピンを使う目的

近視・遠視・乱視があるかお子さまの正しい目の状態を知るために、眼のピント合わせの力（調節力）を取り除いて検査します。

次回予約日の、6日前から１日２回両眼に点眼してください。

/	/	/	/	/	/	/
						来院日

② 点眼するとどうなるの？

- 物を見ようとしてもピントが合わせられなくなり、近くが見にくくなります。
- 瞳が大きくなり、いつもよりもまぶしく感じます。
- これらの変化は、点眼中止後２～４週間位かけて徐々に元に戻ります。

③ 点眼時の注意

- 点眼した後は、目がしらを３０～４０秒押さえてください。目がしらにある、涙の通り道から目薬が体に吸収されると顔が赤くなったり、熱がでることがまれにあります。
- 体の調子が悪い時（かぜ・下痢・発熱など）は点眼しないでください。
- 目薬はこどもの手の届かない所に置いてください。
- アトロピンは本人以外には絶対に使わないでください。
- 残ったアトロピンは，受診後廃棄してください。

☆ご不明な点や、点眼中の副作用が生じた時はご連絡ください。☆

金沢大学附属病院　眼科外来

☎XXX－XXX-XXX（代）

図 2　アトロピン点眼時の説明用紙

アトロピン使用方法説明のポイント（図2）

①説明する際には，実際に自宅で誰が点眼するかを確認する．たとえば，来院時に患児に付き添ったのは祖母で，実際に点眼するのは母親ということもある．そのような場合には，当科では説明用紙を用いていったんは祖母に説明し，後日，あらためて母親に電話し説明を行っている．
②点眼後には涙嚢部を圧迫して，点眼液が涙道へ流れ込まないようにする．説明時には，実際にどの部分を押さえるかを実演するとよい．
③点眼開始前に体調不良があった場合には，点眼を開始せずに眼科へ連絡するように伝える．
④もし副作用が生じた場合には点眼を中止し，眼科へ連絡するように伝える．小児科を受診する場合には説明用紙を持参して，アトロピン点眼中であることを小児科医へ伝えるようにお願いする．
⑤決められた期間の点眼が完了したら，アトロピンは廃棄するように伝える．

シクロペントラート塩酸塩：サイプレジン®[5)]

調節麻痺作用は点眼後急速に進み，30～60分で最大となり，3～4時間後に回復に向かい，24時間で調節麻痺作用が消失するといわれている．散瞳は点眼後15分以内に始まり，平均1時間半で最大に達する．調節麻痺作用よりも散瞳作用の回復が遅く，完全な回復には48～72時間を要する．サイプレジン®の点眼回数は施設によって若干の差はあるが，当科では5分ごとに3回点眼し，60分後に検査を行っている．

サイプレジン®の副作用には，精神神経系のものとして，頻度は少ないが，一過性の幻覚，運動失調，情動錯乱，けいれんが挙げられている．点眼の数十分後に検査を行うため，外来での待ち時間に上記の副作用が生じる可能性もあるので，保護者には十分に説明を行っておく必要がある．当科では，次回の来院日にサイプレジン®を点眼することが決まっている場合には，薬の作用時間が約48時間であることをあらかじめ説明し，予約日の直後に幼稚園・保育所・学校の行事やテストがないかを保護者に確認してから受診日を決める．また，副作用についてもあらかじめ説明し，来院日に体調不良の場合には病院に連絡するように伝えるなど，説明を工夫している(**図3**)．

他覚的屈折検査

他覚的屈折検査は眼科臨床における最も基本的な検査といえ，その目的はさまざまである．たとえば，自覚的屈折検査や視力検査を行うときに参考値を得るために，まずは他覚的屈折検査を行うこと，乳幼児・小児における調節麻痺下での屈折検査，内眼手術前後の屈折値変化を把握するための屈折検査，3歳児健診における弱視早期発見のための屈折異常スクリーニングなどである．

遠視・近視・乱視かを正しく調べるために・・・

私たちは、いつも遠くも近くもはっきり見るために「オートフォーカス（ピント合わせ）」の力を持っています。
子供は特にピント合わせの力が強いので、遠視か近視か乱視もあるかを正しく調べるためには、このオートフォーカスの力を取り除かなくてはいけません。
そのために、サイプレジンという目薬を使います。
この目薬を使うと・・・
① オートフォーカスができなくなります（専門用語では、調節麻痺といいます。）
② ひとみの大きさが大きくなり、まぶしく感じます。

検査の順番は
①5 分おきに 3 回、目薬をさします。
②3 回目の点眼後、1 時間後に目薬の効き目が最大になるのでそこで、検査をします。
③目薬の効き目は、2 日くらいです。徐々に元に戻っていくので、安心してください。

ごくまれに、風邪のような症状やふらつき、けいれんの症状などがでることがありますので、点眼後はお子様から目を離さないようにお願いします。
もし、このような症状が起こったり、何か変わったことがあれば、すぐにスタッフに声をかけてください。

金沢大学附属病院　眼科外来

図 3　サイプレジン® 点眼時の説明用紙

使用する機器

他覚的屈折検査に使用する機器は，オートレフラクト/ケラトメータ，フォトレフラクション式レフラクトメータ（フォトレフラクタ），検影器が主なものである．現在，臨床で最も使用されているのはオートレフラクト/ケラトメータであり，検者がある程度ピントを合わせ，測定開始ボタンを押すと自動的に測定が開始され，測定値が得られる．そのため自動的に測定できるこれらの機器は，検査技術の熟練を要さないといわれることがある．しかしながら，起こりうるアーチファクトや眼疾患による影響などにより，必ずしもすべての症例で信頼性が高く正確な値が得られるわけではない．これらのことを常に念頭に置き，検者はそれぞれの機器の特徴や使用法をしっかり把握しておくことが大切である．適切な機器を用いて正しく検査を行い，結果を正確に評価しなくてはならない．

○ 据え置き型オートレフラクト/ケラトメータ

据え置き型オートレフラクト/ケラトメータは，座位が可能で，顎台に顎をのせて顔の固定が可能である被検者が対象である．

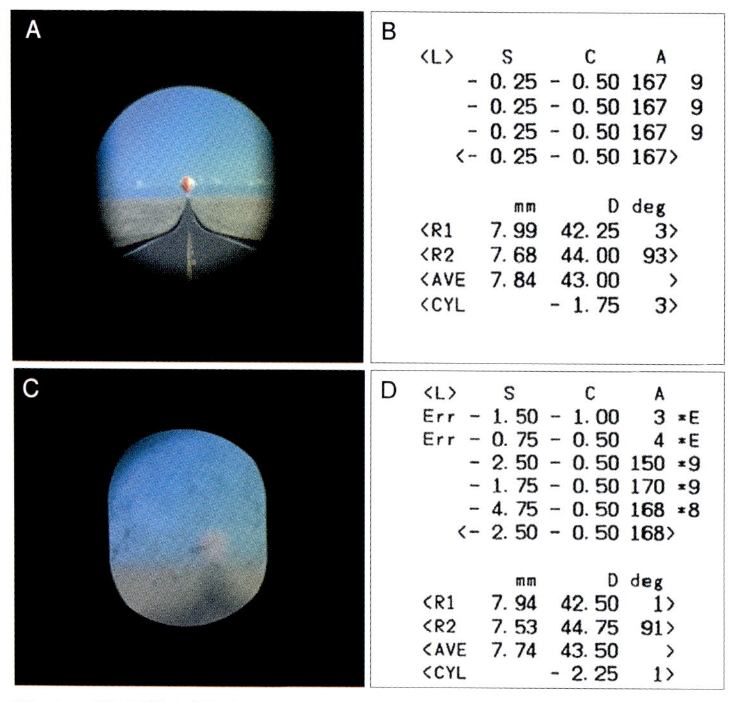

図４　据え置き型オートレフラクトケラトメータによる測定

A・B：測定部位のレンズに汚れがみられない状態（A）で測定した検査結果（B）．C・D：測定部位のレンズに汚れがある状態（C）で測定した検査結果（D）．B は検査数値の信頼性も高く値も安定しているが，D は検査数値の信頼性は低く値も変動している．B と D は同一症例．

● 測定のコツ

①器械のレンズ部分に汚れ（指で触ることで付着した皮脂，涙や咳などによる飛沫）があると，屈折度数に影響を及ぼす．そのため，定期的にクリーニングを行って，器械のレンズをきれいな状態に保つことが必要である．レンズに汚れがあっても測定はできるが，測定の信頼値も低く，検査結果は得られても真の値とは全く異なる値となるため注意する（**図４**）．

②眼瞼や睫毛が測定領内に入った場合，乱視度数や乱視軸に影響を及ぼしてしまうため，眼瞼挙上を行って瞳孔中心で測定する．

③角膜の乾燥や涙液の貯留によるマイヤーリングの歪みや乱れは，乱視度数や乱視軸に影響を及ぼしてしまう．そのため，測定の直前には瞬目を促し，眼表面を整えることが必要である．

④測定の精度を維持するため，定期的に模型眼を用いてキャリブレーションを行い，測定誤差が生じていないか確認を行う．

○ 手持ち式オートレフケラトメータ

現在わが国で販売・使用されている機器で主なものには，Retinomax K-plus 5（ライト製作所社）と HandyRef-K（ニデック社）がある（**図５**）．Retinomax K-plus 5 の測定範囲は，球面度数が－20.0～＋23.0 D，円柱度数が 12 D までであり，測定に

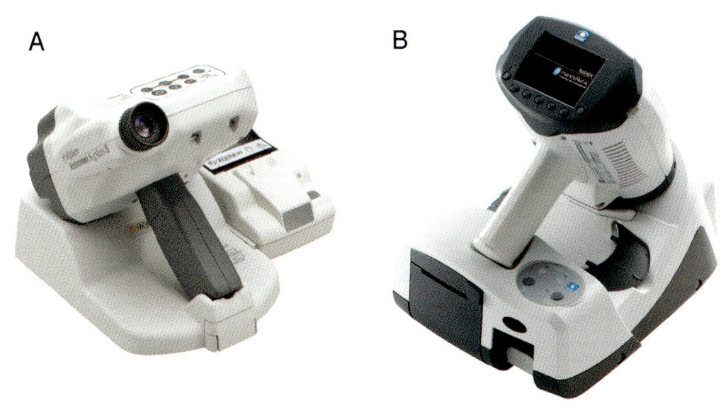

図5　手持ち式オートレフケラトメータ

A：Retinomax K-plus 5（ライト製作所社）．B：HandyRef-K（ニデック社）．手持ち式オートレフラクトメータの２機種は，いずれも1 kg 未満に軽量化されている．

必要な最小瞳孔径は 2.3 mm である．Retinomax K-plus 5 本体の重量は 950 g と軽量化されている．もう一つの HandyRef-K も本体の重量は 998 g で，測定範囲は球面度数が－20.0～＋20.0 D，円柱度数が 12 D までであり，測定に必要な最小瞳孔径は 2.0 mm である．2つの機器ともに，測定補助機能として，乳幼児の興味をひきやすいように内部固視標を気球やチューリップ，クマ，花火などにする，音楽が流れるなどの工夫がある．これらの機器には，測定中の機器の水平方向の傾きをモニターする水平センサー機能や，通常モードで測定しにくい場合に自動の雲霧時間が短い Quick モードに切り替える機能も搭載されているため，調節麻痺下での集中力や固視が続かない年少児には Quick モードでの測定が有効な場合もある．乳幼児では抑制下で屈折検査を行うこともあり，その場合は開瞼器を使用した抑制下であること，また，泣きながらの測定の場合には屈折度数に涙液が影響することもあるため，結果の記録用紙に明記しておく必要がある．

○ フォトレフラクション式レフラクトメータ

フォトレフラクション法は，ストロボ光源のカメラで被検眼を離れた位置から両眼同時に撮影し，撮影された写真で眼底からの反射光を観察し，屈折異常の種類や程度を調べるものである[6, 7]．

たとえば，Spot™ Vision Screener（ウェルチ・アレン・ジャパン社，**図6**）は，患児から1 m 離れた場所から両眼開放の状態で写真撮影をするように，屈折度数，瞳孔径，瞳孔間距離，眼位の情報を取得できる．測定可能な度数は，等価球面度数で±7.50 D，円柱度数は±3.00 D までである．測定可能な瞳孔径は 4～9 mm で，瞳孔径が小さい場合には測定画面上に「瞳孔が小さすぎる」というメッセージが表示される．

Spot™ Vision Screener は，弱視スクリーニング方法として米国小児眼科学会が提唱している弱視リスクファクター（amblyopia risk factor：ARF）[8]が基準値となっている．この基準値から外れている場合には異常値として認識され，検査結果用紙に

A B

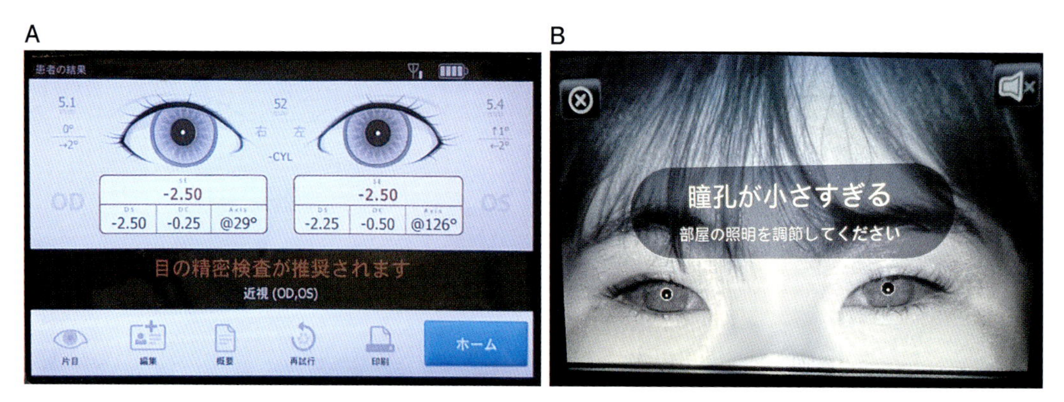

C

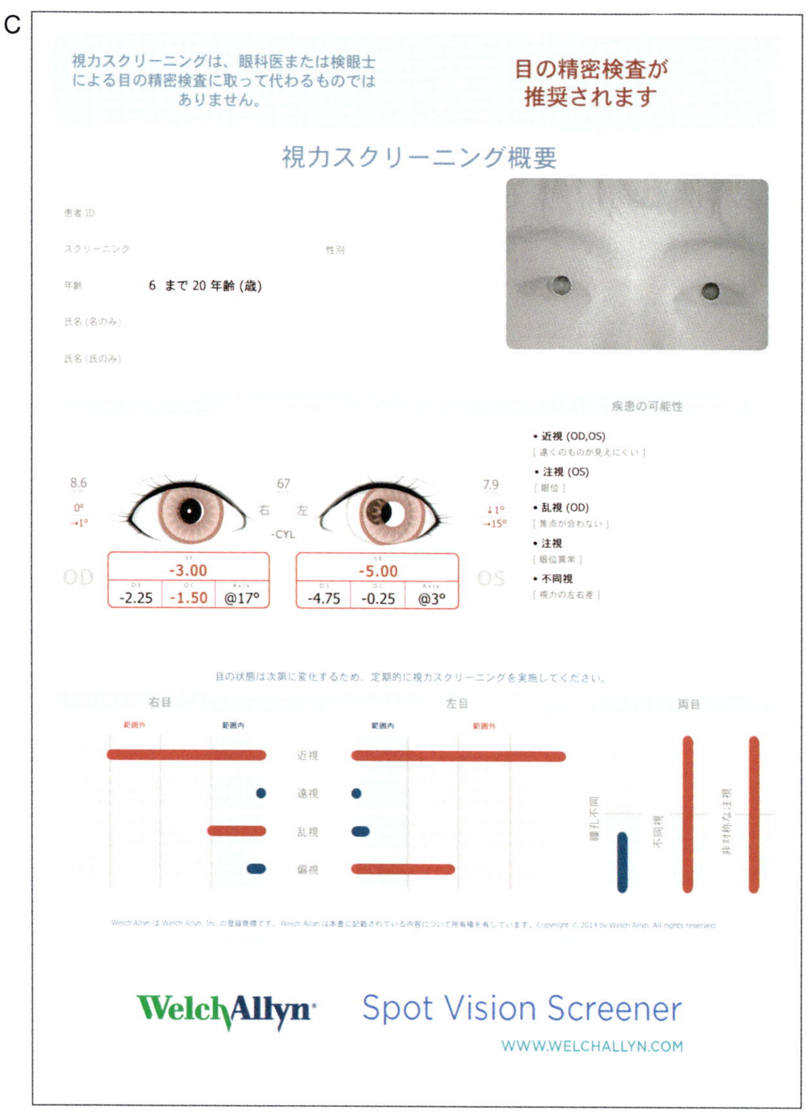

図 6　Spot™ Vision Screener

A：検査終了時の画面．B：瞳孔が小さく測定ができない場合は，画面にメッセージが表示される．C：検査結果を示す．弱視スクリーニング方法として，米国小児眼科学会が提唱している弱視リスクファクターが基準値となっている．この基準値から外れている場合には異常値として認識され，検査結果に「目の精密検査が推奨されます」と表示される．

「目の精密検査が推奨されます」と表示される．このARFの検出感度は87.7%，特異度は75.9%と報告されており[8)]，3歳児健診などでの活用が全国で広がりつつある．

検影器

検影器の種類には，点状検影器，線条検影器があり，これらと眼前に置く板付きレンズを使用して検影法（retinoscopy, skiascopy）を行う（**図7，図8**）．検影法は，眼前から眼内に投影した光が網膜で反射する光の動きによって屈折度数を測定する方法である．検影法の技術の習得と熟練には時間を必要とするといわれている（**図9**）．

検影法は，特に小児眼科診療においては多くのメリットをもつ検査方法といえる．メリットとしては，

- 検査に必要な器具は携帯可能で，検査の場所や体位を選ばないこと
- 徹照法を利用して白内障などの混濁や円錐角膜などを発見できること
- 角膜混濁や白内障などで中間透光体に部分的な混濁が存在する例でも測定が可能であること
- 調節の介入状態を確認しながら検査できること

が挙げられる．特に日常診療で有用なのは，オーバースキアスコピーである．オーバースキアスコピーは，患者自身が装用している眼鏡やコンタクトレンズの度数や新たに処方しようとする眼鏡やコンタクトレンズの度数が適切であるか否かを確認するために行う検影法である．患者が眼鏡やコンタクトレンズを装用した状態で検査を行う．

図7　検影器の本体

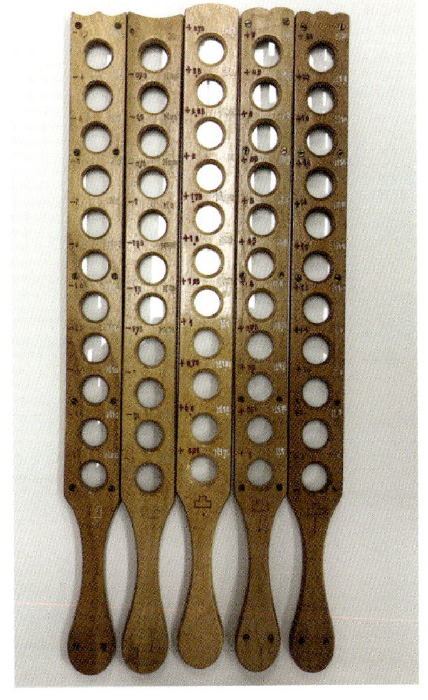
図8　板付きレンズ

左側2本は凹レンズ，右側3本は凸レンズである．

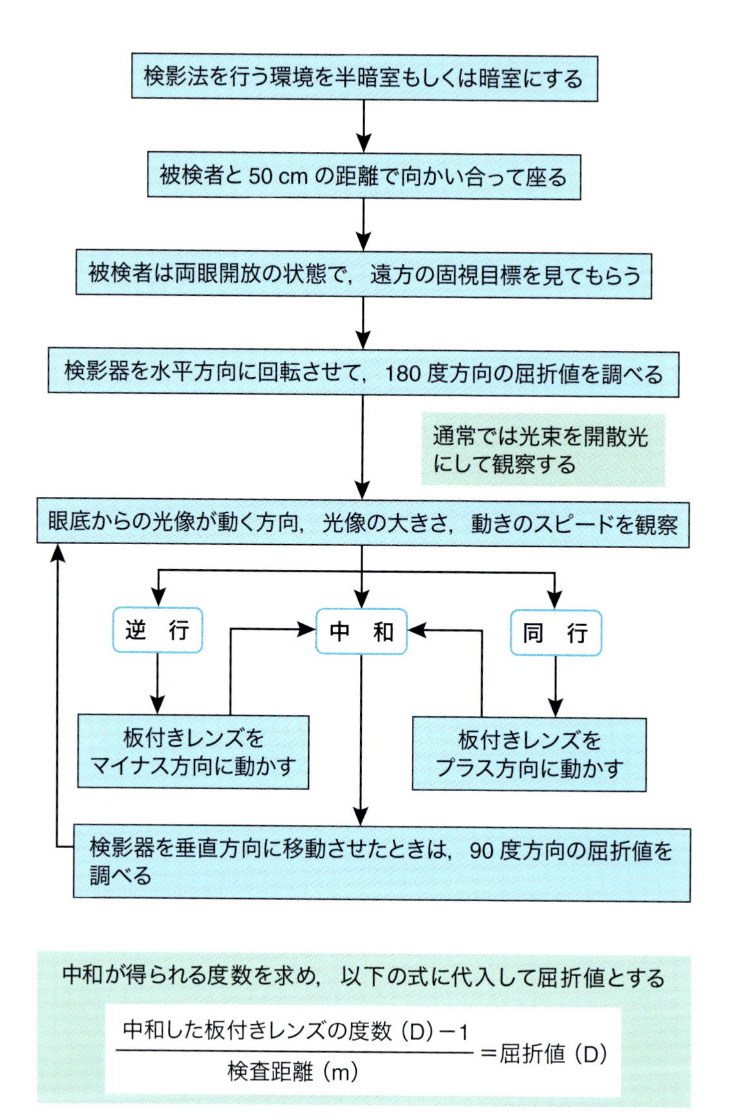

図 9　検影法のフローチャート

検影法のポイント（図 9）

①両眼開放の状態で，被検者に遠方の固視目標を見るように指示する．斜視がある場合には非検査眼を遮閉して行う．
②検影器を通して瞳孔が縮瞳する様子や検査中の瞳孔の動きにも注目すると，調節介入をダイレクトに把握することが可能である．
③検査距離を 50 cm で行った場合は，板付きレンズに屈折の換算値が記載されている．検査距離を変えて検査を行った場合には，屈折値を計算する必要があるので注意する．

測定の注意点

オートレフラクトメータでは調節介入を防ぐための工夫がなされており，自動の雲霧機構が搭載されている．しかし，小児では調節力が強いため，搭載された雲霧機構のみでは調節の介入を十分に除外することはできない．

測定中は常に固視状態を確認し，瞳孔中心で測定することが重要である．1回のみではなく，左右眼で各々数回ずつ測定することが望ましい．得られた結果の球面度数，円柱度数，乱視軸，信頼係数を確認する．各々の数値に変動がない場合は正確に測定できていると考えてよいが，信頼係数が低い場合には，どのような原因で測定の信頼係数が低いのかを考える必要がある．特に調節麻痺下屈折検査の場合には，その結果をもとに眼鏡処方を行うことが多いため，結果の再現性は重要である．

自覚的屈折検査

雲霧法

調節介入を避けるための自覚的屈折検査として，雲霧法(fogging)がある．雲霧法にはいくつか種類があり，目的により使い分けられる．主なものとして，①自覚的屈折検査のレンズ交換法の際に乱視があるときに用いられるもの，②両眼開放下自覚的屈折検査で用いられるもの，③自覚的屈折検査で調節の介入を避けるために用いられるものである．検査対象は主に，最良矯正視力が(1.0)得られ，凸レンズを付加した状態で数十分間指示通りに検眼枠が装用でき，その後の自覚的屈折検査が可能な者である．主に小学生から40歳前後の患者を対象に行うことが多い．

ここでは，③自覚的屈折検査で調節の介入を避けるために用いられる雲霧法について解説する．雲霧法は，凸レンズを付加することで網膜よりも前方に結像させて，調節が関与できない状態にすることである．小児で斜視や弱視がない場合は，調節麻痺下他覚的屈折検査としてシクロペントラート塩酸塩が用いられることが多いが，完全に調節麻痺を行えるわけではなく[9]，小児の近視例ではシクロペントラート塩酸塩よりも雲霧法を用いることが調節を緩解させるのに有用であるという報告もある[10]．フローチャートで示した雲霧法(**図10**)は，両眼開放下の自覚的屈折検査で，実際には片眼ずつ検査を行っている．この方法の場合，片眼の検査時に他眼への雲霧効果が減る可能性がある．そのため，左右眼の雲霧効果を同等にする方法として，不同視がなく両眼視が可能な例では両眼視の状態で両眼同時に雲霧量を減じる両眼同時雲霧法を推奨する報告もある[11]．

眼軸長測定

眼軸長の測定には，超音波Aモード法と光学式測定装置の使用がある．光学式測定装置は，非接触で短時間に眼軸長の測定が可能である．また以前と比べ測定時間

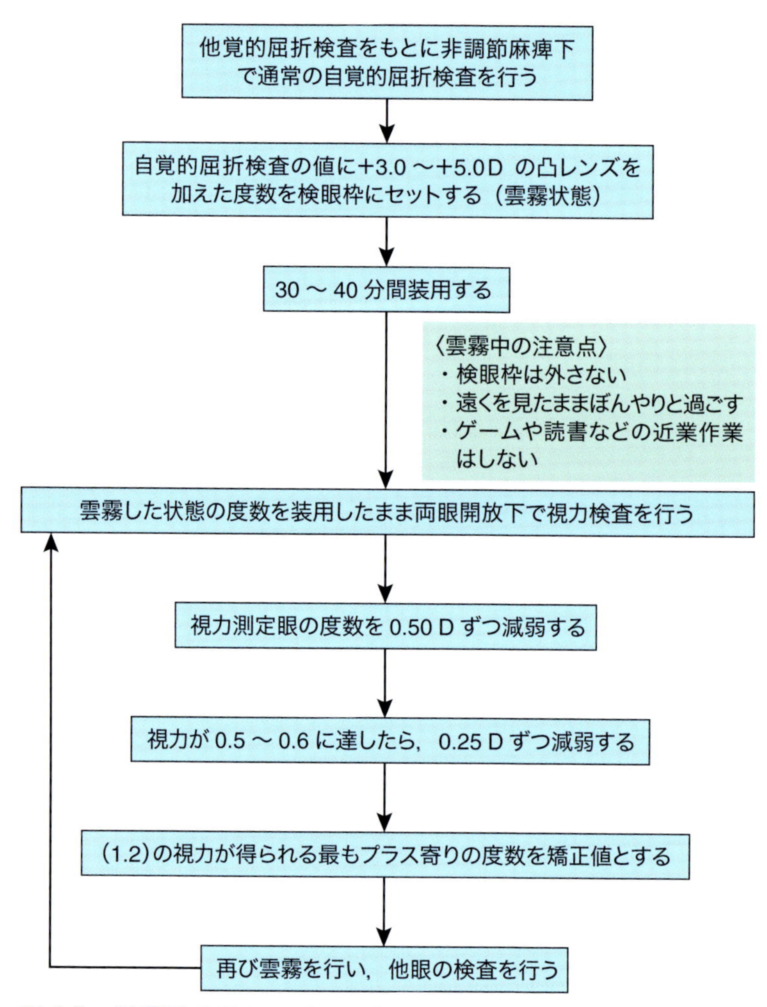

図 10　雲霧法のフローチャート

雲霧法のポイント(図 10)

①雲霧法に先立ち，非調節麻痺下と調節麻痺下の各々の他覚的屈折検査と，調節麻痺下のレンズ交換法による自覚的屈折検査を行っておき，雲霧法を行う際の参考値として用いるとよい．

②雲霧中の 30～40 分間は検眼枠を外さないこと，鼻眼鏡にならないようにテープで検眼枠をとめること，雲霧中は近くを見て本を読んだり，ゲームをしたりしないように説明する．

③雲霧後のレンズ交換の際は，レンズ交換中に調節が介入しないようにするために工夫が必要である．凸レンズの場合は，新たに装用する凸レンズを交換前のレンズの前に重ねてから交換前のレンズを検眼枠から抜く．凹レンズの場合は，交換前のレンズを検眼枠から抜いてから新たに装用するレンズを挿入する．

も短くなり，オートレフケラトメータが測定可能な小児であれば，測定できることが多い．

0～10歳の正常眼を対象に超音波Aモード法で眼軸長を測定した報告では，眼軸長の平均は出生時で17 mm，1歳で21 mmである[12]．眼軸長の1 mmの変化は，3 Dの屈折度の変化に相当すると報告されている[13]．他覚的屈折検査とともに眼軸長を測定することで，近視の進行が眼軸長の伸長によるということを数値で評価でき，保護者への説明にも役立つ．

眼底検査

眼底写真

成人以降に病的近視を発症した患者の83％で，視神経乳頭周囲にびまん性網膜脈絡膜萎縮がすでに小児期でみられ，将来的に病的近視となるハイリスク例を予測する重要な因子であることが報告されている[14]．そのため，通常の眼底検査に加え，眼底写真を撮影して記録に残しておくことも近視の診断や経過観察において重要である．その際，眼底写真のほかに視神経乳頭のステレオ眼底写真を撮影しておくと，視神経乳頭の近視性変化が経年的にわかる(**図11**)．

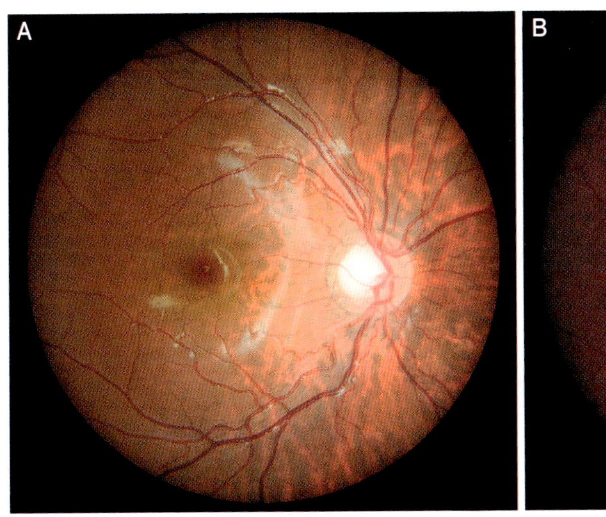

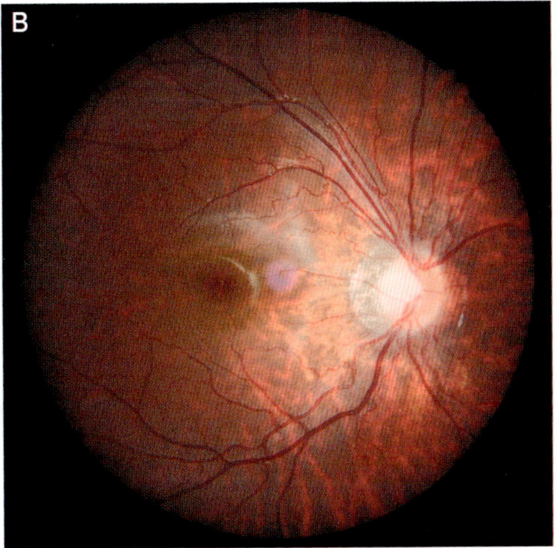

図11　症例提示：眼底写真

7歳，男児．A：初診時の調節麻痺下屈折検査では，右眼S−3.75 D○C−0.50 D Ax180°，眼軸長が24.82 mm．B：3年後の10歳時の調節麻痺下屈折検査では，右眼S−6.25 D○C−0.50 D Ax180°，眼軸長が26.30 mmであった．AとBを比較すると視神経乳頭の形状が縦長に変化し，傾斜がみられ，コーヌスも拡大している．

眼底写真撮影をスムーズに進めるためのポイント

暗室で行う検査であるため，患児は恐怖心や不安感をもつ．検査前には，それらを取り除くようにコミュニケーションを図る必要がある．暗室に入る前に，これからどのような部屋でどのような検査を行うか，時間がどのくらいかかるかを説明する．また，患児自身と付き添いの家族などに，1人で検査を受けるのか同席するかを確認し，患児の意思を優先して環境を整えると検査がスムーズに行える．

光干渉断層計

近年，眼科臨床では光干渉断層計（optical coherence tomograph：OCT）が広く使用されるようになってきた．現在，市販されている spectral domain OCT と swept source OCT では分解能やスキャンスピードが向上し，固視の維持が難しい小児でも撮影が可能となっている．OCT では，非侵襲的に詳細な網膜断層や視神経乳頭周囲の画像を得ることができる．網膜や視神経乳頭の断面の観察では，正常眼の所見（形態）を理解しておくことが大切である（**図12**）．

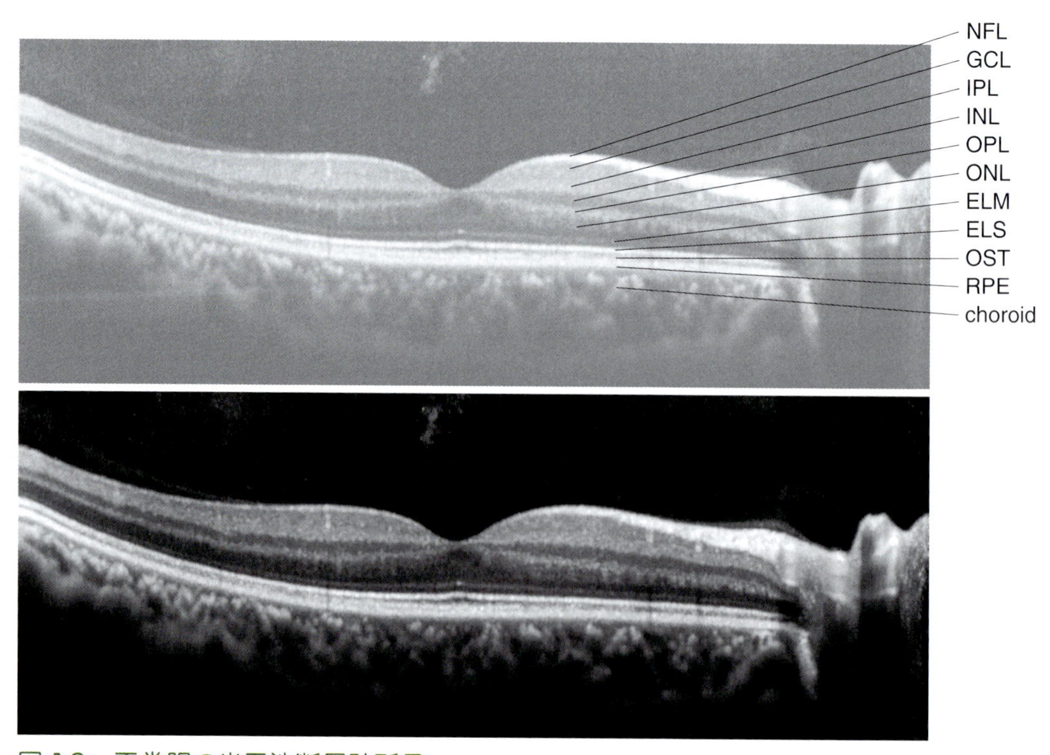

図12　正常眼の光干渉断層計所見

正常眼（右眼）の光干渉断層計，水平断を示す．上の層から，神経線維層（NFL），神経節細胞層（GCL），内網状層（IPL），内顆粒層（INL），外網状層（OPL），外顆粒層（ONL），外境界膜（ELM），視細胞内接のエリプソイド領域（ELS），視細胞外節末端（OST），網膜色素上皮層（RPE），脈絡膜（choroid）である．

また，OCT には，三次元情報から黄斑部の各層の厚みや視神経乳頭周囲網膜神経線維層厚の厚みマップとして表示する画像もある(**図 13**)．厚みマップでは，それぞれの部位が正常眼データベースと比較され，正常眼よりも網膜厚が薄い部位があるかどうかを表示する．正常眼の 5％未満 1％以上の危険率は黄色，正常眼の 1％未満の危険率は赤色で表示される．しかし，現在市販されている OCT では，正常

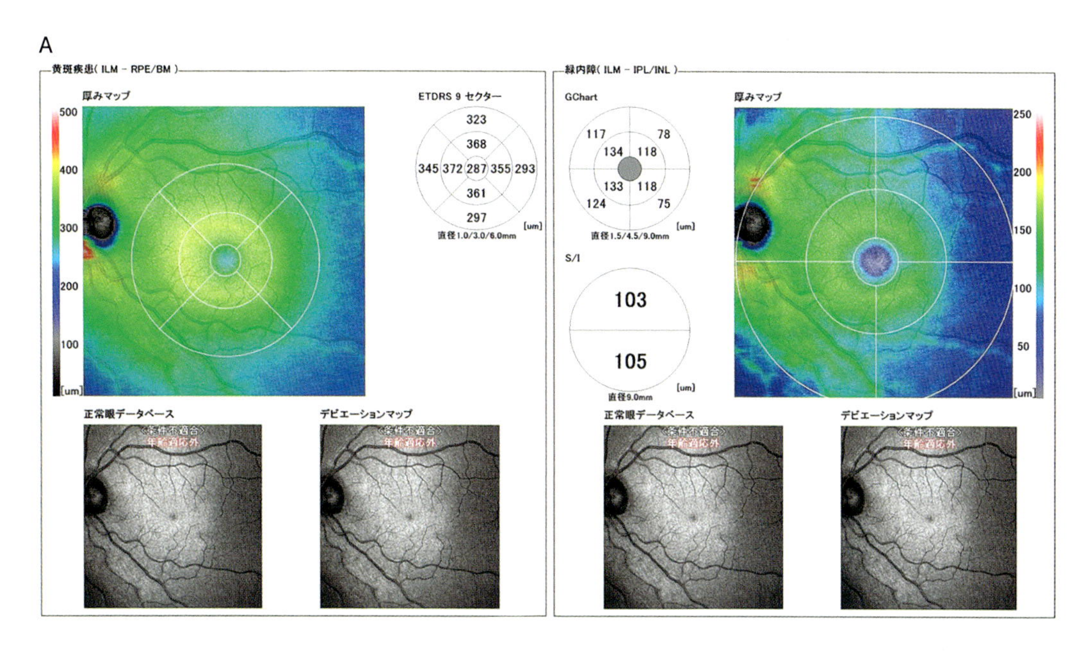

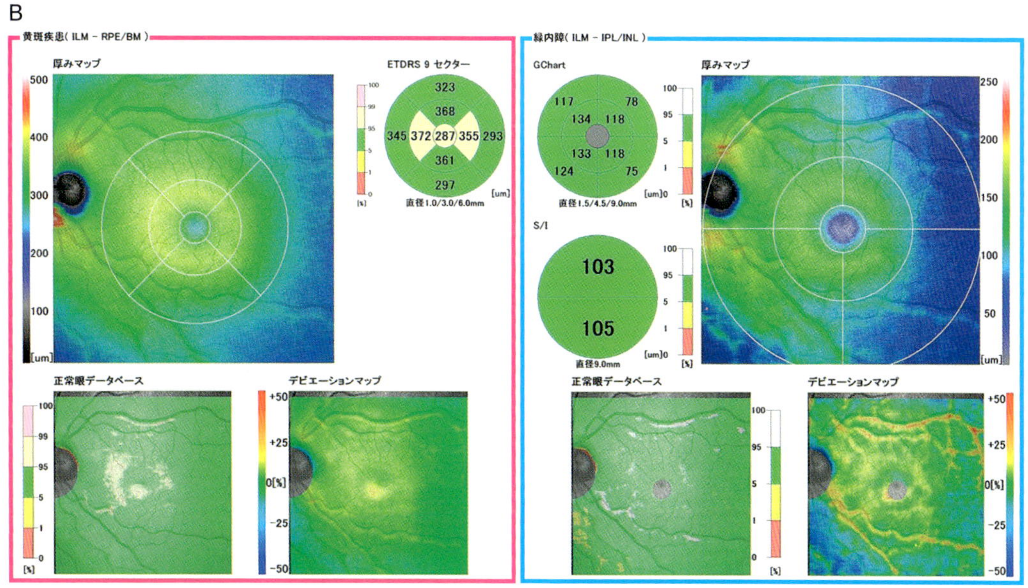

図 13　8 歳，女児の正常眼 9×9 mm 黄斑マップ

A：小児の正常眼データベースは存在しないため「年齢適応外」と表示され，正常眼データベースとの比較カラーマップは表示されない．

B：年齢を 20 歳として表示した結果．機種によっては，撮影後に生年月日を編集することが可能である．正常眼データベースと比較したカラーマップでは網膜全層厚 (　)，網膜内層厚 (　) ともに正常範囲内である．しかし，これはあくまでも参考値として用いる．

眼データベースは20歳以上を対象としている．そのため20歳未満で正常眼データベースとの比較マップを用いる場合には，生年月日を編集することで20歳として結果を表示し，あくまでも参考値として用いることになる[15]．また，機種によっては成人の眼軸長26 mm以上28.9 mm以内に特化した正常眼データベースも存在する[16]．眼底検査や眼底写真では異常所見がないようにみえる例，機能的弱視の要因がなく視力不良である例では，OCTを撮影することで網膜や視神経乳頭の形態を観察し，厚みマップを用いて網膜各層の厚みを評価することが，器質的疾患との鑑別診断や経過観察にも有用である．

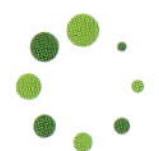

鑑別診断（図14）

単純近視には器質的な眼疾患はないため，矯正レンズによって良好な矯正視力が得られる．小児期では機能的弱視との鑑別が必要であり，その他にも単純近視と鑑別するべき，視機能障害をきたす調節障害や器質的疾患がある．そのなかで，調節けいれんや先天停止性夜盲は，「近視」，「視力がでにくい」という共通点がある．

機能的弱視

乳幼児は生後，外界の注視物が左右眼の中心窩に同時に鮮明な像を結ぶことができる正常な視的環境といえる条件下で発育し，正常な視力発達を示す．機能的弱視は，眼球や視神経には器質的な異常がなく，斜視，不同視，屈折異常，形態覚遮断の既往などにより，視覚刺激が適切に与えられなかったことによって一眼，または両眼の視力が不良な状態をいう．

形態覚遮断弱視

眼瞼下垂，角膜混濁，白内障などは形態覚刺激の妨げとなり，形態覚遮断弱視の原因となる．

斜視弱視

片眼性の斜視があると，斜視弱視の原因となる．微小斜視弱視は斜視角が10Δ以下で，原発性と斜視手術後の続発性に分類される．原発性では，固視眼の中心窩と斜視眼の道ずれ領（固視眼で固視している視物が結像する斜視眼の網膜領域）が網膜対応を結ぶ，調和性網膜異常対応を伴うことが多く，偏心固視による弱視を伴う．遠視性不同視を伴うことが多く，不同視弱視との鑑別が必要である．

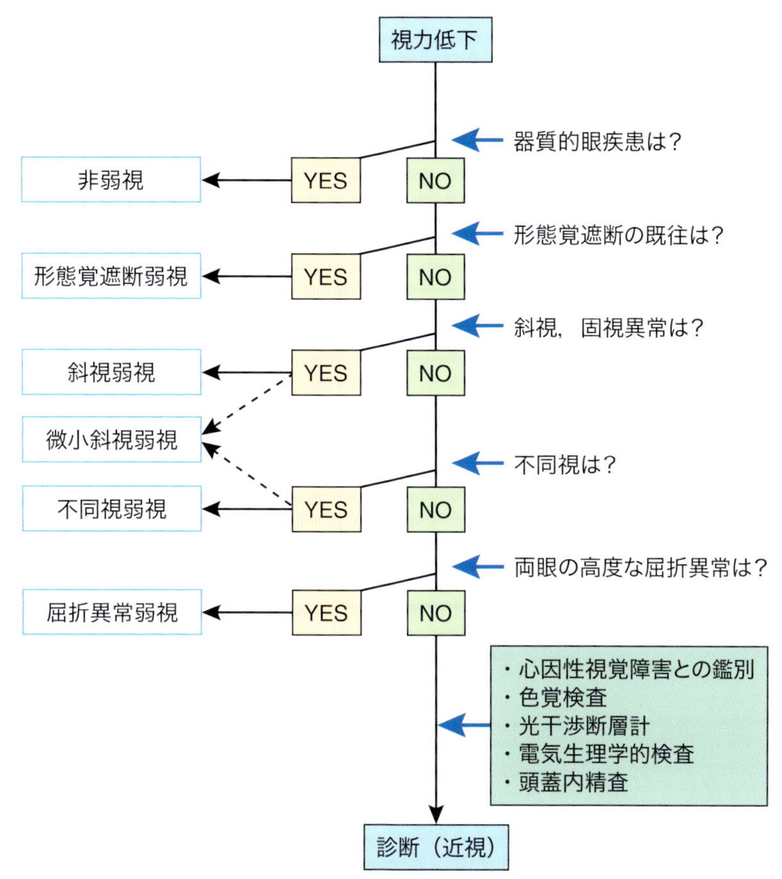

図 14　鑑別診断のフローチャート

小児期においては，機能的弱視や視機能障害をきたす器質的眼疾患などと鑑別したうえで単純近視と診断する．

屈折異常弱視

不同視弱視は左右眼の屈折異常の程度が２Ｄ以上の差がある場合に，より屈折異常の強いほうの眼が黄斑部の中心窩に鮮明な像を結像することができないために生じる片眼性の弱視である．強度近視性不同視弱視は，従来から視力予後不良とされている．屈折異常弱視は，両眼に強度の屈折異常がある場合に，両眼とも中心窩に常に不鮮明な像しか結像されないため生じる弱視である．

調節けいれん

調節けいれんは，不随意的な毛様体筋の持続的収縮によって過剰な屈折性の近視状態が生じ，自覚的に視力が低下する病態である．さらに，過度な輻湊・縮瞳などの所見を伴う状態は，近見けいれんや輻湊けいれんなどと呼称される．臨床では非調節麻痺下の他覚的屈折検査の際に，近視度数が大きく変動する，測定時に瞳孔径も縮瞳しているなどの状態も観察できる．

表1　症例提示：調節けいれん

非調節麻痺下屈折検査			
球面度数	円柱度数	乱視軸	信頼値
S +0.00 D	C −0.75 D	Ax 38°	9
S −0.25 D	C −0.75 D	Ax 39°	9
S −1.00 D	C −0.75 D	Ax 43°	9
S −2.75 D	C −0.75 D	Ax 44°	9
S −3.00 D	C −0.75 D	Ax 42°	9
S −5.50 D	C −0.75 D	Ax 43°	9
S −3.00 D	C −0.75 D	Ax 42°	9
S −1.00 D	C −0.75 D	Ax 37°	9

調節麻痺下屈折検査			
球面度数	円柱度数	乱視軸	信頼値
S +0.00 D	C +0.00 D	Ax 0°	9
S +0.00 D	C +0.00 D	Ax 0°	9
S +0.00 D	C +0.00 D	Ax 0°	9

9歳，女児．左側は非調節麻痺下で測定したオートレフラクトメータの値である．値には変動がみられ，測定中には瞳孔径も変動していた．右側は調節麻痺下で測定したオートレフラクトメータの値で，本症例は正視であった．

原因は，心因性と器質性（頭蓋内病変），薬剤性などに分類されている．心因性視覚障害とは，器質的眼疾患がないにもかかわらず視力障害をはじめとして，視野障害，色覚異常，両眼視機能障害などをきたす状態である[17]．心因性視覚障害に調節けいれんが合併した例では，経過観察によって自然寛解する場合もあるが，改善しない場合には，累進屈折力レンズを装用することや調節麻痺薬点眼を行うことが有効な治療法として報告されている[18〜20]．

当科で経験した調節けいれんの他覚的屈折検査の値を**表1**に示す．

先天停在性夜盲[21, 22]

眼底が正常であるため，網膜電図（ERG）が診断に重要である．ERGでは陰性型ERGが特徴的である．杆体機能が完全に消失している完全型（常染色体劣性遺伝，X染色体遺伝）と杆体機能が残存している不完全型（X染色体遺伝）に分類されている．完全型では夜盲の症状があるが，不全型は杆体機能が残存しているため夜盲の訴えはない．完全型では中等度から強度近視が多く，矯正視力は（0.2）〜（0.7）が多いとされている．眼底は近視性変化がみられる（**図15**）．

いかなる場合でも，調節麻痺下屈折検査と適切な屈折矯正を行い，必要な症例では弱視治療を行うなど，できる限り視機能発達を促すことが非常に大切である．

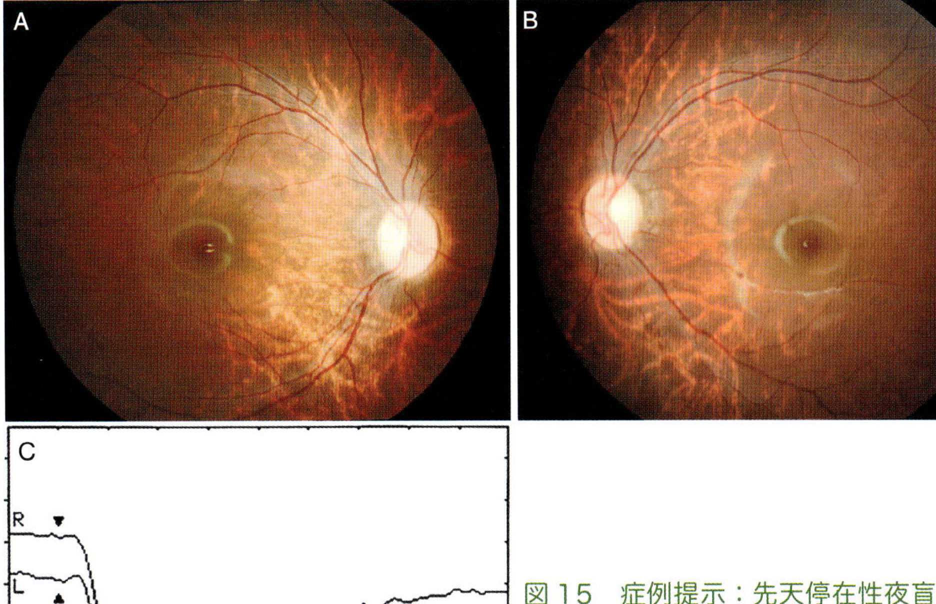

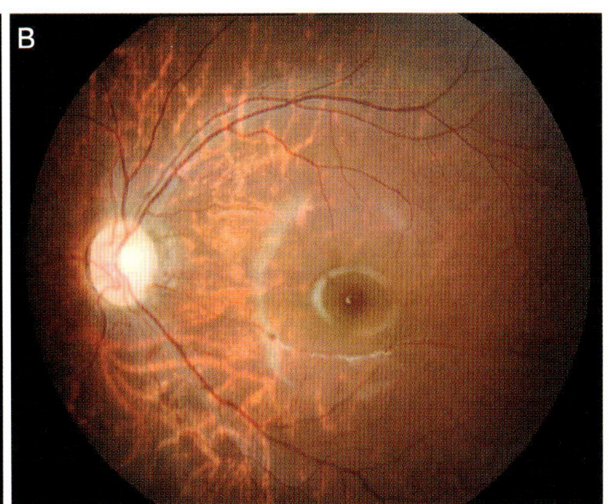

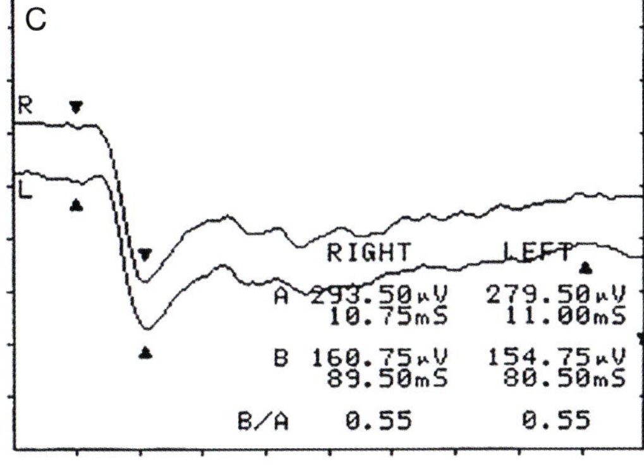

図 15　症例提示：先天停在性夜盲

7 歳，男児．矯正視力は両眼とも (0.6)，近視性屈折異常弱視として近医で経過観察されていた．矯正視力が向上しないため，精査目的で当科を受診した．A・B：眼底は両眼ともに紋理眼底などの近視性変化がみられた．C：ERG 検査は，杆体応答は平坦，杆体一錐体混合応答で陰性型であった．

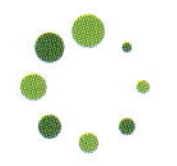

眼軸長測定の必要性

近視度数は，角膜屈折力，前房深度，水晶体屈折力，眼軸長から決定される．このうち，水晶体屈折力と眼軸長が近視の主要な因子であり，近視発症の成因から，眼軸長の伸長による「軸性近視」と，水晶体屈折力が関与する「屈折性近視」に分類される．

小児の近視の発症・進行は主として眼軸長の影響が大きいと考えられているが，眼軸長のみで近視の程度を知ることは難しい．しかしながら，眼軸長は近視進行の重要な指標になるとともに，近視による種々の合併症と関連しており，近視の研究や臨床において大切な要素である．また，レーザーを用いた光学的眼軸長測定は簡便で非侵襲的であり，就学児童であれば短時間で正確に測定できる．

眼軸長の測定法

眼軸長には外眼軸長と内眼軸長とがある．外眼軸長は角膜頂点から眼球後極部の強膜外層間距離，内眼軸長は角膜頂点から網膜までの距離をいう．近視研究や臨床では，内眼軸長を用いる．

測定法の歴史的背景

19世紀では眼軸長といえば，摘出眼をノギスなどで測定する外眼軸長であり，正確性に欠けるとともに多数眼の測定は不可能であった．20世紀に入り生体眼での眼軸長測定は，外眼軸長としてはテノン嚢に空気注入後X線撮影する方法[23)]があったが，近視研究に用いられる内眼軸長の測定法としてはX線光覚法[24)]，水晶体計測法(phacometry)を用いて求める方法[25, 26)]，Aスキャンを用いた超音波による方法[27)]が利用された．20世紀後半には近視の研究以外に，白内障手術時に挿入する眼内レンズの度数決定に眼軸長の測定が必要となり，超音波の反射波を用いた方法のほかにレーザーの干渉波による方法(IOLMaster®)が一般的になっている．

現在に至るまでの，近視研究に使用された眼軸長測定法を**表2**に示す．

近視研究における測定法の変遷

初期に近視研究に用いられたX線光覚法は，X線発振装置を角膜頂点から後方に移動させ，X線による光輪が中心窩で点になるまでの移動距離(角膜から中心窩までの距離)から眼軸長を測定する方法で，X線を用いた危険な方法であった．Stenstroem[28)]はこの方法を用いて測定された眼軸長のほかに，屈折度，角膜屈折力，前房深度などから水晶体屈折力を計算した．大塚ら[24)]は，同法を用いて得られた眼軸長と眼の屈折度との間に有意に高い負の相関を見いだした．

その後，Sorsbyら[25)]や所[26)]は，水晶体計測法を用いて水晶体屈折力を測定し，この値から眼軸長を計算した．

超音波による眼軸長の測定法はOksalaら[29)]が報告し，わが国ではYamamotoら[27)]が初めて超音波Aモード法による眼軸長測定結果を発表した．本法には水浸法と接触法がある．水浸法は被検眼と水晶振動子の間に水を介した方法で，接触法は水晶振動子を含むプローブを被検眼角膜に直接接触させて測定する方法である．現在，臨床で一般に利用されている超音波Aモード法は接触法である．超音波Aモー

表2　眼軸長測定法

年代	方法		測定部	特徴
1950年頃	X線	光覚法	内眼軸長	X線発振装置の利用
		撮影法	外眼軸長	テノン嚢に空気を注入後撮影
1950年後半	水晶体計測法(phacometry)		内眼軸長	Purkinje-Sanson像を用いて水晶体屈折力を測定
1960年頃	超音波	水浸法	角膜頂点～網膜内境界膜	水晶振動子による測定
		接触法		Aモード法
2000年頃～	光学的		涙液表面～網膜色素上皮	レーザーを用いた光学的測定装置IOLMaster®による測定

ド法での測定は，角膜頂点から網膜内境界膜までを計測する．眼球組織内の音速は組織によって異なるが，等価音速方式では眼球の各組織が眼軸に占める平均的な割合を考慮して，有水晶体眼では 1,550 m/sec，無水晶体眼では 1,532 m/sec に設定されている．レーザー光による測定方法は涙液表面から網膜色素上皮層までの計測であり，超音波 A モード法と同様，眼球組織内の屈折率を等価屈折率 1.3549 としている．したがって，角膜の厚さ，前房深度，水晶体の厚さ，硝子体長などの音速や屈折率は一定に設定されているため，長眼軸長眼・短眼軸長眼など病的眼球の眼軸測定に用いると測定誤差が大きくなる可能性があり，注意する必要がある[30, 31]．

また，超音波による測定法は波形の観察が容易な光軸上の測定，レーザー光による測定法は視軸上の測定である．中心窩の網膜厚は 195 μm 程度であるが，両者の値を比較した報告では，超音波とレーザー光による測定値は類似している[32]．従来，小児の眼軸長測定には超音波 A モード法が用いられていたが，測定時間も長く姿勢保持や測定精度に問題があった．現在では，短時間で簡便かつ精密に測定可能な光学的測定法として，レーザーを用いた非接触型眼軸長測定装置 IOLMaster®による測定が主流である．

成長に伴う眼軸長の変化

Weiss[33]は，ヒトの眼軸長は成熟児で平均 16 mm，成人で約 24 mm に達すると述べている．Larsen[34]は，超音波を用いて眼の成長に伴う眼軸長の変化を測定し多数例で報告している．その結果から，眼軸長の伸長を成長時期により 3 つに分類している．①出生直後～1 歳半までの急激な成長がみられる生後期，② 2～5 歳までの緩やかな成長を示す小児期，③ 6～13 歳までのさらに緩やかに成長する学童期である．これら 3 つの時期を経て，13 歳で成人とほぼ等しい眼軸長に達すると報告している．また，どの時期においても男児のほうが 0.4～0.5 mm 長いと指摘した(**図 16**)．神野[35]の報告も Larsen の値と同様の傾向を示しているが(**図 17**)，所ら[36]も指摘しているように男女とも Larsen の結果と比較して眼軸長が長く，これは人種差によるものと推察される．

眼軸長の伸長に対し，角膜屈折力は出生直後から半年まで急速に減少，3～4 歳頃に安定するが，水晶体屈折力は 8 歳頃まで減少が続き，眼球全体の屈折力は新生児期の軽度遠視から 8 歳頃までに大部分が正視化する[37, 38]．

Zadnik ら[39]は 6～14 歳までの正視眼（+1.00～−0.25 D）194 人で 3 年間経過観察をした結果，眼軸長は 0.73 mm（1.94 D）伸長し，水晶体屈折力は 2.11 D（8.4%）減少していたと報告した．前房深度が深くなり水晶体屈折力が減少することによって正視に保たれるが，水晶体屈折力の減少には限界があり，近視の発症・進行には眼軸長の影響が強いと思われる．

一般的に近視は 8～16 歳頃に進行し[38, 40]24～25 歳で止まるが[40]，成人後も近視が発症・進行することが報告されている[41]．

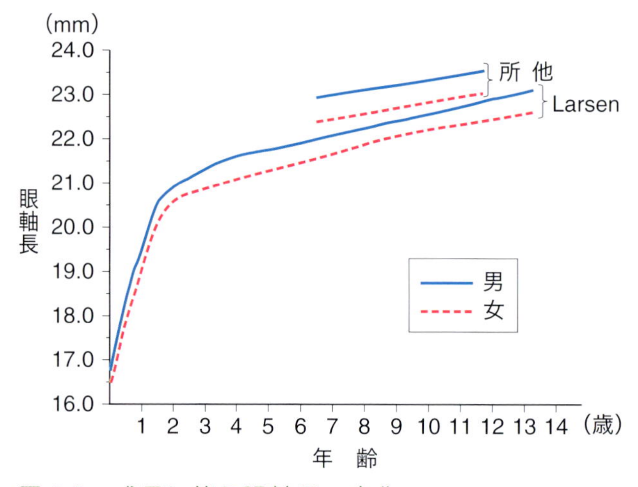

図 16　成長に伴う眼軸長の変化

（文献 34，36 を参照して作成）

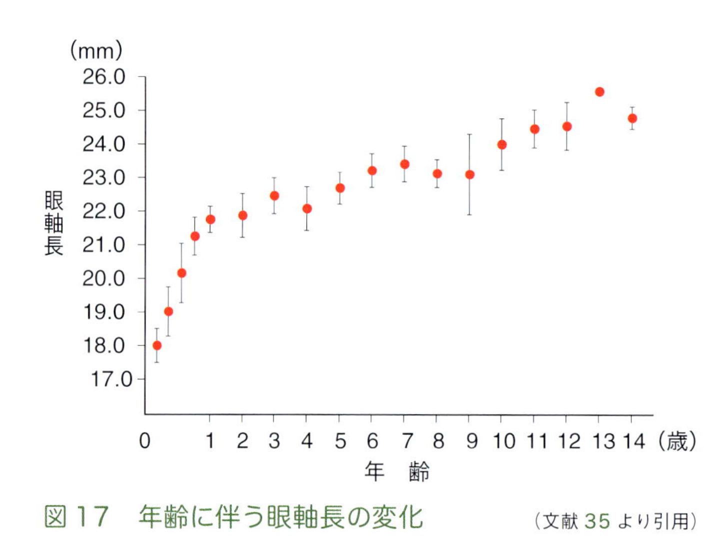

図 17　年齢に伴う眼軸長の変化　　（文献 35 より引用）

眼軸長伸長のメカニズムについては，動物実験などから形態覚遮断近視 / 視性刺激遮断近視（form deprived myopia），マイナスレンズ（凹レンズ）による遠視性デフォーカス〔レンズ誘発性近視（lens-induced myopia）〕や軸外収差理論などの考えがあるが，明確ではない．

眼軸長測定の有用性

近視の発症は，遺伝的要因と環境要因によると考えられている．そのうち，環境要因として読書やデジタル機器の利用などの近業が挙げられている．正視眼の児童生徒を近業者と通常作業者に分けて 3 年間経過観察した結果，近業者群で近視化が強く，前房深度，硝子体長，眼軸長が有意に長い結果を得ており，近視の発症では眼軸の関与が強いと報告されている[42]．

表 3　屈折要素間の相関関係

		方法・備考	(1)屈折度 眼軸長	(2)屈折度 水晶体屈折力	(3)屈折度 角膜屈折力	(4)角膜屈折力 眼軸長	(5)角膜屈折力 水晶体屈折力	(6)眼軸長 水晶体屈折力
Tron (1929)	200 眼		−0.647	+0.074		−0.35		
大塚, 金森 (1951)	475 眼	X 線光覚法	−0.7582	+0.1587	−0.0670	−0.2492	−0.1620	−0.7216
大野 (1956)	512 眼	X 線光覚法	−0.5994	+0.3920	−0.1110	−0.2982	−0.1630	−0.6814
Sorsby (1957)	194 眼	水晶体計測法 (phacometry)				−0.290	−0.068	−0.488
菅田 (1958)	242 眼	X 線光覚	−0.7018	+0.0287	−0.1129	−0.0665	−0.2329	−0.5287
所 (1962)	154 眼	水晶体計測法 (phacometry)	−0.8528	+0.0504	−0.2943	−0.1420	+0.2396	−0.3404
	126 眼	(±4.00 D 以下のもの)	−0.6731	+0.3413	−0.1606	−0.3487	+0.2135	−0.6277
荒木 (1962)	295 眼	超音波法	−0.7724	0.0184	−0.1730	−0.1073	−0.0504	−0.4820
	139 眼	(±4.00 D 以下のもの)				−0.2820		−0.7060

：1%有意差あり　：5%で有意差あり　（文献 43 より引用改変）

近視の進行と眼軸長の伸長

種々の方法で測定された眼軸長と眼の屈折度とには，高い負の相関があるとの報告が多数みられる（**表 3**）[43, 44]．このことから，眼軸長が近視の進行と原因に重要な要因であることがわかる．また，所[44]の報告では，±4.00 D 内に症例を限ると眼の屈折度と水晶体屈折力の間に正の相関があり，眼軸長の伸長に伴い水晶体屈折力が減少して弱度近視に留まっている可能性がある．Saw ら[45]によると，7～9 歳の小児 543 人の 3 年間の経過観察で近視の進行は−2.03 D（−0.68 D/年），眼軸延長は 0.89 mm（0.3 mm/年）であり，相関係数は−0.69，p＝0.001 と報告している．この結果からも眼軸長の伸長による近視の進行がわかる．また，眼軸長の伸長に伴いびまん性網膜脈絡膜萎縮などの病変発症もあり（**図 18**）[46]，近視眼での眼軸長測定の意義は大きい．

正視と近視の眼軸長と水晶体屈折力の関わり

所ら[36]は児童生徒の眼軸長測定において，正視眼（+0.24～−0.25 D）の眼軸長は 6 歳で 22.64±0.64 mm（調査数 97 眼），12 歳で 23.25±0.92 mm（調査数 121 眼）と報告している．また Zadnik ら[39]は，正視眼と考えられる屈折度+1.00～−0.25 D の 6～14 歳 194 人の超音波による眼軸長の測定では平均 22.9±0.7 mm（21.3～

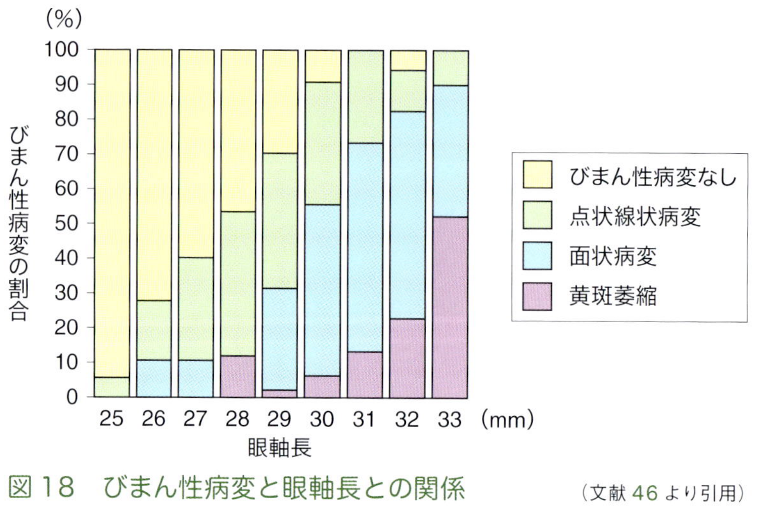

図 18　びまん性病変と眼軸長との関係　（文献 46 より引用）

25.1 mm）であったと報告しており，正視といえども大きな幅があり，眼軸長の値から近視の程度（屈折度）を知ることはできない．正視眼と近視眼では角膜屈折力にはほとんど変化はなく，眼軸長が伸長しても，水晶体屈折力の減少，前房深度が深くなることにより，正視に保たれる．水晶体屈折力との関係が問題になる[47]ため，眼軸長のみから近視の発症や程度を決定することはできないが，眼軸長が急速に伸長する場合には病的近視になる可能性が高い[48]．

眼軸長を利用した近視進行の予測

現在の眼軸長から将来の視力値や病的近視になる可能性を予測する研究がある．Tideman ら[49]は，6～9 歳のオランダ人 6,934 人，15 歳の英国人 2,495 人，57 歳のオランダ人 2,957 人を対象に，眼軸長と角膜曲率を測定した．6～15 歳でのパーセンタイルを設定し測定値を並べ替えた結果，6～9 歳で眼軸が長い症例は将来，近視あるいは強度近視になる可能性があると報告している．Zadnik ら[50]も，小学校 3 年生で眼軸が長い症例では，5 年後に近視を発症する危険因子になることを報告している．このほかに，網膜の遠視性デフォーカスも近視発症の危険因子と考えられる[51]．眼軸長は近視進行において重要な因子であり，眼軸長の把握は近視研究あるいは臨床に不可欠である．

眼軸長を近視の診断と管理に用いる方法

近視の診断に必要なパラメータ

小児の近視を診断し進行を管理するうえで，屈折値と眼軸長はどちらも重要なパラメータである．また，世界の著名な近視研究者らによって設立された国際近視研究所(International Myopia Institute)は，近視の診断はサイプレジン®調節麻痺下の屈折検査で実施し，近視進行の管理は眼軸長の測定結果を用いることを推奨している[52]．近視の診断に関しては，たとえば眼軸長が長い症例でも角膜曲率が平坦で角膜屈折力が弱い場合は，眼球全体としては正視となる．眼軸長はあくまで屈折度数を形成する要素の一つであり，近視の診断を行う場合は，屈折度数を形成するその他の要素である角膜屈折力，水晶体屈折力を含む，総合的な評価値を用いるべきである．このため近視の診断は，屈折度数で行う必要がある．

小児の近視の診断において眼軸長を用いる場合は，眼軸長単独ではなく，角膜曲率半径を組み合わせた,「AL/CRC(axial length / corneal radius of curvature)比＞2.9～3.1」による定義を用いるほうが，より正確に近視を診断できる[53]．なお所ら[36]は，近視が強度であるほど眼軸長の延長が近視の主要な病因となるため，病的近視を「正視眼の眼軸長の平均値から標準偏差が3倍以上離れている眼」と，眼軸長を用いて定義している(**表4**)．

近視進行の管理に適したパラメータ

眼軸長を用いた進行評価がより正確

眼軸長の測定と比較して，屈折検査は再現性が低い．自覚的屈折検査ではSD±0.50 D，非調節麻痺下他覚的屈折検査ではSD±0.57 D，調節麻痺下自覚的屈折検査ではSD±0.17 Dの誤差が報告されており，近視の進行を定期的に評価するうえで無視できない誤差量と考えられる[55～57]．しかし，非接触型機器を用いた光学的眼軸長測定装置の再現性は高く，誤差範囲は小児でも眼軸長で50 μm以下である[58]．これを屈折値換算すると多くてもSD±0.12 D以下の誤差で，報告によっては非調

表4　小児期の病的近視を疑うときの定義

年齢	定義
6～8歳	眼軸長が24.5 mm以上
9～12歳	眼軸長が26.0 mm以上
13歳以上	眼軸長が26.5 mm以上

(文献54より引用)

節麻痺下自覚的屈折検査よりも10倍正確と考えられている．さらに眼軸長の測定であれば，調節麻痺薬による副作用の問題がなく，測定時間も短時間である．以上から近視の進行を管理するうえでは，眼軸長がより適している．

小児期の屈折と眼軸に関する注意点

小児では「正視化過程にある遠視」が正常な眼であり，小児の正常な屈折値は，正視ではなく年齢に応じた軽度の遠視である[59]．成人のGullstrandの模型眼では，一般的に眼軸長1 mmの伸展は，屈折値に換算すると2.70～3.00 Dに相当すると考えられている．しかし，近視進行抑制治療のターゲットとなるような年齢の低い小児では，そのような単純換算ができない．6歳までの小児では，年間1 mmの眼軸長の伸展は屈折値に換算してわずか0.45 Dの変化にしか相当しない．発育に伴う眼軸長の伸展に対して，水晶体や角膜の屈折力が弱まることで代償が生じる幼少期では，同じ眼軸伸展量であっても屈折値に与える影響が異なることに留意する必要がある．

小児期の近視進行を眼軸長で管理する方法

以上から，小児期の近視進行を管理するためには，年齢ごとに異なる眼軸伸展の管理目標を立てる必要がある．このため「小児の正視眼」の年齢別の年間あたりの眼軸伸展量を標準値として眼軸管理を行う考え(**図19**，**表5**)[60～62]や，パーセンタイル曲線を用いて眼軸長管理を行う方法(**図20**)[63～65]が提唱されており，OCULUS社は，

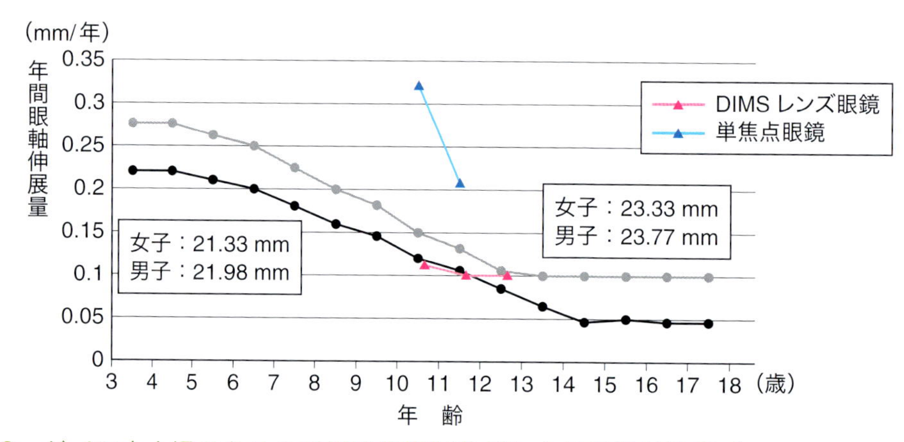

図19　ドイツ人小児のための近視進行抑制治療における眼軸管理グラフ

ドイツでは正視眼に該当する50パーセンタイルまでのドイツ小児のデータから正視眼における年齢ごとの年間眼軸伸展量を算出し，ドイツの治療者が治療の有効性を評価するためのグラフを作成した．濃い実線(-●-)が，ドイツ人小児の正視眼における年齢別の生理的な眼軸伸展量であり，薄い実線(-●-)が信頼区間の上限である．薄い実線までが治療有効と判断する許容範囲と考えられている．DIMS (defocus incorporated multiple segments)レンズ眼鏡の比較試験結果をプロットすると，▲で示す単焦点眼鏡の対照群の眼軸伸展量と異なり，▲で示すDIMSレンズ眼鏡群は，3年間継続して有効な眼軸伸展抑制効果を維持していることがわかる．

(文献60を引用改変)

小児の近視管理に特化した眼軸長計測機能付レフラクト・ケラトメータであるMyopia Master®を販売している．この機器ではアジア人の眼軸長のパーセンタイル曲線を用いた眼軸長管理（**図20**）[64, 65]が可能である以外にも，Gullstrand Refractive Analysis System（GRAS）と呼ばれるソフトウェアを搭載することで，軸性近視と屈折性近視を的確に鑑別できる機能を提供している（**図21**）．各図表の説明文にその具体例を記す．これら既存の管理方法では日本人小児のデータが用いられたものがほとんどないため，日本人小児のデータを用いた管理表やソフトウェアの開発が希求される．

なお，2023年に発売した光学式眼軸長測定装置であるOA-2000に搭載可能な眼軸長トレンド解析ソフトウェアAxial Manager™（トーメーコーポレーション社製）では，日本人小中学生約9,000人の眼軸長データをもとに作成したパーセンタイル曲線を用いた眼軸長管理や，日本人の近視小児の眼軸長伸展経過をもとにした予後予測が可能となっている（**図22**）[66]．年間あたりの眼軸伸展量も自動算出されるため，多忙な外来で患者に治療効果をフィードバックする際にも役立つ．

表5　正視眼と近視眼における年齢別の年間眼軸伸展量の目安

年齢（歳）	正視眼		近視眼	
	眼軸長（mm）	年間眼軸伸展量（mm/年）	眼軸長（mm）	年間眼軸伸展量（mm/年）
5	22.21	0.23	21.99	0.44
6	22.44	0.19	22.43	0.37
7	22.64	0.17	22.80	0.32
8	22.80	0.15	23.12	0.28
9	22.95	0.13	23.40	0.25
10	23.09	0.09	23.65	0.23
11	23.17	0.07	23.95	0.22
12	23.24	0.06	24.17	0.20
13	23.30	0.06	24.37	0.19
14	23.36	0.05	24.56	0.18
15	23.41	0.05	24.74	0.17
16	23.46	0.05	24.91	0.16
17	23.50	0.04	25.06	0.15
18	23.55	0.04	25.21	0.14

近視進行抑制治療を実施する場合，正視眼の年間あたりの眼軸伸展量を目標に，近視眼の眼軸伸展量を抑え込む考え方がある．正視眼の年齢別の年間あたりの眼軸伸展量は，近視進行抑制治療を実施し治療効果を判断するうえで，参考値として役立つ．この表の数値は白色人種の小児が中心で，黄色人種の比率が少ない研究調査から算出されたものである．眼軸長伸展には人種差があることが指摘されており，日本人小児を管理するためには，日本人小児のデータのほうが望ましい．（文献61を参考に作成）

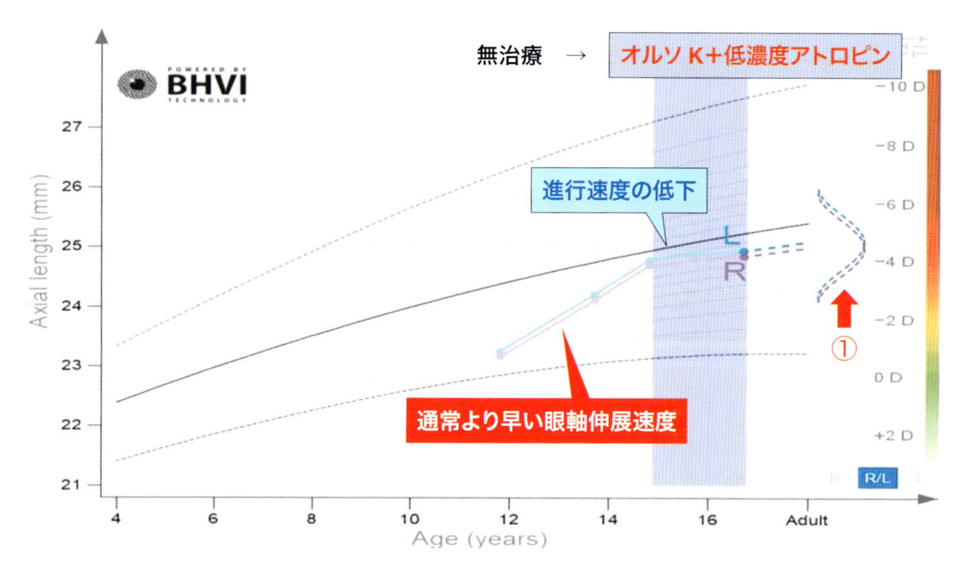

図 20　Myopia Master® (OCULUS 社製) に搭載されたパーセンタイル曲線を用いた眼軸長管理

25,000 眼近いアジア人 (中国人) 小児の眼軸長データをもとに，パーセンタイル曲線が作成されている．また，無治療での将来的な屈折値の予後が，年齢，性別，角膜曲率，眼軸長を用いて予測でき，95%信頼区間±1.85 D の幅で表示される (図①)．初診時に患者に近視進行抑制治療を実施する動機付けとなる．なお，この屈折値の予後予測も，眼軸長のパーセンタイル曲線同様に，25,000 眼近いアジア人 (中国人) 小児のサイプレジン®調節麻痺下屈折値を含む疫学データに基づき算出されている．本症例は，無治療では通常よりも速い眼軸伸展が認められていたが，併用療法実施以後は進行速度が低下したことが視覚化されており，患者への説明も容易である．　(文献 64 を引用改変)

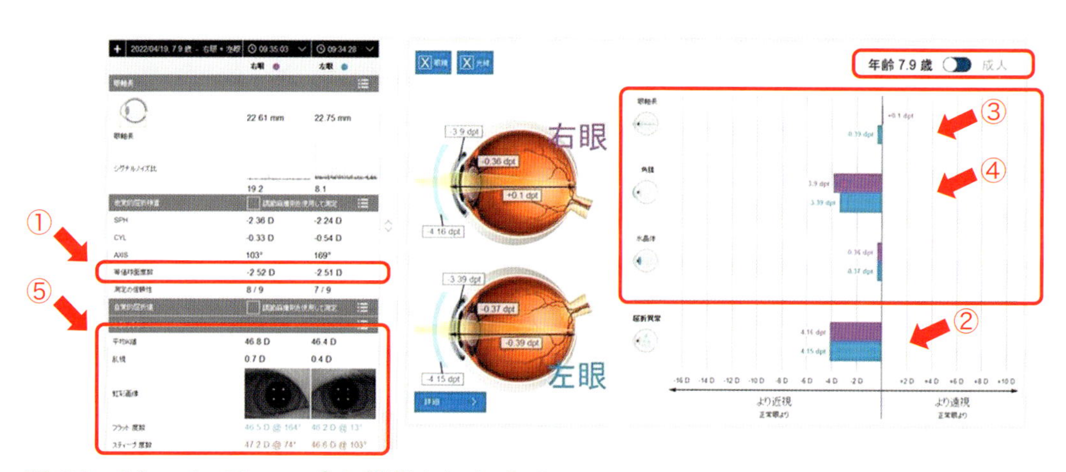

図 21　Myopia Master® に搭載された Gullstrand Refractive Analysis System による近視管理

初診時に 7.9 歳の年齢で，図①のように等価球面度数が－2.50 D 程度の近視であった症例．7.9 歳の年齢相当の模型眼では＋1.64 D の遠視が正常であるため，本症例は，年齢相当の小児の正常屈折度と比較して，4 D を超えて近視化していることが図②に示されている．等価球面度数だけをみると，積極的な抑制治療を行ったほうがよい症例である．しかし，各屈折要素の状態を確認してみると，図③から明らかな軸性近視を生じていない．将来的な眼疾患のリスクを軽減するために抑制治療の対象とする近視は軸性近視であるため，本症例に対しては，いったん立ち止まって治療を実施すべきかどうかを検討する．一方で，図④から角膜の屈折値は近視化が進行しており，本症例がここ 1 年あたりで近視が進行してきたのは，角膜に原因がある可能性ある．図⑤から角膜屈折力は平均よりも高めであり，角膜形状解析などの精査を行い経過観察する方針とした．

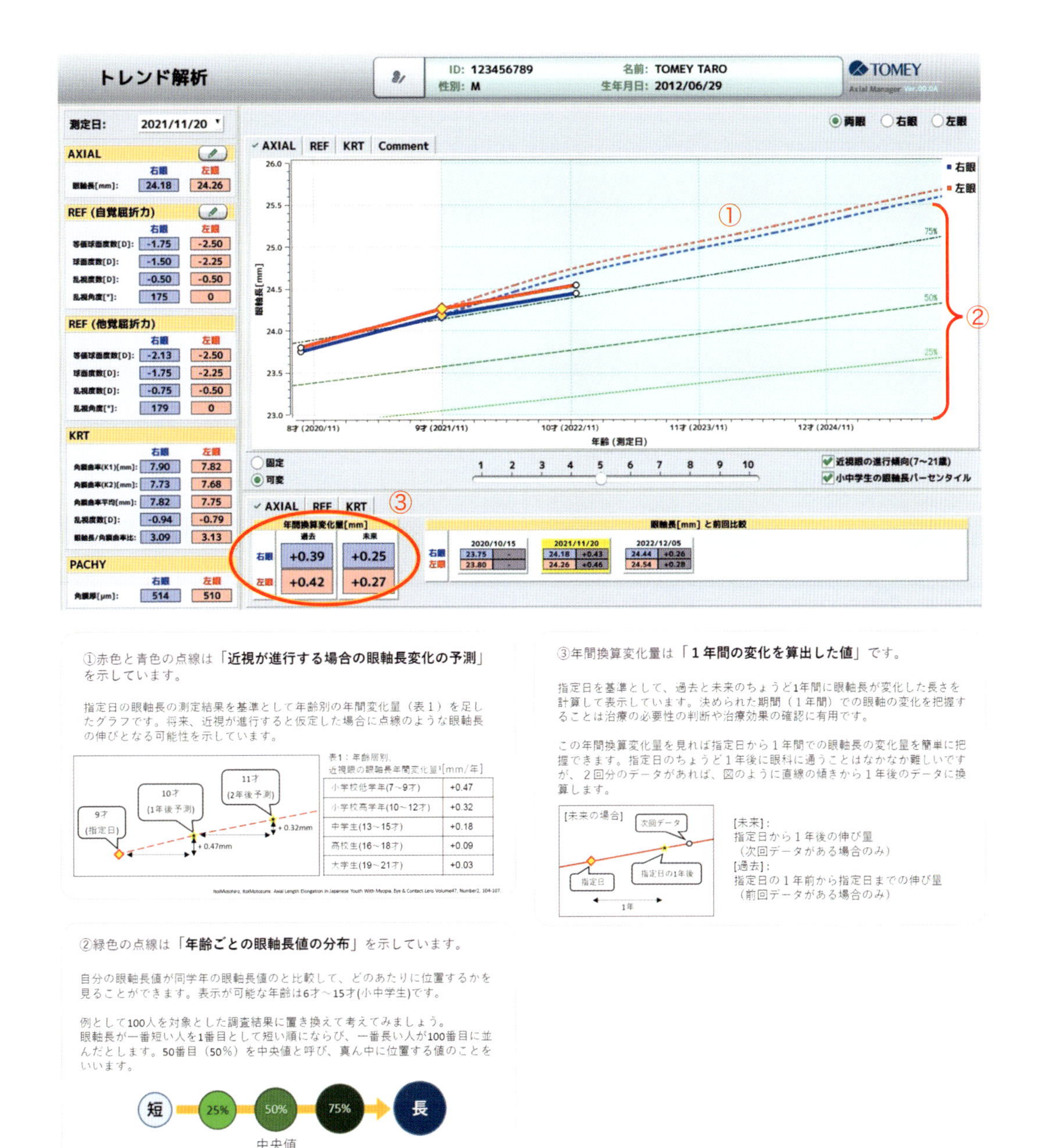

図22　OA-2000に搭載可能な眼軸長トレンド解析ソフトウェア Axial Manager™

日本人小児のデータを用いた眼軸長管理が可能となっている.　（文献66を引用改変）

各社が小児の近視管理に特化したさまざまなソフトウェアを開発し，眼軸長計測機器をアップデートしている．そのため，小児の近視進行抑制治療における管理では，眼軸長を用いた評価が今後ますます不可欠となると予測される．

文献

1) Fotedar R, Rochtchina E, Morgan I, et al.：Necessity of cycloplegia for assessing refractive error in 12year-old children：a population-based study. Am J Ophthalmol 144：307-309, 2007.
2) Chen J, Xie A, Hou L, et al.：Cycloplegic and noncycloplegic refractions of Chinese neonatal infants. Invest Ophthalmol Vis Sci 52：2456-2461, 2011.
3) Mimouni M, Zoller L, Horowitz J, et al.：Cycloplegic autorefraction in young adults：is it mandatory? Graefes Arch Clin Exp Ophthalmol 254：395-398, 2016.
4) アトロピン硫酸塩添付文書
5) シクロペントラート塩酸塩添付文書
6) Howland HC, Howland B：Photorefraction：a technique for study of refractive state at a distance. J Opt Soc Am 64：240-249, 1974.
7) Kaakinen K：A simple method for screening of children with strabismus, anisometropia or ametropia by simultaneous photography of the corneal and the fundus reflexes. Acta Ophthalmol 57：161-171, 1979.
8) Peterseim MM, Papa CE, Wilson ME, et al.：The effectiveness of the Spot Vision Screener in detecting amblyopia risk factors. J AAPOS 18：539-542, 2014.
9) 久保田伸枝，平野久仁子：小児の屈折検査における調節麻痺剤について—アトロピンとサイプレジンの比較．眼科 16：419-423，1974.
10) 浜村恵美子，内海　隆，菅澤　淳，他：小児近視例の眼鏡処方における雲霧法の有用性．眼臨医報 88：265-268，1994.
11) 梶田雅義，山田文子，伊藤説子，他：両眼同時雲霧法の評価．視覚の科学 20：11-14，1999.
12) 立神英宜：小児の眼軸長について．日眼紀 31：574-578，1980.
13) 所　敬，上杉エリ子：3 D（屈折度）≒1 mm（眼軸長）の関係について．眼臨医報 70：739-742，1976.
14) Yokoi T, Jonas JB, Shimada N, et al.：Peripapillary Diffuse Chorioretinal Atrophy in Children as a Sign of Eventual Pathologic Myopia in Adults. Ophthalmology 123：1783-1787, 2016.
15) 宇田川さち子，大久保真司：子供の視野結果：どう読めばいい？ 眼科 59：133-140，2017.
16) Higashide T, Ohkubo S, Hangai M, et al.：Influence of clinical factors and magnification correction on normal thickness profiles of macular retinal layers using optical coherence tomography. PLoS One 11：e0147782, 2016.
17) 新保百恵，宇田川さち子，杉山能子，他：外斜視の手術後に視力が改善した片眼性心因性視覚障害の1例．眼臨紀 7：123-127，2014.
18) 調　廣子，関谷善文，山本　節：過度の調節痙攣を示した症例について．日視会誌 24：35-38，1996.
19) 向井章太，原口　瞳，原田香奈，他：井上眼科病院における小児の非器質性視覚障害．日視会誌 40：99-105，2011.
20) 花形麻衣子，大久保真司，宇田川さち子，他：累進屈折力眼鏡が有用であった小児調節痙攣の3例．神経眼科 38：292-297，2021.
21) Miyake Y, Yagasaki K, Horiguchi M, et al.：Congenital stationary night blindness with negative electroretinogram. A new classification. Arch Ophthalmol 104：1013-1020, 1986.
22) Miyake Y, Horiguchi M, Ota I, et al.：Characteristic ERG-flicker anomaly in incomplete congenital stationary night blindness. Invest Ophthalmol Vis Sci 28：1816-1823, 1987.
23) 柴田博彦，天野清範：球後空気注射X線写真による眼軸測定法．臨眼 12：339-346，1958.
24) 大塚　任，金藤峰子：近視の眼軸の長さと水晶体屈折力．日眼会誌 55：100-111, 1951.
25) Sorsby A, Benjamin B, Sheridan M：Refraction and its components during three growth of the eye form the age of three. "Medical Research Council Special Report Series No.301", Her Majesty's Stationery Office, London, 1957, pp 1-67.
26) 所　敬：写真による水晶体屈折力測定に関する研究，第1報：模型眼による測定条件の検討．日眼会誌 65：868-876，1961.
27) Yamamoto Y, Namiki R, Baba M, et al.：A study on the measurement of ocular axial length by ultrasonic echography. Jpn J Ophthalmol 5：134-139, 1961.

28) Stenstroem S：Untersuchugen üeber die Variation and Kovariation optischen Elements des menschlichen Auges. Acta Ophthalmol 26：103, 1946.
29) Oksala A, Lehtin A：Über die diagnostiche Verwendung von Ultraschall in der Augenheilkunde. Ophthalmologica 134：387-395, 1957.
30) 福山　誠：超音波眼軸長測定．"眼科プラクティス 25 眼のバイオメトリー" 大鹿哲郎 編．文光堂，2009，pp202-206.
31) 根岸一乃：眼軸長測定．日視会誌 32：49-54，2003.
32) 嶺井利紗子，清水公也，魚里　博，他：レーザー干渉による非接触型眼軸測定の検討．あたらしい眼科 19：121-124，2002.
33) Weiss L：Über das Wachstum des menschlichen Augesund über die Veränderung der Muskelinsertionen am wachesenden Auge. Arb Anat Inst Wiesbaden 8：191-248, 1897.
34) Larsen JS：The sagittal growth of the eye. Ⅳ. ultrasonic measurement of axial length of eye from birth to puberty. Acta Ophthalmol 49：837-886, 1971.
35) 神野順子：小児眼の眼軸長計測に関する研究（1）眼軸長構成因子の成長勾配，日眼会誌 85：993-1005, 1981.
36) 所　敬，林　一彦，打田昭子，他：眼軸長よりみた高度近視の診断基準について．厚生省特定疾患，網膜脈絡膜萎縮症調査研究班，昭和 52 年度研究報告書，1978，pp 7-12.
37) Gordon RA, Donzis PB：Refractive development of the human eye. Arch Ophthalmol 103：785-789, 1985.
38) 不二門尚：小児の近視の進行防止．日眼会誌 117：397-406，2013.
39) Zadnik K, Mutti DO, Mitchell GL, et al.：Normal eye growth in emmetropic schoolchildren. Optom Vis Sci 81：819-828, 2004.
40) Tokoro T, Suzuki K：Changes in ocular refractive components and development of myopia during seven years. Jpn J Ophthalmol 13：27-34, 1969.
41) Pärssinen O, Kauppinen M, Viljanen A：The progression of myopia from its onset at age 8-12 to adulthood and the influence of heredity and external factors on myopic progression. A 23-year follow-up study. Acta Ophthalmol 92：730-739, 2014.
42) Hepsen IF, Evereklioglu C, Bayramlar H：The effect of reading and near-work on the development of myopia in emmetropic boys：a prosspective, controlled, three-year follow-up study. Vision Res 41：2511-2520, 2001.
43) 所　敬，大野京子 編著：近視—基礎と臨床．金原出版，2012，p22.
44) 所　敬：写真による水晶体屈折力測定に関する研究．第 4 報：屈折要素の分析的検討．日眼会誌 66：110-127，1962.
45) Saw SM, Chus WH, Gazzard G, et al.：Eye growth changes in myopic children in Singapore. Br J Ophthalmol 89：1489-1494, 2005.
46) 所　敬：屈折・調節の基礎と臨床強度近視の眼軸延長と網膜脈絡膜萎縮．日眼会誌 98：1213-1237, 1994.
47) Iribarren R, Morgan IG, Chan YH, et al.：Changes in lens power in Singapore Chinese children during refractive development. Invest Ophthalmol Vis Sci 53：5124-5130, 2012.
48) Loh KL, Lu Q, Tan D, et al.：Risk factors for progressive myopia in the atropine therapy for myopia study. Am J Ophthalmol 159：945-949, 2015.
49) Tideman JWL, Polling JR, Vingerling JR, et al.：Axial length growth and the risk of developing myopia in European children. Acta Ophthalmol 96：301-309, 2018.
50) Zadnik K, Mutti DO, Friedman NE, et al.：Ocular predictors of the onset of juvenile myopia. Invest Ophthalmol Vis Sci 40：1936-1943, 1999.
51) Mutti DO, Hayes JR, Witchell GL, et al.：Refractive error, axial length, and relative peripheral refractive error before and after the onset of myopia. Invest ophthalmol Vis Sci 48：2510-2519, 2007.
52) Wolffsohn JS, Kollbaum PS, Berntsen DA, et al.：IMI - Clinical Myopia Control Trials and Instrumentation Report. Invest Ophthalmol Vis Sci 60：M132-M160, 2019.
53) Jong M, Sankaridurg P, Naduvilath TJ, et al.：The Relationship between Progression in Axial Length/

Corneal Radius of Curvature Ratio and Spherical Equivalent Refractive Error in Myopia. Optom Vis Sci 95：921-929, 2018.

54) 所　敬：弱度近視（学校近視）と強度近視は関係があるのか？あたらしい眼科 33：1397-1405, 2016.

55) Taneri S, Arba-Mosquera S, Rost A, et al.：Repeatability and reproducibility of manifest refraction. J Cataract Refract Surg 46：1659-1666, 2020.

56) Rauscher FG, Lange H, Yahiaoui-Doktor M, et al.：Agreement and Repeatability of Noncycloplegic and Cycloplegic Wavefront-based Autorefraction in Children. Optom Vis Sci 96：879-889, 2019.

57) Moore KE, Berntsen DA：Central and peripheral autorefraction repeatability in normal eyes. Optom Vis Sci 91：1106-1112, 2014.

58) Carkeet A, Saw S-M, Gazzard G, et al.：Repeatability of IOLMaster biometry in children. Optom Vis Sci 81：829-834, 2004.

59) Guo X, Fu M, Ding X, et al.：Significant Axial Elongation with Minimal Change in Refraction in 3- to 6-Year-Old Chinese Preschoolers：The Shenzhen Kindergarten Eye Study. Ophthalmology 124：1826-1838, 2017.

60) Kaymak H, Graff B, Neller K, et al.：Myopia treatment and prophylaxis with defocus incorporated multiple segments spectacle lenses. Ophthalmologe 118：1280-1286, 2021.

61) Chamberlain P, Jara PL, Arumugam B, et al.：Axial length targets for myopia control. Ophthalmic Physiol Opt 41：523-531, 2021.

62) Jones LA, Mitchell GL, Mutti DO, et al.：Comparison of ocular component growth curves among refractive error groups in children. Invest Ophthalmol Vis Sci 46：2317-2327, 2005.

63) He X, Sankaridurg P, Naduvilath T, et al.：Normative data and percentile curves for axial length and axial length/corneal curvature in Chinese children and adolescents aged 4-18 years. Br J Ophthalmol 107：167-175, 2023.

64) OCULUS Myopia Master®：https://myopia-center.com/asset/pdf/oculus.pdf

65) New GRAS Module：Comparison with the Gullstrand eye：https://en.oculus.de/en/products/myopia-management/myopia-master/

66) OA-2000 用眼軸長トレンド解析ソフトウェア Axial Manager™：https://opth.tomey.co.jp/top/wp-content/uploads/2023/09/202301AxialManager.pdf

小児の屈折検査のコツ

他覚的屈折検査

視機能発達の時期にある小児において，早期の正しい屈折矯正はきわめて重要である．特に，調節麻痺下の他覚的屈折検査は，正確な屈折値を導き出すために最も重要な検査となる．

低年齢の小児では，自覚的な応答が難しく信頼性を欠くこともあるため，他覚的屈折検査の結果をもとに眼鏡処方を考えることも多い．ここでは，他覚的屈折検査機器での測定方法および小児における測定時の注意点・コツについて述べる．

オートレフラクトメータ（オートレフケラトメータ）

臨床で使用する屈折検査機器の代表的なものに，オートレフラクトメータがある．短時間で測定可能である．

原　理

瞳孔から網膜上へ近赤外光を投影し，網膜上からの反射光を解析して，屈折値を測定する．主な解析方法として，以下のようなものがある．

○ 合焦式

点光源を投影して網膜像のボケを検出し，フォーカシングレンズの位置から屈折値を測定する．

○ 合致式

シャイネルの原理を使った方法で，2 つの穴から網膜上に投影された光は，正視ならば 1 つに合致するが，屈折異常があれば 2 つにずれる．ずれの程度を換算して屈折値とする．

○ 検影式

検影法による瞳孔内の影の動きを検出する．

○ 画像解析式

リング状のターゲットを網膜上に投影し，反射したぼやけた像を CCD センサーで検出して形状を解析する．

pupil zone 測定方式

網膜からの反射光が眼前のどこに集光するかを瞳孔領の広い範囲で測定して，より自覚値に近づける．

フォトレフラクション式

ストロボ付きのカメラで写真を撮影する要領で，眼底から反射して戻ってくる光の状態を観察する．

測定方法

据え置き型

機器の操作

楽な姿勢で器械に顔がのせられるように，器械の高さと椅子の位置を調節する．顎台にある眼の高さを示すアイレベルマーカーを目安にして，顎台の高さを調整し，顎をのせ，額をつける．測定画面上で眼を見ながら器械の上下で高さを微調整し，アライメントリングを瞳孔に合わせ，遠くから近づくようにピントを合わせる．ピントが合ったところでオート測定するか，測定ボタンを押して測定する．測定時間はおおよそ 0.15 秒と短時間であるが，固視微動や調節微動による影響で値が変動する．また，体動によっても変動するため，静止して一点を固視させることが重要である．

器械近視や調節が関与するため，固視目標が雲霧される構造となってはいるものの，近視寄りに測定されることが多い．特に小児では，調節を取り除くために調節麻痺下で測定することで正確な値が得られる．視標が器械の外部となるものは，視標までの距離を十分にとる必要があるうえに，雲霧ができないことを念頭に置く必要がある．

測定のコツと結果の解釈

3 回の測定で代表値が表示されるものの，測定し始めの結果の不安定さ，ばらつきもあるため，さらに数回追加して測定する．測定値が大きくばらつく場合は，正確に測定できたと思う値を覚えておき，採用するようにする．結果のばらつきを表す信頼係数が表示される機種もあるので，印刷されるように設定し，これも参考にする．乱視度が測定される場合は，ケラトメータで測定した角膜曲率半径の結果も比較してみる．**図 1** に結果の一例を示す．

手持ち式

機器の操作

据え置き型では顔がのせられない小児や座位が不可能な場合，有用な方法となる．額当てを使用しないと測定する距離の調整が難しく保持も不安定になるので，嫌がらなければ額当てを使用する．嫌がる場合は額の上にそっと検者の指先を置き，親指で上眼瞼を軽く挙上するように添え，指の上に額当てを置いて徐々に近づけるようにしてピントを調整する（**図 2A**）．軽量であることは利点だが，保持の位置が安定しないと結果がばらつくので，眼球前面に平行になるよう保持する．

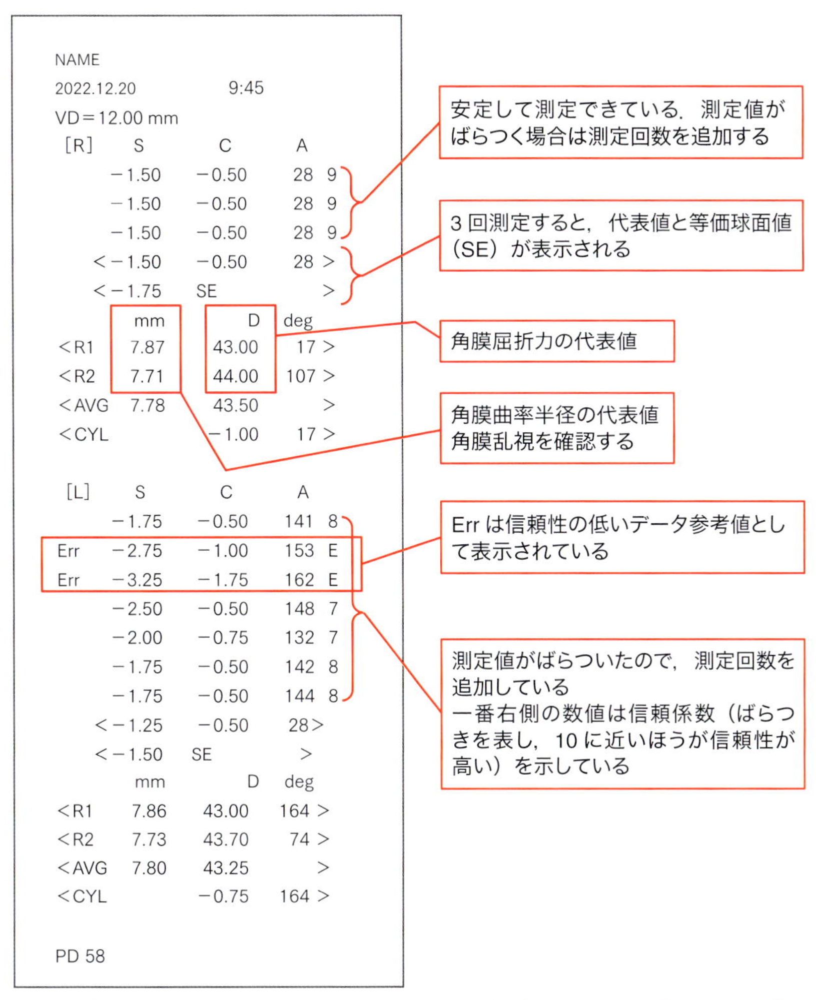

```
NAME
2022.12.20          9:45
VD＝12.00 mm
 [R]     S        C       A
       −1.50    −0.50    28  9
       −1.50    −0.50    28  9
       −1.50    −0.50    28  9
     <−1.50    −0.50    28  >
     <−1.75     SE          >
          mm        D    deg
 <R1     7.87    43.00    17 >
 <R2     7.71    44.00   107 >
 <AVG    7.78    43.50       >
 <CYL            −1.00    17 >

 [L]     S        C       A
       −1.75    −0.50   141  8
 Err   −2.75    −1.00   153  E
 Err   −3.25    −1.75   162  E
       −2.50    −0.50   148  7
       −2.00    −0.75   132  7
       −1.75    −0.50   142  8
       −1.75    −0.50   144  8
     <−1.25    −0.50    28>
     <−1.50     SE         >
          mm        D    deg
 <R1     7.86    43.00   164 >
 <R2     7.73    43.70    74 >
 <AVG    7.80    43.25       >
 <CYL            −0.75   164 >

 PD 58
```


図 1　据え置き型オートレフケラトメータ（TONOREF®Ⅲ：ニデック社）の結果の一例

測定の順によらず，印刷は右眼・左眼の順．印刷の設定により表示される内容は変わる．

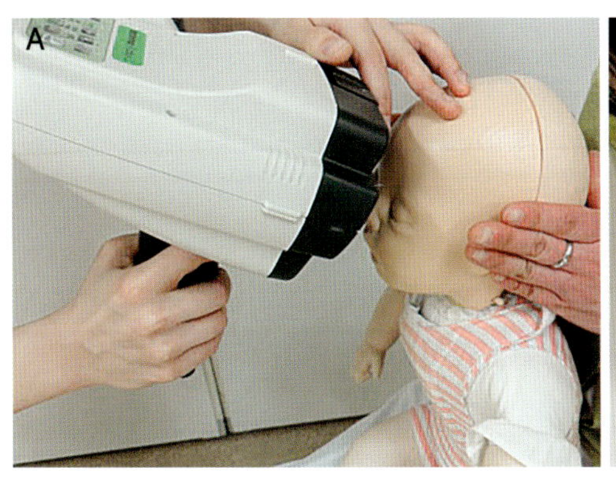

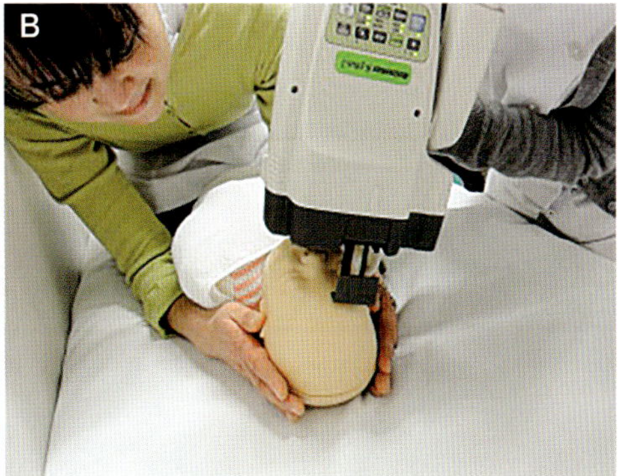

図 2　手持ち式オートレフラクトメータの検査

A：額当てとの間に指を置き距離を保ち，ほかの指を頭部に当て支えとして安定させて測定する．保護者は頭部を軽く押さえている．B：仰臥位で身体を抑制しての検査．開瞼器をかける場合は，児の頭側から斜視鈎で眼球が上転しないように調整する．

● 測定のコツと結果の解釈

乱視軸角度に影響するため，器械の傾きを検知するセンサー搭載の場合は測定画面上にある傾き表示を参考にするなどして，傾かないように注意をしながら測定する．逆に，仰臥位のまま検査して，器械を当てる位置により頭部や耳側の方向を補正できる機能もある．興味を引かせるためにメロディを流したり，「何が見えるかな？」「乗り物に誰が乗っているかな？」と問いかけたりしながら，中心を確実に固視させる．涙液層が均一になるように瞬目を促し，睫毛が妨げにならないように十分に開瞼したところで測定する．平均した値が取れるまで数回測定する．どうしても動いてしまい測定値が安定しない場合でも，全く測定できないというよりは「信頼係数の低い参考値として結果を把握する」という意味で捉え，その旨を結果に追記しておく(**図3**)．ただし，調節麻痺薬を使用した場合は，嫌がっても測定すべきなので，抑制して開瞼器を使用しても結果を得るべきである．仰臥位で測定可能なことも，手持ち式の利点である(**図2B**)．

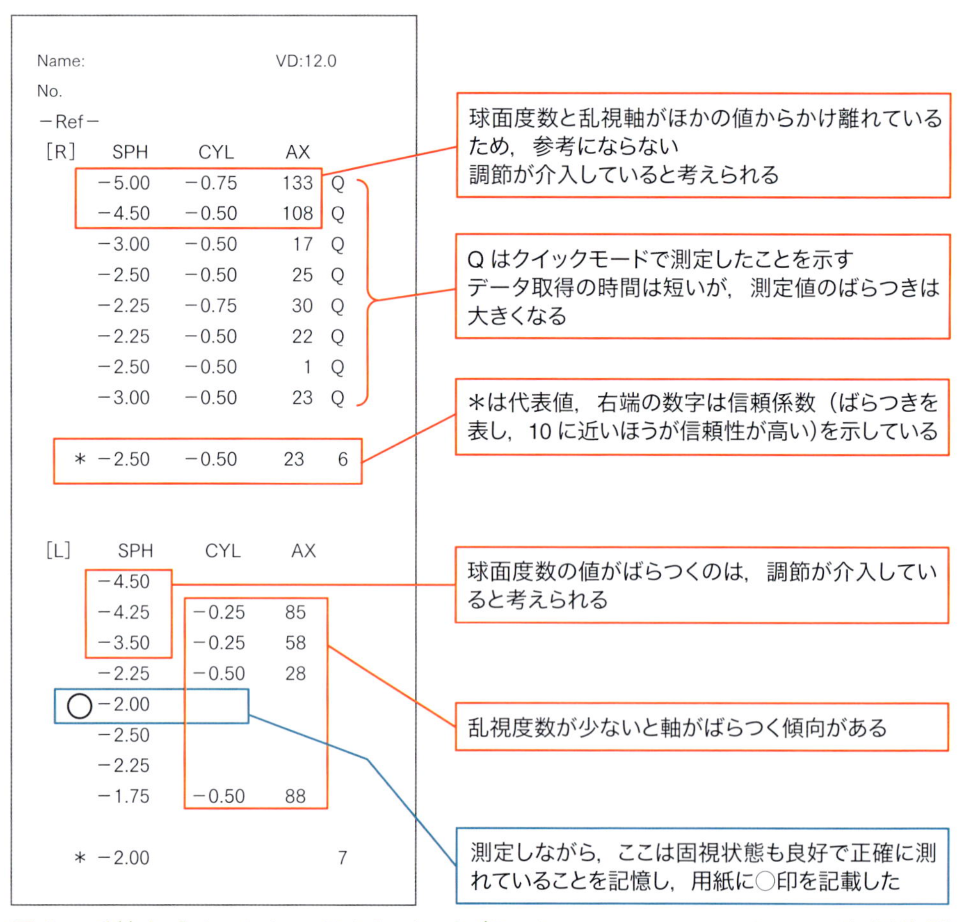

図３　手持ち式オートレフラクトメータ(Retinomax K-plus 3：ライト製作所社)の結果の一例

測定の順によらず，印刷は右眼・左眼の順．

○ フォトレフラクション式

● 機器の操作

据え置き型では顔がのせられない幼小児や，手持ち式では顔に機器が接近することによる恐怖感で測定が不可能な場合に有用な方法である．検査時間が短いことや携帯性も良く方法が簡便なことから，スクリーニングとして用いられることが多い．

被検者から 1 m 離れた距離で，光や音で興味を引きながら眼が画面に映るように器械を保持する．両眼同時に検査ができない場合は片眼ずつの検査も可能である．Spot™ Vision Screener（ウェルチ・アレン・ジャパン社）では，米国小児眼科学会（AAPOS）および米国小児科学会（AAP）が提唱する弱視リスクファクターを基準値としている．それを逸脱すると異常値として認識しているため，検査時に年齢の入力を必要とする（**図 4**）．

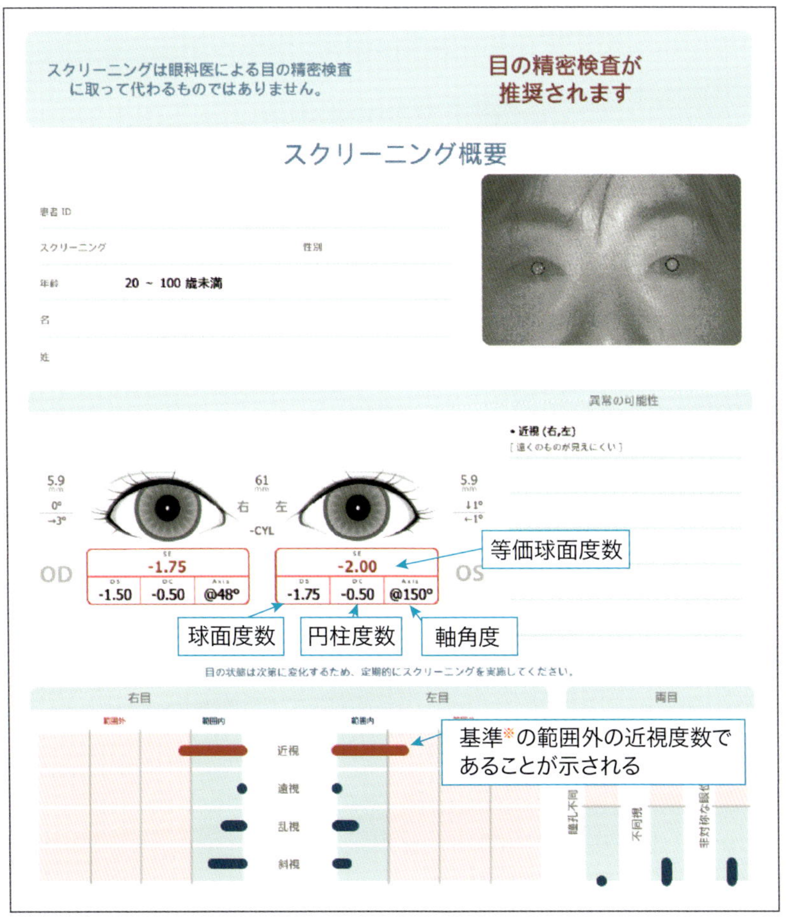

図 4　Spot™ Vision Screener（ウェルチ・アレン・ジャパン社）の結果の一例

※米国小児眼科学会（AAPOS）および米国小児科学会（AAP）による装置に基づく視力スクリーニング勧告に従い作成された年齢別の基準．スクリーニングの基準を変更してカスタム設定することも可能．

測定のコツと結果の解釈

器械のほうを向くように誘導しながら，検者側で距離を保ちつつ移動して位置を合わせる．視線がずれたり，器械が傾いたりする場合，乱視が過大評価されることや軸角度がずれることがあるので注意する．調節が入りにくいことが特徴であるが，逆に遠視が過大評価されることもある．瞳孔径が小さい(3.0 mm 未満)と測定できないため，半暗室で行うなど対処が必要だが，暗いことによる恐怖感を与えないようにする．検者が離れているので，指で上眼瞼の挙上ができないことは欠点である．小児科にてスクリーニングとして用いている場合や，3 歳児健診で活用する自治体があり，日本弱視斜視学会・日本小児眼科学会では，異常値の基準を検討し提唱している[1]．基準から逸脱する結果が得られる場合，さらに精査する．幼小児では 1 回の検査では判断が難しいことがあり，次の検査につなげる意味ももつ．

屈折値以外の測定機能

オートレフケラトメータとして 1 台で角膜曲率半径も測定可能な機器が多いが，さらに瞳孔径，角膜径，角膜形状解析，調節力，非接触眼圧などの測定機能を備えた機種もある．

小児における注意点

調節の介入が大きな問題となるため，内部視標を雲霧固視目標として，調節を取り除くように設計されている．それでもなお小児では調節力が強いため，取り切れないことを念頭に置き，調節麻痺薬の使用を試みるべきである．

また，年長児や成人であれば通常は据え置き型で問題なく測定可能であるが，低年齢の小児では，器械を怖がり顔をのせられない場合や，顔のせが持続困難な場合があり，手持ち式が有効なときもある．逆に手持ち式を用いることで，顔に器械が近づいたり，顔を触られたりするのを嫌がる場合もあるので，反応を見ながら，可能な方法から試すようにする．

1 人で椅子に座れても，器械が近づくにつれて額が離れたり，後ろにのけぞる場合などは，検者が頭部を支えたり，後ろから保護者や介助者に押さえてもらったりする．椅子の高さが足りない場合は，保護者に抱っこして座ってもらい，額当てから額が離れないように後ろから押さえてもらうと安定する．片眼の視力が悪い場合，よく見ようとするあまり健眼で覗いて見ようとすることもあるので注意する．どうしても固視交代が難しい場合は非測定眼を遮閉して行い，正面を向くように誘導する．

近視の場合のコツ

眼を細めると見えるという経験や習慣がある場合は，眼を細めて見る傾向があるため，大きく眼を開けてぼんやり見るように声をかける．測定回数を追加すると，調節が取れてくることもあるので何度か測定する．

調節けいれんで強い近視が測定されるときは，極端に縮瞳している様子が観察でき，診断時のヒントとなる．斜位近視でも近視寄りの値が測定される場合もある．自覚的屈折検査では，他覚的屈折検査の結果を参考にしつつ，近視寄りに測定されていることを踏まえたうえで，レンズの選択にあたるようにする．

検査上の問題

中間透光体に混濁などの光路障害がある場合や，円錐角膜などの角膜疾患による不正乱視がある場合などは，不正確な値になるか，測定不可能になる．測定最小瞳孔径は 2.0 mm が多く，それ未満では投影光，反射光に影響が及ぶため，測定は不可能となる．オートレフラクトメータによる他覚的屈折検査では，眼球光学系の球面度数を示すデフォーカス，乱視度数および軸角度を示す非点収差といった，ほんの一部の光学性能しか測定していない．球面収差，コマ収差，高次収差，濁り，散乱などの光学性能を劣化させる要因となるものは，波面や点像分布関数（point spread function：PSF）での評価が必要となる．

また，他覚的屈折検査は近赤外光（830 nm）を使用して眼球光学系の物理量を測定し，自覚的屈折検査では可視光（555 nm）を見て全視覚系の心理物理量を測定している．他覚的屈折検査は多くの機種が最小瞳孔径 2.0 mm で測定するのに対し，室内では正常者で 4 mm 程度の瞳孔径で自覚的屈折検査が行われている．これらの違いを較正して他覚値が算出されているが，他覚的屈折検査と自覚的屈折検査は全く同度数とならない場合もあるということを念頭に置くべきである．それぞれの検査特性を理解して結果を解釈するべきである．

年齢による生理的要因，よく見ようとして起こる心理的要因，筒状のものを覗こうとする器械的要因のすべてがかかわることで器械近視が発生し，近視化が起こることを念頭に置く．

雲霧機能により雲霧直後はわずかに縮瞳するが，次第に戻るため，何度か繰り返して測定を行い結果の精度を高めるようにする．

検影法

原　理

固視目標の距離を遠方にすることで，近接性調節や輻湊性調節などの調節反応を除いた屈折検査が可能である．器械に顔をのせ，中を覗くことや1ヵ所を見続けることが難しい新生児や乳幼児でも検査可能で，どのような場所でも，座位ができなくても問題ない．影の大きさ，光の明るさ・動き方・スピードなど，眼底からの反射光のふるまい（挙動）を観察することにより屈折状態の情報が得られ，前置レンズを置くことで屈折値が測定できる．網膜共役点（遠点）がちょうど検影器の位置と一致するとき，眼底からの反射光は中和し，瞳孔全体が明るく点滅する．網膜共役点が検影

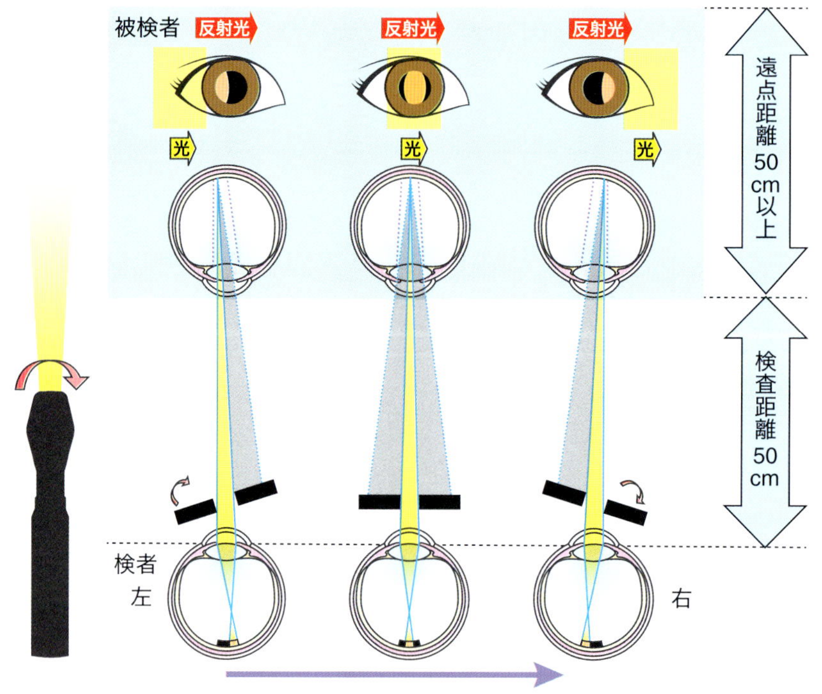

図5　同行：遠視・正視・−2.00 D 未満の近視(検査距離 50 cm)

被検者の眼底で反射した光が，収束しながら検者の瞳孔に入り，網膜前で焦点を結び開散して眼底に届く．光を動かしたとき，瞳孔から入る右側からの光と虹彩で遮られた影が眼底に達する．検影器を回転すると影が左側から右側に移動する．網膜上に映るので反射光の動きは左右反対に見える．

器より後方にあるときは同行し，検影器の動きの方向と同方向に反射光が動く．網膜共役点が検影器より前方にあるときは逆行し，検影器の動きの方向と逆方向に反射光が動く．50 cm の距離で検査を行えば，遠視・正視・−2.00 D 未満の近視では同行し(**図5**)，−2.00 D の近視では中和し(**図6**)，−2.00 D より強い近視では逆行する(**図7**)．これをもとに，前置レンズを置いて中和するレンズを求め，屈折度を計算する．

線条検影器ではスリーブを動かすことで光束の幅が変化し，開散光線，平行光線，収束光線（長収束光，短収束光）で検査できるが，基本的には開散光を用いて行う．開散光と短収束光では，動きの向きが逆になる．

測定方法

検査距離と光の当て方

半暗室だと光が観察しやすく，被検者も恐怖感が少ない．検査距離は無限遠方から検査することが望ましいが，実際は不可能なので，一般的には 50 cm の観察距離と光学的に等価となるように＋2.00 D の前置レンズを置いて視標は遠方に置き，検者は 50 cm で観察する．そこから中和するレンズを求め，結果から 2.00 D を引いたものを屈折度とする．50 cm の距離で検査するとき，±62.5 mm ずれると±0.25 D

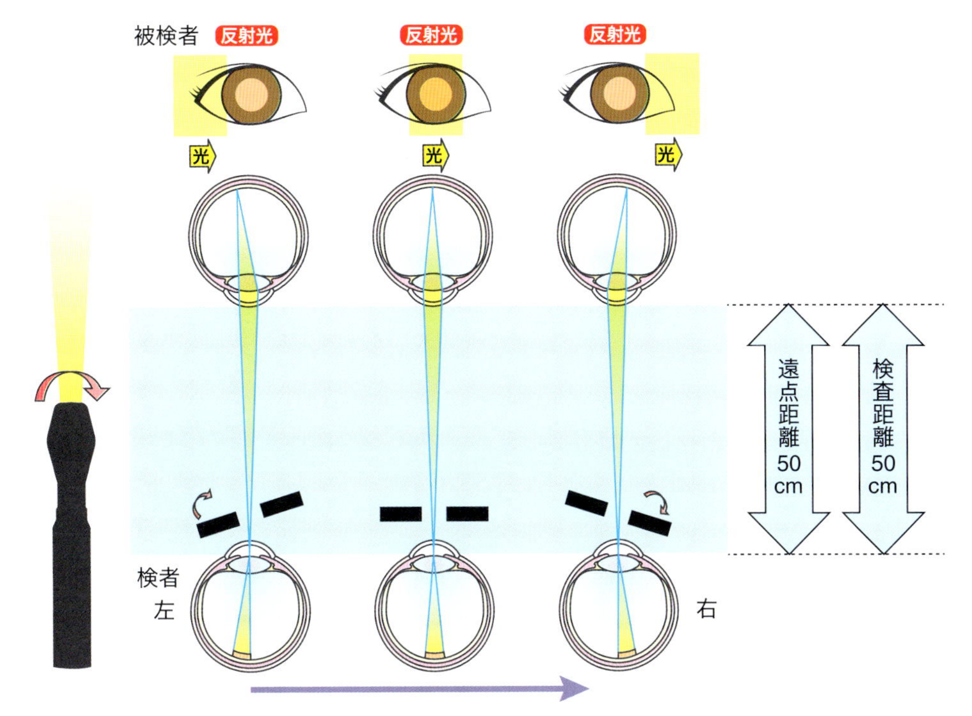

図 6　中和：－2.00 D の近視（検査距離 50 cm）

被検者の眼底で反射した光が，検者の瞳孔に焦点を結び，開散して眼底に届く．

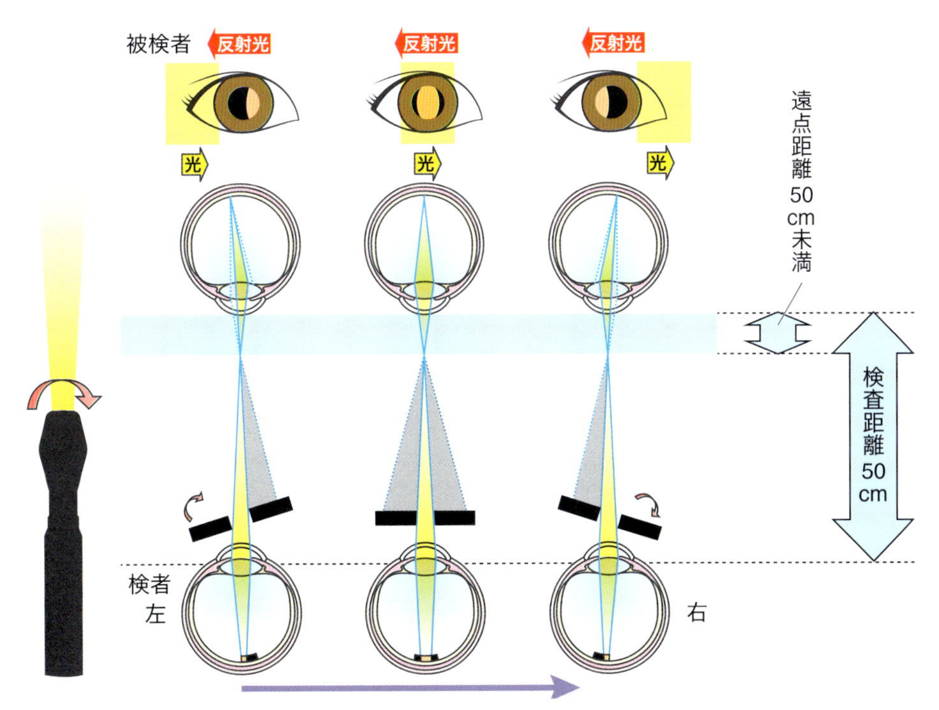

図 7　逆行：－2.00 D より強い近視（検査距離 50 cm）

被検者の眼底で反射した光が，開散しながら検者の瞳孔に入り，網膜前で焦点を結ばずに眼底に届く．光を動かしたとき，瞳孔から入る左側からの光と虹彩で遮られた影が眼底に達する．検影器を回転すると影が右側から左側に移動する．網膜上に映るので反射光の動きは左右反対に見える．

の誤差となるため，正確な距離で検査できるようにする．別の距離で行うこともできる．中和した前置レンズの度数から検査距離の逆数の値を引き，屈折度とする．

$$\text{中和した前置レンズの度数(D)} - \frac{1}{\text{検査距離(m)}} = \text{屈折度(D)}$$

検者の右耳の後方延長線上の遠方に視標を置き，右眼を検査し，検者の左耳の後方延長線上の遠方に視標を置き，左眼を検査する．このように中心窩に直接光が当たらないようにし，視神経乳頭面上に光が当たるようにするとまぶしさが緩和され，縮瞳もしにくくなる．可能であれば，最終的には正面視をさせて結果を確認する．

測定の流れ

まず，屈折状態を知るためにスキャニングを行う．投影光が瞳孔領を覆うように当て，検者は被検者の瞳孔を注視し，被検者の網膜共役点がどこにあるか，眼底からの反射光を観察する．検影器を水平に動かし180度方向，垂直に動かし90度方向の確認を行う．前置レンズは眼前12 mmを離れないよう眼に平行に把持する．板付きレンズの支持部を持つと安定しない場合は，該当レンズの少し上の枠を挟むように持ち，残りの指を被検者の額に軽く当てて安定させる．反射光の動きを見ながらレンズを変えていき，中和する度数を求め計算する．

乱視があれば，光束を動かす角度と反射光の角度がずれるので，合わせるように光束を回転し，軸の角度と経線ごとの屈折値を測定する．

細い光束で反射光の動きを見ることで，主経線の方向が求められる．この方向と一致するようにスリーブを回転させて，太い光束にして屈折状態を観察し，前置レンズを置いて屈折度を求める．次に，直交する方向に一致するようにスリーブを回転させて，もう一つの主経線方向の屈折状態を観察し，屈折度を求める．**図8**に検査結果の記載例を示す．

測定法のバリエーション

応用として，使用している眼鏡やコンタクトレンズの度数，あるいは処方する眼鏡度数が適矯正かどうかを装用した上から測定するオーバースキアと呼ばれる検影法

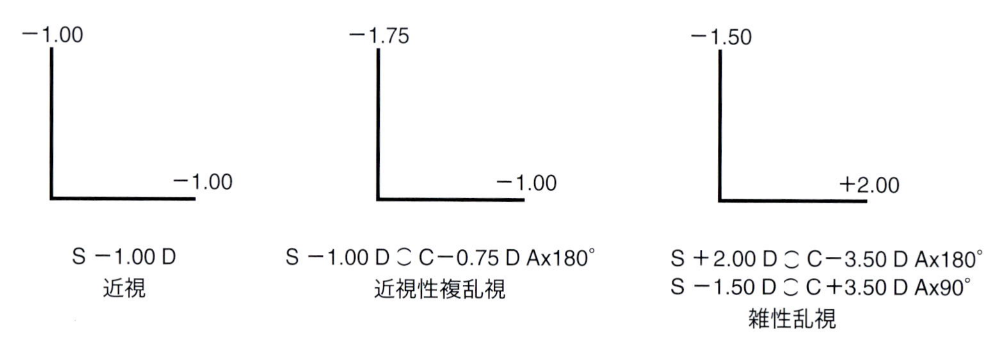

図8　検影法での結果の記載例

主経線ごとに得られた屈折値を記載する．

もある．50 cm の距離での検査であれば，＋2.00 D で中和できれば適矯正，同行した場合は近視では過矯正・遠視では低矯正を示し，逆行した場合は近視では低矯正・遠視では過矯正ということがわかる．短時間でできるので，小児に有用である．

さらに，近方視時の調節を最大限に働かせた動的屈折状態を調べる，動的検影法(dynamic retinoscopy)という方法もある．

小児における注意点

新生児や乳幼児でも検査でき，仰臥位で押さえて測定することも可能であるが，意外と機嫌よく検査できる場合もあるので，押さえる前に自然な体勢でひとまず試してみる．保護者に抱いてもらって，必要なら軽く頭部を固定するなど協力してもらうとよい．開瞼器を使用する場合は，眼球を圧迫しないように注意する．泣いて涙液が溜まることによる誤差を測定しないように，適宜涙液を取り除きながら行う．3 歳前後からは嫌がらずに測定可能になるが，長時間になると飽きるので，できるだけ短時間で終わらせるよう心がける．視標は興味を引くものにし，前に置かれたレンズのほうを見ずに視標のほうを見てほしいことを伝え，絶えず注意を視標に向けるよう声かけしながら行うようにする．板付きレンズより検眼レンズを使用するほうが抵抗なく検査できる場合もある．オーバースキアを用いて現用眼鏡の矯正状態に左右差がないかの判断や，低矯正になっている場合にどの辺にピントが合っているのかの見極めなどは短時間で確認でき，小児にも負担の少ない検査である．

小児の遠視では，非検眼に＋2.00 D のレンズを装用させるか，2.00 D 弱めのレンズにし，雲霧をかけて行うとよい．

近視の場合のコツ

調節による近視の過大評価をしないように，視標はできるだけ遠方に置く．検査距離 50 cm で－2.00 D の近視であれば，反射光は中和し最も明るくなる．－2.00 D より強い近視であれば逆行する．－2.00 D から離れるにつれ，影の幅は広くなり反射光は暗くなる．影のスピードは屈折異常が大きいほど遅くなる．－2.00 D 未満の近視では同行し，影の幅は細く，スピードは速い．

過矯正にしないためには，焦点位置が網膜後方となり調節が働くのを防ぐように，レンズを徐々に網膜前方から後方へ移動させるようにする．つまり，前置レンズのプラスの大きいものから小さいものに替えていくように，マイナスレンズの小さいものから大きいものに替えていく．検査は両眼開放で行うが，かえって輻湊してしまい調節が入る場合は，片眼遮閉して行う．強度近視は，短収束光で行うほうが明るく見えてわかりやすいが，開散光とでは動きの向きが逆になるので注意する．

検査上の問題

散瞳下の検査では，瞳孔径が 5 mm を超えると瞳孔周辺部の球面収差のため，誤差が生じることがある．そのため，瞳孔中心部の反射光の動きで屈折状態を判断すべきである．強度近視で後部ぶどう腫がみられる場合，眼球後部の形状によっては軸のずれが誤差となることもある．

測定する屈折値に精度を求める場合，検査技術の習熟が必要となる．模型眼で練習し，可能なら協力的な，調節の影響や中間透光体に混濁などのない被検者で検査し，オートレフラクトメータや熟達者の結果と比較して精度を向上させていくとよい．

検査方法の選択

これまでに挙げた検査方法の特徴を**表1**にまとめる．年齢や発達の状態に個人差の大きい小児においては，どの方法を選択するかは一概に決められないのが現状である．初めて来院した慣れない場所や人見知りなどで，普段できそうなことでもできなくなってしまうこともある．機嫌が悪くなったり飽きてしまったりすることも，検査結果に影響を及ぼす．可能な限り正確な結果に近づけ，次の検査につなげられるような他覚的屈折検査にするためには，さまざまな方法の選択肢をもち，なるべく負担を少なく，その児の，そのときに合った方法で行うことが大切である．そのためには，各方法の特徴や限界を把握し，結果の評価においてそれらを反映させることが大切である．

表1　各他覚的屈折検査の特徴

方　法	オートレフラクトメータ（オートレフケラトメータ）			検影法
	据え置き型	手持ち式	フォトレフラクション式	
距離/視標	近接/内部 （両眼開放では遠方/自由）	近接/内部	1 m 程度/光・音	遠方/自由
測定範囲	＋25.0 D～ −30.0 D※1	＋23.0 D～ −20.0 D※2	＋7.5 D～ −7.5 D※3	制限なし
長　所	・自動雲霧 ・安定した操作性	・携帯性 ・低年齢でも可 ・仰臥位でも可	・恐怖感が少ない ・低年齢でも可 ・携帯性	・調節介入が少ない ・年齢を問わない ・矯正状態や眼疾患など，ほかの情報が得られる
短　所	・調節介入が大きい ・固視の持続 ・移動時の危険	・調節介入が大きい ・保持角度の影響 ・器械接近の恐怖感	・測定範囲が狭い ・保持角度の影響 ・瞳孔径	・検者の技量の影響 ・半暗室または暗室による恐怖感 ・前置レンズ接近の恐怖感
適　応	顔がのせられる例	全例（特に顔がのせられない例）	スクリーニングおよび低年齢～	全例

※1 TONOREF®Ⅲ，※2 Retinomax K-plus 5，※3 Spot™ Vision Screener.

他覚的屈折検査の落とし穴(症例)

症例①：1 歳 7 ヵ月，男児

現病歴

1 歳から時々生じる内斜視を指摘され，来院した．

検査結果

1 歳

前医紹介状より，他覚的屈折検査(フォトレフラクション式レフラクトメータ)

R：S−0.75 D⊂C−0.50 D Ax95°

L：S−0.75 D

1 歳 7 ヵ月

初診時，他覚的屈折検査(非調節麻痺下で手持ち式オートレフラクトメータ)

R：S− 9.50 D

L：S−10.50 D⊂C−1.25 D Ax60°

2 歳 1 ヵ月

再診時，他覚的屈折検査(アトロピン硫酸塩点眼，調節麻痺下で手持ち式オートレフラクトメータ)

R：S−0.50 D⊂C −0.50 D Ax100°

L：S±0.00 D⊂C −0.50 D Ax75°

ポイント

前医では，遠視はなく内斜視があるということで紹介受診．眼位検査では正位もみられたが，時々大きく内斜視も認められた．前医の他覚的屈折検査(フォトレフラクション式レフラクトメータ)の結果では，大きな屈折異常はみられなかったが，当院の手持ち式オートレフラクトメータでは強度の近視が認められ，アトロピン硫酸塩による調節麻痺下の屈折検査を行った．その結果，強度の近視は認められず，非調節麻痺下でみられた強い近視はオートレフラクトメータを覗くことによる過度な調節の結果と判断した．

症例②：5 歳 9 ヵ月，女児

現病歴

就学時健診で眼振を指摘され，来院した．

検査結果

5歳9ヵ月

初診時，他覚的屈折検査(非調節麻痺下で手持ち式オートレフラクトメータ)

R：S−3.75 D◯C−0.75 D Ax10°

L：S−2.25 D◯C−1.00 D Ax 5°

5歳10ヵ月

再診時，他覚的屈折検査(非調節麻痺下で手持ち式オートレフラクトメータ)

R：S−10.25 D◯C−1.75 D Ax40°

S− 9.25 D◯C−5.00 D Ax30°

S−10.50 D◯C−2.25 D Ax105°

S− 9.50 D◯C−1.00 D Ax40°

L：S− 4.75 D◯C−0.75 D Ax5°

S− 8.25 D◯C−1.50 D Ax175°

S− 6.25 D◯C−1.00 D Ax15°

S− 3.75 D◯C−0.75 D Ax5°

6歳1ヵ月

再診時，他覚的屈折検査(シクロペントラート塩酸塩点眼，調節麻痺下で据え置き型オートレフラクトメータ)

R：S+1.00 D◯C−0.25 D Ax145°

L：S−0.50 D◯C−0.25 D Ax165°

7歳3ヵ月

再診時，他覚的屈折検査(シクロペントラート塩酸塩点眼，調節麻痺下で据え置き型オートレフラクトメータ)

R：S+0.75 D◯C−0.25 D Ax145°

L：S−0.75 D◯C−0.25 D Ax165°

8歳2ヵ月

再診時，他覚的屈折検査(シクロペントラート塩酸塩点眼，調節麻痺下で据え置き型オートレフラクトメータ)

R：S−0.50 D◯C−0.25 D Ax160°

L：S−1.25 D◯C−0.50 D Ax170°

12歳3ヵ月

再診時，他覚的屈折検査(非調節麻痺下で据え置き型オートレフラクトメータ)

R：S−2.00 D◯C−0.50 D Ax150°

L：S−1.50 D◯C−0.25 D Ax150°

ポイント

検査にうまく応じられる年齢になっていたが，眼振があり，他覚的屈折検査の結果は近視性乱視で，近視度数・乱視度数・乱視軸ともにばらつきが多く，来院ごとに変動がみられた．手持ち式オートレフラクトメータを覗くことによる過度な調節により，強めの近視が検出されていた．正確な値を得るため，調節麻痺下の他覚的屈折検査を行い，強度の近視は認められなかった．その後は年1回の調節麻痺下での検査で眼鏡処方を行い，眼鏡装用で経過観察を行った．高学年になり，近視の進行は認められているものの，安定した他覚的屈折検査の結果が得られるようになっている．

自覚的屈折検査

3歳児健診や保育所・幼稚園での健診で発見される屈折異常は，弱視治療の適応となるような，両眼が中等度以上の遠視，あるいは遠視性不同視であることが多い．しかし，近視の頻度は3～6歳の幼児723眼中23.8%と報告[2)]されており，さらに病的近視といえるものも含まれるため注意が必要である．自覚的屈折検査では調節の介入を防ぐことが検査の基本であるが，小児では集中力を持続することが難しく，何回もレンズを交換しての視力検査は応答の信頼性に欠くことになる．したがって，弱視治療の指標として，視力に左右差がないか，矯正視力は年齢相当であるかが検査のポイントとなる．

自覚的屈折検査の注意点（ポイント）

眼を細めない

屈折異常の種類にかかわらず，眼を細めることにより焦点深度は深くなるため，視力値が過大評価される．視力測定時には，小児の様子を注意深く観察し，眼を細めないように声をかけることが大切である．それでもなお細める場合には，診療録に記載する．

視力は正確に測定する

特に最高視力に近づいているところでは，5視標中3視標の正答（標準視力表の場合）を慎重に求めることが大切である．

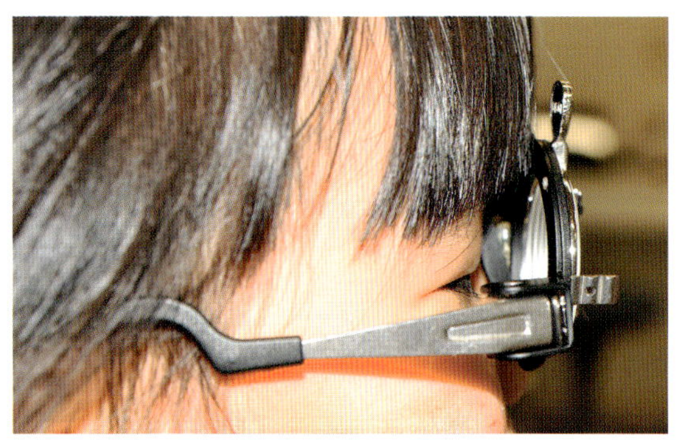

図9　検眼枠の限界

46 mm の瞳孔間距離に対して 48 mm の検眼枠を装用．内側にレンズホルダがないため，頂間距離を 12 mm に維持できない．

近見視力を測定する

何とか視力検査ができるような年齢では，近見のほうが集中力を維持しやすいため字ひとつ視力表を用いて近見視力を測定する．近づいて見たとしても，視力値とその距離を診療録に記載する．

検眼枠に挿入するレンズの位置と瞳孔間距離に注意する

眼鏡レンズは角膜から 12 mm 離して装用したときにレンズの収差が最小になるように設計されているため，この点に配慮してレンズの挿入位置を決める．検眼枠の瞳孔間距離は一般的に 48 mm からで，幼小児の瞳孔間距離は短く，頭の形や顔の幅にもバリエーションがあるため，正しい位置に検眼枠を合わせることは不可能であるといっても過言ではない．検眼枠のどこにレンズを挿入しても頂間距離を 12 mm に維持できないこともあり（**図9**），強い度数になるほど注意が必要である．

赤緑試験には限界がある[3)]

赤地の視標は常に調節の影響を受けるため，成人でさえどちらが鮮明に見えるかを明確に答えることは難しい．そのうえ，調節すれば赤地に黒図形が明瞭に見えるので，赤緑試験で適矯正かどうかを判断しようとすると過矯正になる可能性が高い．したがって，赤緑試験の結果で自覚的屈折値を決定することは，特に小児では困難である．

自覚的屈折検査の流れ[4)]

自覚的屈折検査では，あらかじめ測定したオートレフ値より＋1.00～＋2.00 D くらい弱い球面レンズを入れて視力を測定する．自覚的な応答とともに，常に視力値を参考にし，視力値が 0.6 以下の場合は 0.50 D きざみ，0.7 以上の場合は 0.25 D きざみに度数を変更し，最高視力が得られる最弱度の球面レンズを決定する（**図10**）．

①裸眼視力の測定

↓

②裸眼視力値を参考に，オートレフ値より＋1.00 ～＋2.00 D 程度弱めの球面レンズを入れて視力を測定する（乱視がある場合，信頼係数が高ければ円柱レンズはそのまま入れる）

↓

③測定した視力値が 0.1 ～ 0.6 であれば 0.50 D きざみ
0.7 以上であれば 0.25 D きざみに度数を変更する

↓

④最高視力の出る最弱度の球面凹レンズを求める

●例●

RV＝0.3(0.5×S－1.00 D)
(0.9×S－1.50 D)
(1.2×S－1.75 D)
(1.5×S－2.00 D)
(1.5×S－2.25 D)

オートレフ値

[REF] VD=12.0mm
<RIGHT>

	SPH	CYL	AXIS	
	-1.75	-0.50	6	0
*	-1.75	-0.50	4	0
	-2.00	-0.25	35	0
	-2.00	-0.25	36	0
	-2.00	-0.25	2	0
<	-2.00	-0.25	16	>

<LEFT>

	SPH	CYL	AXIS	
	-1.75	-0.25	51	0
	-2.00	0.00		0
	-1.75	0.00		0
	-1.75	0.00		0
*	-1.75	0.00		0
<	-1.75	0.00		>

（調節麻痺薬不使用）

図 10　自覚的屈折検査の流れ

ポイント

最高視力の得られる球面レンズの度数には，調節力に応じて一定の幅があることに注意が必要である．大切なのは，各々の度数の矯正レンズを入れてそれぞれの視力を測定することであり，2種類のレンズを比較させて良く見えるほうのレンズ(度数)を答える方法では，調節の影響を受けやすくなる．

自覚的屈折検査の方法（症例）

症例③：4 歳 8ヵ月，男児

現病歴

3 歳児健診で視力不良を指摘され近医受診，近視ということで経過観察されていた．転居のため受診となった．

検査結果

● 自覚的屈折検査（字ひとつ視標）

RV＝0.08（0.8×S－6.00 D）

LV＝0.08（0.8×S－6.00 D）

● 他覚的屈折検査（据え置き型オートレフラクトメータ）

```
[REF] VD=12.0mm
<RIGHT>
        SPH     CYL  AXIS
       -6.25    0.00        0
     * -6.00   -0.50   59   0
       -6.00   -0.50   68   0
       -6.50   -0.25   67   0
       -6.50    0.00        0
   <   -6.25    0.00        >
<LEFT>
        SPH     CYL  AXIS
       -6.75   -0.50   22   0
       -6.25   -0.50   36   0
       -6.50    0.00        0
     * -6.00   -0.50   37   0
       -6.25    0.00        0
   <   -6.25   -0.50   35   >
```

（調節麻痺薬使用前）

```
[REF] VD=12.0mm
<RIGHT>
        SPH     CYL    AXIS
       -6.00    0.00          0
       -6.00    0.00          0
     * -6.00    0.00          0
       -5.75   -0.50   176C   1
       -5.50   -0.75   179C   0
   <   -5.75   -0.50   178    >
<LEFT>
        SPH     CYL    AXIS
       -5.50   -0.50     25   0
     * -5.50   -0.50     15   0
       -6.25   -0.75     52   0
       -5.75   -0.50   178C   1
       -5.75   -0.50   178C   1
   <   -5.75   -0.50      1   >
```

（1％シクロペントラート塩酸塩使用後）

● 調節麻痺下自覚的屈折検査（字ひとつ視標）

RV＝（0.8×S－6.00 D）

LV＝（0.8×S－5.50 D⊃C－0.50 D Ax180°）

ポイント

●1● 小児の場合，集中力の持続時間が短いため何回もレンズを交換して視力測定をすることはできない．弱度近視の場合は近見視力を測定することで，近視であって弱視ではないと評価できることもある．

●2● 本症例の場合，オートレフ値の信頼係数が高いため，−6.00 Dで視力を測定した．弱めから行うと集中力が途切れ，年齢相応の視力が出るか(弱視の可能性が高いかどうか)評価できずに終わる可能性がある．近視かどうかを判断するのであれば，たとえば−4.00 D程度で視力を測定し，視力が上がるかどうかをみてもよい．必ず調節麻痺下の屈折検査を行う必要があるため，初診時の自覚的屈折検査で正確な屈折度数を追求しすぎる必要はない．

症例④：8 歳，男児

現病歴

現在，眼鏡はもっていない．最近になって急に視力が低下した．

検査結果

自覚的屈折検査(字づまり視標)

RV＝0.2(0.5×S−1.00 D⊂⊃C−0.50 D Ax10°)
(1.2×S−1.50 D⊂⊃C−0.50 D Ax10°)
(1.5×S−1.75 D⊂⊃C−0.50 D Ax10°) 赤＞緑
(1.5×S−2.00 D⊂⊃C−0.50 D Ax10°) 赤＞緑 ※
(1.5×S−2.25 D⊂⊃C−0.50 D Ax10°) 赤＝緑 ※
(1.5×S−2.50 D⊂⊃C−0.50 D Ax10°) 赤＜緑 ※

LV＝0.15(0.5×S−1.00 D⊂⊃C−0.50 D Ax40°)
(1.2×S−1.50 D⊂⊃C−0.50 D Ax40°)
(1.5×S−1.75 D⊂⊃C−0.50 D Ax40°) 赤＞緑
(1.5×S−2.00 D⊂⊃C−0.50 D Ax40°) 赤＝緑 ※
(1.5×S−2.25 D⊂⊃C−0.50 D Ax40°) 赤＝緑 ※
(1.5×S−2.50 D⊂⊃C−0.50 D Ax40°) 赤＜緑 ※

● 他覚的屈折検査(据え置き型オートレフラクトメータ)

[REF] VD=12.0mm

<RIGHT>

	SPH	CYL	AXIS	
	-2.50	-0.50	6	0
	-2.25	-0.75	8	0
	-2.00	-0.50	11	0
	-2.00	-0.75	14	0
*	-2.00	-0.50	15	0
<	-2.25	-0.50	11	>

<LEFT>

	SPH	CYL	AXIS	
	-2.00	-0.50	31	0
	-2.00	-0.50	34	0
*	-2.00	-0.50	40	0
	-2.00	-0.25	34	0
	-2.00	-0.25	27	0
<	-2.00	-0.50	33	>

(調節麻痺薬不使用)

ポイント

●1● 自覚的屈折検査の流れに従って，注意深く視力を測定しながらレンズを交換する．

●2● オートレフ値の信頼係数が高ければ，乱視度数はそのまま入れる．

●3● 自覚的屈折値は，オートレフ値より強くなることはない．

●4● 赤緑試験によって自覚的屈折値を求めようとすると，本症例のような反応パターンを示すことが多い．※の測定は不要で，最高視力の出る最弱度の球面凹レンズで決定する．

症例⑤：7 歳，女児

現病歴

6 歳から眼鏡を装用している．学校健診で視力不良を指摘された．

検査結果

● 現在の眼鏡(JB)度数

R：S−2.75 D⊃C −0.50 D Ax180°

L：S−3.00 D⊃C −0.50 D Ax40°

- **自覚的屈折検査（字づまり視標）**

RV＝（0.6×JB）
（1.0×S－3.25 D⊃C－0.75 D Ax180°）
（1.2×S－3.50 D⊃C－0.75 D Ax180°）
（1.5×S－3.75 D⊃C－0.75 D Ax180°）

LV＝（0.7×JB）
（1.2×S－3.50 D⊃C－0.75D Ax40°）
（1.5×S－3.75 D⊃C－0.75D Ax40°）

- **他覚的屈折検査（据え置き型オートレフラクトメータ）**

[REF] VD=12.0mm

<RIGHT>

	SPH	CYL	AXIS	
	-4.00	-0.75	2	0
	-4.00	-1.00	6	0
	-4.25	-0.75	7	0
	-4.25	-0.75	4	0
*	-4.00	-0.75	3	0
<	-4.00	-0.75	4	>

<LEFT>

	SPH	CYL	AXIS	
	-4.00	-0.75	44	0
	-4.00	-0.75	42	0
	-4.00	-0.75	41	0
	-4.00	-0.75	45	0
*	-4.00	-0.75	41	0
<	-4.00	-0.75	43	>

（調節麻痺薬点眼前）

[REF] VD=12.0mm

<RIGHT>

	SPH	CYL	AXIS	
	-4.00	-0.50	11	0
*	-4.00	-0.75	7	0
	-4.50	-0.75	11	0
	-4.25	-1.00	7	0
	-4.00	-1.00	179	0
<	-4.25	-0.75	6	>

<LEFT>

	SPH	CYL	AXIS	
	-4.00	-1.00	34	0
	-4.00	-1.00	38	0
*	-4.00	-1.00	38	0
	-4.25	-0.75	28	1
	-4.25	-0.75	32	1
<	-4.00	-0.75	35	>

（1％シクロペントラート塩酸塩使用後）

ポイント

●1● 眼鏡装用者の自覚的屈折検査では，所持眼鏡の度数，所持眼鏡での視力値，オートレフ値を比較し，近視の進行を確認する．

●2● 自覚的屈折検査の流れに従って，レンズを交換しながら視力を測定する．

●3● 本症例は調節麻痺下で屈折検査を実施した．屈折値は自覚・他覚においてほぼ一致している．矯正視力が不良な場合や左右差があるとき，自覚的屈折検査の結果が信頼できないときには，調節麻痺下の屈折検査が不可欠である．

弱視視能矯正

小児の視機能の発達を促すためには，視覚の感受性期に適切な視的環境を整えることが必要である．早期に発見されても，「近視は眼前有限の距離に焦点が合っているから弱視にはならない」，あるいは「困るようになってから矯正をすればよい」ということでは，弱視治療の開始を遅らせてしまう可能性がある．

弱視視能矯正の症例

症例⑥：2 歳 5 ヵ月，男児

現病歴

1 歳頃から物を極端に近くで見ようとする．母親も 2 歳のときに近視を指摘された．前眼部，中間透光体，眼底に異常なし．

検査結果

	Problem list	検査結果
# 1	両眼)強度近視	R：S−10.75 D⌒C−1.00 D Ax130°
		L：S−12.50 D⌒C−1.25 D Ax50°(調節麻痺下)
		眼軸長　R：26.33 mm，L：26.83 mm
# 2	両眼)矯正視力不良	RV＝(0.15)，LV＝(0.1)　2 歳 8 ヵ月時
# 3	両眼視機能　不明	測定不能
# 4	内斜視	左眼(遠見：12⊿ET，近見：12⊿ET')

症例経過

眼鏡装用開始後，両眼とも徐々に視力が向上し，5 歳 6 ヵ月時点で(1.0)に達した(図 11)．その後も年 2 回の経過観察を継続している．

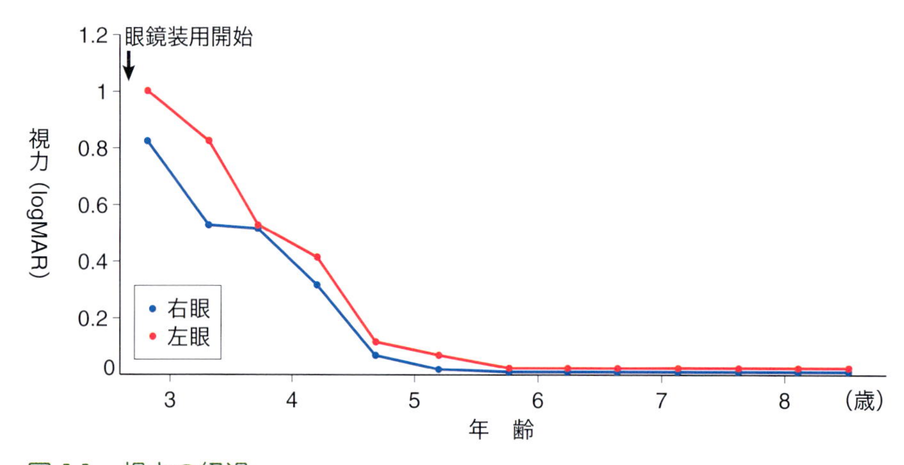

図 11　視力の経過

ポイント

小児にいろいろな検査を行うことには限界があるが，まず屈折異常があれば矯正し，網膜中心窩へ鮮明な像を結像させることが大切である．本症例では，視力や両眼視機能の経過観察とともに，近視の進行や眼底の状態も注意深く観察していく必要がある．

症例⑦：2歳6ヵ月，女児

現病歴

眼を細めて見る癖がある．テレビや本を近づいて見る．母親は強度近視で2歳10ヵ月から眼鏡を装用している．父親は近視である．前眼部，中間透光体，眼底に異常なし．

検査結果

	Problem list	検査結果
# 1	両眼)近視性乱視	R：S−4.50 D⊃C−6.75 D Ax175° L：S−8.50 D⊃C−2.25 D Ax180°(調節麻痺下)
# 2	不同視	
# 3	両眼)矯正視力不良	RV＝(0.4)，LV＝(0.3)　3歳0ヵ月時
# 4	両眼視機能　不明	測定不能
# 5	正位	

症例経過

眼鏡装用開始1年3ヵ月後，視力差が続いたため右眼遮閉法を開始した．1年3ヵ月後，視力差がなくなったため遮閉法を中止した．5歳9ヵ月時点で両眼とも(1.0)に達した(**図12**)．その後も約4ヵ月ごとに経過観察を続けている．

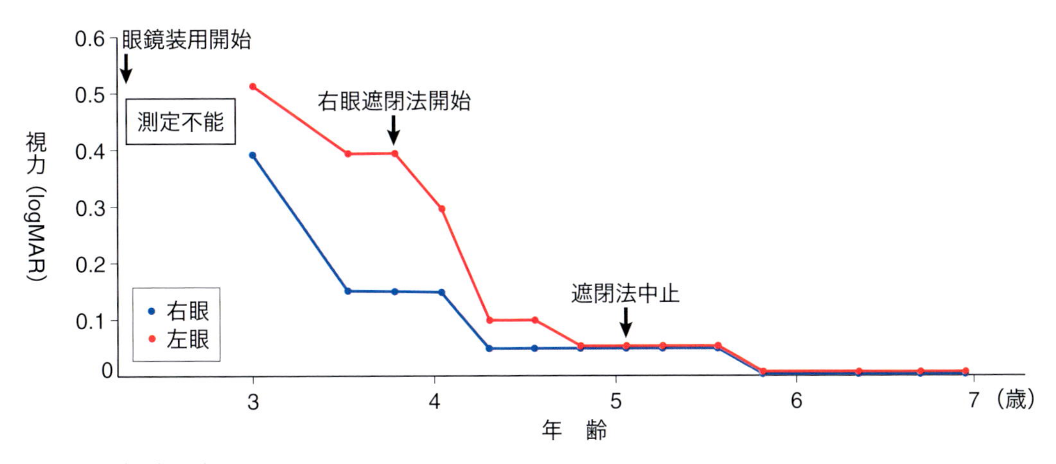

図12　視力の経過

> **ポイント**
>
> 母親より「眼鏡を外すことを嫌がり，眼を細めたり近づいて見ることもなくなった」とのことで，生活の質が改善したことがうかがえる．本症例は経過観察中に視力差が明らかとなったため，遮閉訓練を開始した．訓練の効果で視力差はなくなり，両眼とも視力が向上した．明らかな視力差が続く場合，速やかに遮閉法などの弱視視能矯正を実施すべきである．今後も眼底検査を含め，視力，近視の進行，両眼視機能について，注意深く経過を観察する必要がある．

注意が必要な症例への対応

近視を呈する小児のなかには，弱視（前項参照）のほか，調節障害や心因性視覚障害，器質的疾患などが原因で矯正視力が出にくいこともあるので留意が必要である．また，発達障害（神経発達症）があり検査への協力が得られにくく視力の測定結果が不良となる場合も少なくない．検査を行ううえで注意が必要な症例について解説する．

調節けいれんが疑われる症例

調節けいれんは，毛様体筋の不随意な持続的収縮により著明な近視化を呈する[5]．原因はストレスや心因性が多いといわれており，ほかに器質性（頭蓋内疾患），薬剤性などがある．症状としては，調節に伴い，過度な縮瞳に加え輻湊けいれんの合併により内斜視となっているもの[6, 7]，矯正視力が出にくいものと症状はさまざまである．裸眼視力，矯正視力，屈折値は不安定に変化するため，1％シクロペントラート塩酸塩による調節麻痺効果では不十分であり，1％アトロピン硫酸塩による精密な屈折検査が望ましい[8]．単純な近視と診断され，過矯正の眼鏡やコンタクトレンズを所持していることも少なくない．調節けいれんはいまだ解明されていないことが多いが，治療法として毛様体筋を麻痺させる希釈アトロピン硫酸塩による点眼治療や累進屈折力眼鏡を装用させる方法がある．

症例⑧：11 歳，男児

現病歴

他医で強度近視と内斜視と診断され，眼鏡処方されたが装用しても見えにくい．前眼部，中間透光体，眼底に異常なし．

所持眼鏡度数は，R：－9.00 D，L：－8.00 D．

検査結果

調節麻痺薬点眼前

＊他覚的屈折検査（据え置き型オートレフラクトメータ）

R：S−15.25 D⊃C−0.75 D Ax90°

L：S−14.50 D⊃C−0.50 D Ax75°

・オートレフ測定時に縮瞳がみられデータもばらつく．

＊自覚的屈折検査

RV＝0.05(0.6×S−11.00 D⊃C−0.50 D Ax90°)

LV＝0.06(0.7×S−10.00 D⊃C−0.50 D Ax75°)

＊眼　位

内斜視：10°

＊眼球運動

正常

＊輻　湊

正常

1%アトロピン硫酸塩点眼後

＊他覚的屈折検査（据え置き型オートレフラクトメータ）

R：S−2.25 D⊃C−0.75 D Ax90°

L：S−1.50 D⊃C−0.50 D Ax75°

＊自覚的屈折検査

RV＝0.2(1.2×S−1.75 D⊃C−0.50 D Ax90°)

LV＝0.4(1.0×S−1.25 D⊃C−0.50 D Ax75°)

＊眼　位

正位（アトロピン硫酸塩点眼後，内斜視は消失）

ポイント

●1● 初診時には通常通りに他覚的屈折検査，自覚的屈折検査を行い，近見視力検査，眼位検査，眼球運動検査などを行う．

●2● 1%アトロピン硫酸塩の点眼により調節を麻痺させて屈折検査を行う．その結果，大きく近視が減少し調節けいれんと診断された場合は，累進屈折力眼鏡の装用や希釈アトロピン硫酸塩における点眼治療を行う．

心因性視覚障害が疑われる症例

小児に多い眼心身症として心因性視覚障害がある．眼科受診の契機は，学校の定期健康診断における視力検査での視力低下の指摘が多い[9]．症状で多いのは視力障害であるが，なかには視野障害や色覚障害などもみられる．女児に多く，8～12歳の小児に多いのが特徴である．その原因は家庭環境や学校でのストレスなどが挙げられるが，心因性視覚障害の診断には視力低下の原因となる器質的病変の否定が前提となる．本症との鑑別が必要な代表的な眼疾患として，急性帯状潜在性網膜外層症（acute zonal occult outer retinopathy：AZOOR），オカルト黄斑ジストロフィ，Leber遺伝性視神経症などがある．心因性視覚障害を疑う場合，何かしらの器質的疾患が存在するかもしれないと疑いながら検査することが大切である．

屈折検査は他覚的屈折値を参考に字ひとつ視力検査表を用い，通常の自覚的な屈折検査を行う．検査中に患児の応答の様子などから本症が疑われるとき（**表2**）は，レンズ打消し法やplaneレンズの装用を試みる[10]．レンズ打消し法で良好な視力を得られることもあるが，改善しにくいことのほうがほとんどである．視力・屈折検査のほかに視野検査，色覚検査，立体視検査，光干渉断層法（OCT），視覚誘発電位（VEP）や全視野網膜電図（ERG）の電気生理学的検査などの結果をあわせて評価する．本症が疑われる症例のなかには，心因性による調節障害を起こしているケースもあり，特に小児の場合には屈折異常弱視を否定する必要があるため，調節麻痺薬を用いた他覚的屈折検査は必須である．

症例⑨：9歳，女児

現病歴

学校健康診断で視力低下を指摘され受診した．教室の席は最前列だが黒板が見えにくいと訴えあり．前眼部，中間透光体，眼底に異常なし．

検査結果

調節麻痺薬点眼前

＊他覚的屈折検査（据え置き型オートレフラクトメータ）

R：S－0.75 D⊃C－0.25 D Ax180°

L：S－0.50 D⊃C－0.50 D Ax10°

表2　心因性視覚障害が疑われる小児の検査室での行動や反応

・急な視力低下でも行動はスムーズ	・すぐに「わかりません」と言う
・表情が乏しい，暗い	・ランドルト環で正答と逆の方向を指す
・応答に時間がかかる	・一定の視力値から急に答えなくなる
・応答の代わりに首をかしげる	・検眼枠にレンズが入っているか確かめて答える

（文献10より引用）

＊自覚的屈折検査

RV＝0.1	LV＝0.09
(0.1×S＋0.50 D)	(0.06×S＋0.50 D)
(0.1×S－0.50 D)	(0.2 ×S－0.50 D)
(0.2×S－1.00 D)	(0.2 ×S－1.00 D)
(0.2×S－1.50 D)	(0.2 ×S－1.25 D)
(0.2×S－1.75 D)	(0.2 ×S－1.50 D)

・検査中，すぐに「見えない」と言ったり，呈示した視標の切れ目と逆方向を答える．

＊レンズ打消し法

RV	LV
RV＝0.1(S＋3.00 D)(S－1.00D)	LV＝0.1(S＋3.00 D)(S－1.00 D)
0.3(S＋3.00 D)(S－2.00D)	0.4(S＋3.00 D)(S－2.00 D)
0.7(S＋3.00 D)(S－3.00D)	0.8(S＋3.00 D)(S－3.00 D)
0.9(S＋3.00 D)(S－3.50D)	1.0(S＋3.00 D)(S－3.50 D)
1.2(S＋3.00 D)(S－3.75D)	1.2(S＋3.00 D)(S－3.75 D)

● 1%シクロペントラート塩酸塩点眼後

＊他覚的屈折検査(据え置き型オートレフラクトメータ)

R：S＋0.25 D⊃C－0.25 D Ax180°

L：S＋0.50 D⊃C－0.50 D Ax10°

ポイント

●1● 検査中に**表2**のような反応がみられ本症が疑われるときには，レンズ打消し法を用いて検査を進めていく．レンズ打消し法やplaneレンズを装用するだけで良好な視力を得られることもあるが，反応しにくいことのほうがほとんどである．通常，レンズ打消し法は凸レンズの上に凹レンズを加え中和していくが，先に凹レンズを入れ，凸レンズを加えたほうが奏効することもある．

●2● 検査中の様子をよく観察し，声をかけたりしながら，患児の緊張感をやわらげ話しやすい雰囲気を心がけ，より良い信頼関係を築く．患児は本当に視力低下し困っていることを理解する．

●3● 本症が疑われる症例のなかには，心因性による調節障害を起こしているケースもある．小児の場合には屈折異常弱視を否定する必要があり，調節麻痺薬を用いた他覚的屈折検査は必須である．

病的近視で矯正視力が出ない症例

対応と評価

病的近視は5歳までに非常に強い近視を生じる先天発症の場合が多いといわれ，矯正視力も不良の場合が多い[11)]．小児の病的近視に対しては眼底など器質的な病変の管理や予防とあわせ，屈折異常を適切に矯正することが大切であることは言うまでもない．視機能の発達段階にある小児期では，矯正視力不良などの障害が視機能の発達や学習に与える影響を最小限にする必要がある．眼底検査やOCTによる精査はもちろんのこと，調節麻痺下での屈折検査，眼軸長の測定，ゴールドマン視野計を用いた動的量的視野検査など年齢に応じた検査を行い，視機能を総合的に評価する．

検査のコツ

自覚的屈折検査では通常の近視と同様に検査を行うが，近視が強度であるため，頂点間距離が12 mm以上離れると凹レンズでは矯正効果が弱まる．検査中，検眼枠が鼻眼鏡にならないように適切な頂点間距離を保つよう気をつけながら測定する．眼鏡の処方度数を検討する際には，近見での視力・屈折検査も行い，学習における読字や書字に支障がないかを必ず確認する．遠見での矯正最高視力がたとえば0.3～0.5しか出なくとも，接近した近見視力は良好な場合が多い．小児は成人と比べ調節力が十分にあるため，まずは眼鏡を装用し教科書などの学習教材に近づいて見るようアドバイスする[12)]．

年齢が小さいほど，矯正視力が不良で視機能に障害があっても自分の見えにくさをうまく表現することが難しい．視力やほかの視機能検査の結果をもとに，行動・学業や日常生活に支障がないかを本人や保護者から十分に聴き取り，適切な眼鏡を処方するのはもちろん，必要に応じて個々のニーズに合わせた見え方の工夫などをアドバイスする(**表3**)．

表3　病的近視で視力が出にくい症例におけるニーズへの対応

- 学習面や日常生活においての状況を本人や保護者から十分に聴き取る
- 眼鏡だけでは黒板などが見えにくい場合や教科書の小さな文字が見えにくい場合には，補助具(単眼鏡やルーペ，拡大読書器，IT機器など)を必要にあわせて紹介する
- 補助具の適切な使用方法をアドバイスするとともに，学校の教員に相談したり学習環境を整えてあげるよう医療側からもサポートすることが大切である

ポイント

- **1** 眼鏡処方する際には近見での視力・屈折検査も行い，学習における読字や書字に支障がないかを確認したうえで処方度数を検討する．
- **2** 視機能検査データをもとに総合的に視機能を評価し，本人，保護者への聴き取りを行う．発達や学習に与える視機能障害の影響が最小限になるように心がけ，もっている視機能を最大限に発揮して発達し学習ができるようにする．

発達障害(神経発達症)がある小児の場合

2022(令和４)年の文部科学省による調査[13]によると，学習面または行動面で著しい困難を示すとされた児童生徒数の推定値は8.8%と報告され，2012(平成24)年に行った同調査での6.5%に比べ，2.3%増加した．学校健康診断での視力検査で応答がうまくできず，視力不良疑いで眼科を受診することも少なくない．

発達障害の種類

発達障害は生まれつきの脳機能障害であり，知的(認知)障害，行動・情緒・社会性に障害があり，①精神遅滞(知的障害)，②自閉症を中心とする広汎性発達障害(自閉スペクトラム症：ASD)，③行動面の問題を中心とする注意欠陥/多動性障害(ADHD)，④発達のある側面だけが特に障害されている発達の部分的障害(限局性学習症：SLD)の４つに大別される．それぞれの障害の特性や程度はさまざまであり，発達障害児のもつ特性をよく理解し，屈折異常や弱視を見逃さず眼科で正しく評価し適切に対処することが大切となる[14]．屈折異常をもつ発達障害児の割合は健常児と同等と考えられており，滑動性追従眼球運動(smooth pursuit eye movement)や衝動性眼球運動(saccadic eye movement)に異常がみられることが多い[15]．

検査のコツ

眼科受診時の行動の特性はさまざまである(**表4**)．年齢に相応した屈折検査や自覚的な応答が難しい場合には，その児に合わせた検査を試みる．オートレフラクトメータに顎をのせることを嫌がり測定が難しい場合には，「どうしてできないの？」と責めたり無理強いはせずに，手持ち式オートレフラクトメータや検影法で他覚的な屈折検査を行う．ランドルト環を用いた視力検査が難しい場合には，絵視力標を利用した絵合わせを行う．

発達障害児のうち自閉症の特性として，聴覚情報処理に比べ視覚情報処理のほうが優れていることが多い．口頭の説明だけでは「どのような検査を行うのか」想像が

表4　LD(学習障害), ADHD(注意欠陥 / 多動性障害), ASD(自閉症スペクトラム障害)の眼科受診での行動や反応

・待合室で落ち着きがなく待っていられない
・周囲の音やものに気を取られ集中力が持続しない
・仮枠が掛けられない
・検査光を異常に眩しがり眼を閉じてしまう
・オートレフなど検査器具に顔を固定できない
・いつも同じ手順(検査場所，検査員，検査順序)にこだわる
・視線を合わせず，質問に答えない

(文献14より引用)

できにくく理解が難しい場合には，これから実施する検査を順番通りに書いた絵カードを用い，検査の流れや手順を視覚的な情報として示しながら説明を行うと，検査の見通しを想像しやすく効果的である．また，受診時には毎回同じ手順で検査を行い，同じ検査員が検査を担当するとよい．診察や検査に過剰な恐れをもつ児も多く，検査室は落ち着いた安心できる環境をできる限り工夫し，共感的な態度でのぞむことも大切である．

ただし，どうしても検査が難しい場合もあるため，調節麻痺下での他覚的屈折値から判断して眼鏡の必要性を検討する．

ポイント

●1● 年齢相応の検査や応答が難しい場合でも，その児に合わせた検査を試みる．据え置き型オートレフラクトメータに顎をのせることが難しい場合は手持ち式オートレフラクトメータや検影法で他覚的な屈折検査を行い，ランドルト環を用いた視力検査が難しい場合には絵視力標を用い，絵合わせで行う．

●2● 検査の見通しがつくと患児の安心につながるため，検査の流れや手順を知らせる．できれば同じ検査員が担当する．

●3● 検査に対し過剰な恐れをもっていることもあり，検査室は落ち着いた安心できる環境をできる限り工夫する．共感的な態度でのぞみ，うまくできなくても無理強いはしない．

●4● 通常の屈折検査を行うが，検査がどうしても難しい場合には，調節麻痺下での他覚的屈折値から判断して眼鏡の必要性を検討する．

文 献

1) 日本弱視斜視学会・日本小児眼科学会：小児科医向けSpot Vision Screener運用マニュアル Ver.1. http://www.japo-web.jp/_pdf/svs.pdf
2) 所　敬：乳幼児の近視の問題点. 眼臨医報 80：81-86, 1986.
3) 所　敬：第3章 屈折検査. “屈折異常とその矯正 第7版” 所　敬. 金原出版, 2019, pp69-107.
4) 大牟禮和代：3 自覚的屈折検査. “理解を深めよう 視力検査 屈折検査” 所　敬 監修, 松本富美子, 他 編. 金原出版, 2009, pp47-62.
5) 所　敬：第5章 調節. “屈折異常とその矯正 第7版” 所　敬. 金原出版, 2019, pp233-257.
6) 調　廣子, 関谷善文, 山本　節：過度の調節痙攣を呈した症例について. 日視会誌 24：35-38, 1996.
7) 野口清子, 生田由美, 久保田伸枝：内斜視を主訴とした調節痙攣の治験例. 日視会誌 29：243-247, 2001.
8) 石井祐子：第23章 小児の眼鏡, 調節障害. “視能学エキスパート 光学・眼鏡 第2版” 日本視能訓練士協会 監修, 松本富美子, 大沼一彦, 石井祐子, 他 編. 医学書院, 2023, pp300-302.
9) 向井章太, 原口　瞳, 原田香奈, 他：井上眼科病院における小児の非器質性視覚障害. 日視会誌 40：99-105, 2011.
10) 越後貫滋子：心因性視力障害の測定方法. “理解を深めよう 視力検査 屈折検査” 所　敬 監修, 松本富美子, 大牟禮和代, 仲村永江 編. 金原出版, 2009, pp81-83.
11) 長岡奈都子：先天性強度近視とその長期経過. “近視―基礎と臨床” 所　敬, 大野京子 編著. 金原出版, 2012, pp171-172.
12) 新井千賀子：ロービジョン検査, 小児のロービジョン検査. “眼科検査ガイド 第3版” 根木　昭 監修, 飯田知弘, 近藤峰生, 中村　誠, 他 編. 文光堂, 2021, pp38-46.
13) 文部科学省初等中等教育局特別支援教育課：通常の学級に在籍する特別な教育的支援を必要とする児童生徒に関する調査結果について. 令和4年12月13日. https://www.mext.go.jp/content/20230524-mext-tokubetu01-000026255_01.pdf
14) 川端秀仁：発達障害児の眼科診療 LD, ADHD, ASD, dyslexia について. OCULISTA 40：34-44, 2016.
15) 富田　香：発達障害児, 診療上の注意点. “小児眼科学” 東　範行 編. 三輪書店, 2015, pp502-503.

屈折矯正法

 眼鏡処方

小児の近視眼鏡の処方に際しては，成人の近視眼鏡の処方とは異なるさまざまな点に配慮する必要がある．正確に屈折値を計測するための方法には，他覚的屈折検査と自覚的屈折検査があるが，各々利点と欠点があるため両者を併用する必要がある．これらの正確な屈折値の計測方法に関する詳細は，「小児の屈折検査のコツ(p.71)」「診断(p.39)」に譲ることとする．

屈折値の決定が行われた後は，屈折検査の値をそのまま眼鏡処方箋に記載するのではなく，必ず装用テストを行い，過矯正を避けた自覚的に満足のいく処方度数を検討する．さらに度数決定に際しては，年齢や生活・学習環境の違いだけでなく，眼位，輻湊，調節機能を含めた眼の総体的機能を考慮することも大切である．眼鏡処方の最も大切な目的は，本来の視機能を最大限に高め，Quality of vision(QOV)を向上させることである．このことを念頭に置きながら，以下に小児の近視眼鏡の処方に関する留意点を概説する．

乳幼児期や学童期に近視眼鏡を処方する目安

乳幼児期や学童期で近視眼鏡の処方を開始する時期や処方度数に関しては，ガイドラインが数多く提唱されてきた．参考として，Leatが提唱したガイドライン(**表1**)[1]や，米国眼科学会が提唱した，乳幼児期に近視・乱視・不同視に対して眼鏡処方を開始する年齢ごとの基準(**表2**)[2]を示す．しかしこれらの目安は，専門家らの意見や経験に基づくものであり，いずれも科学的根拠は乏しい．わが国では，日本眼科学会の編集のもとに，日本弱視斜視学会，日本小児眼科学会，日本近視学会，日本眼光学学会，日本ロービジョン学会，日本視能訓練士協会が協力して，『小児の眼鏡処方に関する手引き』が作成されている．日常診療においては，現時点のエビデンスを十分理解したうえで，専門家が提唱する基準を参考にしながら，眼鏡を装用するかどうか，それぞれの患児の背景，症状によって決めていく必要がある．

表 1　Leat が提唱した乳幼児期の近視・乱視・不同視に対する眼鏡処方開始および処方度数のガイドライン

屈折異常	処方開始時期	処方を検討する屈折値	処方度数
近視	1 歳未満	−5.00 D 超	2.00 D 以下の低矯正眼鏡を処方する．正視化現象は近視眼で生じるため低矯正とする．
	1 歳～歩き始めた時期	−2.00 D 超	正視化現象がまだある程度生じているため，0.50～1.00 D 以下の低矯正眼鏡を処方する．
	4 歳～小学校低学年まで	−1.00 D 超 またはより弱度の近視でも処方	完全矯正が可能な時期であるため，眼鏡装用によって視力の改善があり，本人が高く評価する場合，−1.00 D 以下の弱度近視であっても処方を検討する．
	学童期	——	完全矯正眼鏡を処方する．近見内斜視，調節ラグが大きい(0.43 D 未満)，または習慣的に短い読書距離の児童では，+2.00 D の累進屈折力眼鏡などを考慮する．
乱視	生後 15 ヵ月以上	2.50 D 超	正視化現象がほぼ完了するまでの 3～4 年間は，乱視は 1.00 D もしくは 50％の低矯正とする．
	2 歳以上	2.00 D 以上	3～4 年間は低矯正とし，その後，完全矯正にする．
	4 歳以上	1.50 D 以上	完全矯正眼鏡を処方するが，以前に矯正歴がない強度乱視の場合は小児が適応できるように，最初は低矯正眼鏡で処方する場合もある．
	学童期	学齢期では症状のない場合 0.75 D 以上 (0.75 D 未満でも徴候や症状がある場合は別途対応)	完全矯正眼鏡を処方するが，以前に矯正歴がない強度乱視の場合は小児が適応できるように，最初は低矯正眼鏡で処方する場合もある．
斜乱視	1 歳以上	1.00 D 以上	専門家の臨床的見解では，2 歳以下は約 4 分の 3 を矯正し，以後は完全矯正とする．
不同視	弱視のある不同視	——	不同視と乱視は完全矯正する．年齢に応じた遠視および近視矯正を行う．
	1 歳以上	3.00 D 以上	弱視の場合は完全矯正する(「弱視のある不同視」参照)．弱視がない場合は低矯正とし(たとえば不同視差 1.00 D 未満となるよう処方)，年齢に応じた乱視，球面度数の矯正を行う．弱視がなければ処方する必要はない．
		1.00 D 以上 3.00 D 未満	4～6 ヵ月間の経過観察を行う．残存する場合は「弱視のある不同視」と同様に対処する．
	3.5 歳以上	1.00 D 以上の遠視性不同視 2.00 D 以上の近視性不同視 1.50 D 以上の乱視性不同視	「弱視のある不同視」と同様に対処する．弱視がない場合は経過観察する．

参考
専門家やガイドラインの見解は，−3.0 D を超えると処方しないが，−5.0 D 以上で処方することに合意している．6～72ヵ月の乳児の 1%が−4.0 D を超える近視と報告されている．
専門家らの処方開始度数の見解には幅があり，乳児および幼児では，−0.75～−4.00 D となっている．
研究では 0.75 D 以下の眼鏡処方で視力の向上が認められる．専門家らは，未就学児では−1.00 D～−1.50 D，就学児では−0.50 D～−2.00 D を超えると眼鏡処方を推奨している．
6～11 歳を対象とした米国 COMETstudy に基づくガイドラインが根拠.
経線弱視の発症には生後 15ヵ月が最も重要な時期であることと，人口の約 5～10%がこの程度の乱視をもっていることを示す人口研究の結果に基づく．
この時期に乱視が矯正された小児の視力が向上したという調査結果と，2 歳児の約 5～10%が 2.00 D 以上の乱視をもっているという研究報告に基づく．
過去の報告では，平均年齢 4 歳の幼児の乱視の 95 パーセンタイル値は 1.25 D であることが示されている．またこの年齢の 5%以下が乱視 2.00 D 以上で，5～20%が 1.00～2.00 D の乱視であった．また，4～5 歳児の 1.50 D を超える乱視を矯正することの機能的利点も報告されている．
0.75 D の乱視を矯正することで視力改善が得られることを示した研究報告に基づく．
斜乱視は弱視の危険因子である．専門家らは 1.00 D を超える斜乱視は生後 12ヵ月後にはまれであると述べている．
――
3.00 D 以上の不同視は一過性の可能性が低いとする研究報告に基づく．
一過性不同視に関する研究報告に基づく．
この時期のこの程度の不同視は，弱視を生じるという研究報告に基づく．

（文献 1 より引用改変）

表2　乳幼児期の近視・乱視・不同視に対する眼鏡処方開始の基準（米国眼科学会）

年　齢	1歳未満	1～2歳未満	2～3歳未満	3～4歳未満
近　視	−5.00 D以上	−4.00 D以上	−3.00 D以上	−2.50 D以上
乱　視	3.00 D以上	2.50 D以上	2.00 D以上	1.50 D以上
近視性不同視*	4.00 D以上	3.00 D以上	3.00 D以上	2.50 D以上
乱視性不同視*	2.50 D以上	2.00 D以上	2.00 D以上	1.50 D以上

*斜視がある場合は，基準よりも軽度の不同視差で処方を検討.　（文献2より引用改変）

完全矯正眼鏡と低矯正眼鏡

比較試験とメタ解析

調節麻痺薬の使用の有無と結果の違い

完全矯正眼鏡と低矯正眼鏡のどちらが近視進行抑制に対して効果的かを明確にするために，過去の研究報告のなかから適確性が評価された6つの論文[3~8)]を用いたメタ解析の結果が2021年に報告された[9)]．眼鏡の矯正量の判定に，調節麻痺下屈折検査を用いた研究[3, 5)]と，非調節麻痺下屈折検査を用いた研究[5~8)]の2つのサブグループに分けて解析されている（**表3**）．非調節麻痺下屈折検査での研究では，非調節麻痺下で最高視力を得るために最もプラス寄りで処方した眼鏡を完全矯正眼鏡としている．フォレストプロット（**図1**）で示された完全矯正眼鏡と低矯正眼鏡の近視進行量の差の統計学的統合結果は，調節麻痺下屈折検査を用いた研究で−0.26 D（95%信頼区間＝−0.24～−0.29）であり，低矯正眼鏡のほうが近視進行の抑制に有利とする結果であった．一方，非調節麻痺下屈折検査を用いた研究は0.156 D（95%信頼区間＝−0.10～−0.21）であり，完全矯正眼鏡のほうが近視進行の抑制に有利とする結果であった．

研究間の結果の非一貫性を評価するQ検定とI^2検定

メタ解析のエビデンスの質を低下させる原因の一つである，研究間の結果の非一貫性を評価する指標には，CochranのQ検定と，ばらつきの程度を%で表すI^2検定がある．CochranのQ検定で$P<0.05$の場合や，I^2検定が50%を超える場合，研究間の異質性がかなり高くメタ解析による統合結果のエビデンスが弱いと判断される．

非調節麻痺下屈折検査を用いた研究のサブグループ解析では，CochranのQ検定が1.48（P=0.686），I^2検定＝0.000であるが，調節麻痺下屈折検査を用いた研究のサブグループ解析ではCochranのQ検定が6.99（P=0.008），I^2検定＝85.69であり，異質性がかなり高い．このことから，低矯正眼鏡のほうが近視進行の抑制に有利とする調節麻痺下屈折検査を用いた研究のサブグループ解析の結果はエビデンスが弱

表 3　完全矯正眼鏡と低矯正眼鏡の近視進行量の差

分　類	報告者	研究の統計			
調節麻痺薬（シクロペントラート塩酸塩）使用の有無		平均値の差	下限値	上限値	p 値
調節麻痺下屈折検査	Li[3]	−0.06	−0.21	0.09	0.44
	Sun[4]	−0.27	−0.24	−0.29	0.00
	統合結果	−0.26	−0.24	−0.29	0.00
非調節麻痺下屈折検査*	Chung[5]	0.23	−2.51	2.79	0.86
	Adler[6]	0.17	0.11	0.22	0.00
	Vasudevan[7]	0.25	−3.28	3.78	0.88
	Chen[8]	0.07	−0.08	0.22	0.35
	統合結果	0.156	0.10	0.21	0.00

調節麻痺下屈折検査を用いた研究と，非調節麻痺下屈折検査を用いた研究の 2 つのサブグループに分けてメタ解析した．
＊最高視力を得るために最もプラス寄りで処方した眼鏡を完全矯正眼鏡とする．　（文献 9 より引用改変）

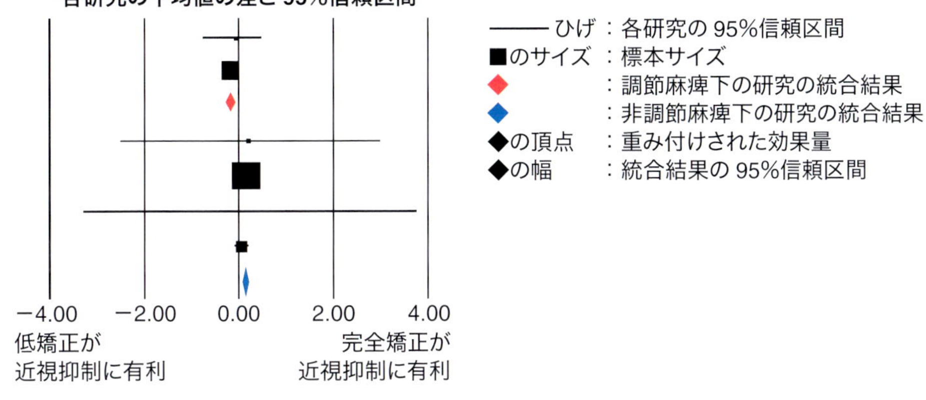

図 1　統計学的統合結果のフォレストプロット

調節麻痺下屈折検査を用いた研究では低矯正眼鏡のほうが，非調節麻痺下屈折検査での研究は完全矯正眼鏡のほうが，それぞれ近視進行の抑制に有利とする結果であった．しかし，調節麻痺下屈折検査を用いたサブグループ解析の結果は，研究間の異質性がかなり高く，エビデンスが弱い．調節麻痺下屈折検査を用いた眼鏡処方に関しては今後，再評価する必要があり，現時点では解釈に注意が必要である．　（文献 9 より引用改変）

いと判断できるので，調節麻痺下屈折検査を用いた今後の研究の蓄積後に再評価する必要がある．

非調節麻痺下で眼鏡処方する場合は，低矯正よりも完全矯正が進行抑制に有利

メタ解析の結果から，非調節麻痺下で小児の近視眼鏡を処方する場合は，最高視力を得るために最もプラス寄りで処方した完全矯正眼鏡が，低矯正眼鏡と比較して近視の進行抑制に有利と考えられる．しかし，小児の近視の屈折検査のゴールドス

タンダードであるシクロペントラート塩酸塩調節麻痺下屈折値を用いた場合の処方では，完全矯正眼鏡と低矯正眼鏡との近視の進行量の差に関してはエビデンスが弱く，結論を出すには今後さらなる研究の蓄積が必要である．

1.00 D 以下の低矯正は，完全矯正との進行差が大きくない

調節麻痺下屈折検査を用いるか否かで結果が異なるものの，完全矯正眼鏡と低矯正眼鏡では統計学的に有意な近視進行量の差を生じることが示されている．しかし，その差は両者ともにわずかであり，臨床的に意味のある差ではない．実際に**表 3** にある非調節麻痺下屈折検査で眼鏡処方を行った報告において，エビデンスレベルの高い無作為化比較試験である Chung らの報告[5]では，完全矯正眼鏡群の年間近視進行量は 0.38 D/年である一方，0.75 D までの低矯正眼鏡群では 0.50 D/年であり，完全矯正眼鏡と低矯正眼鏡の年間近視進行量の差は 0.14 D/年である．また同じく無作為化比較試験である Adler らの報告[6]でも，完全矯正眼鏡群での年間近視進行量は 0.55 D/年である一方, 0.50 D までの低矯正眼鏡群では 0.66 D/年であり, 年間近視進行量の差は 0.11 D/年程度である. 統計学的には有意な差とはいえ, 少なくとも 1.00 D 以下の低矯正眼鏡は，完全矯正眼鏡との近視進行量の差がわずかである．

1.00 D を超える低矯正は，完全矯正よりも進行を抑制する可能性

交絡因子によるバイアスを回避するため，近視の進行に関与する既知の交絡因子（具体的には，眼鏡の装用時間，読書習慣，斜位・斜視の有無，調節機能，近業・屋外活動時間，優位眼，両親の近視の有無など）の，十分な評価と調整が行われた後方視的観察研究の結果を Li らが 2015 年に報告した[3]．この研究では，中国都市部の安陽市で行われた学校ベースのコホート研究である Anyang Childhood Eye Study（ACES）に参加した中学 1 年生（12 歳）の，完全矯正眼鏡常用の近視小児 133 人と，低矯正眼鏡常用の近視小児 120 人（低矯正量の範囲 0.50～4.63 D：0 D<低矯正量≦0.5 D，0.5 D<低矯正量≦1.0 D，1.0 D<低矯正量≦1.5 D，低矯正量>1.5 D に分けて解析）の 1 年間の経過を，後ろ向きに解析した．

この結果，完全矯正眼鏡群での年間近視進行量は 0.68 D/年，低矯正眼鏡群では 0.64 D/年であり，完全矯正眼鏡群と低矯正眼鏡群での近視進行量には有意差がないことが示された．しかし，低矯正量の程度に応じて群分けされたサブグループ解析の結果（**図 2**）では，興味深いことに 1.00 D を超えるほどの低矯正量では，完全矯正眼鏡と比較して近視の進行量が減少することが示された．すなわち，1.00 D を超える低矯正量の低矯正眼鏡を装用した群では，近視の年間進行量は 1.00～1.50 D の低矯正群で 0.58 D/年，1.50 D を超える低矯正群で 0.42 D/年であり，完全矯正眼鏡群の 0.68 D/年よりも近視の進行が抑制されていた．

一般的に一定期間の近視の進行量は，近視の程度が強いほど大きいことが知られているが，この研究では低矯正量が強い群ほど近視の程度も強くなっている，この

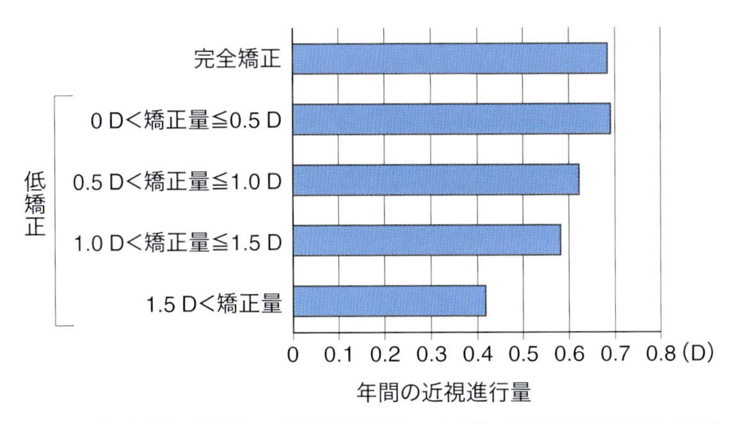

図2 完全矯正眼鏡と低矯正眼鏡の年間の近視進行量の比較

低矯正眼鏡群は低矯正量の程度別にサブグループ分類した.

（文献6より引用改変）

ためLiらは，1.00 Dを超える低矯正状態は，程度の強い近視の進行を代償する以上に，近視を抑制する効果がある可能性を指摘した．さらにLiらは，Chung[5)]，Adler[6)]らの無作為化比較試験では低矯正眼鏡の低矯正量が1.00 D以下であったため，近視性デフォーカスの刺激が近視進行抑制効果を発揮するほどの低矯正量が確保されていなかった可能性があると考察した.

非眼鏡装用による近視進行抑制効果

またLiらと同グループのSunらは2017年に，同じACESに参加した中学1年生（平均12.7歳）の，完全矯正眼鏡（低矯正量0.50 D未満）常用の近視小児53人と，眼鏡非装用の近視小児（−3.00〜−0.50 D）65人の2年間の経過を後ろ向きに解析した[4)]. その結果, 完全矯正眼鏡群での年間近視進行量と眼軸伸展量はそれぞれ0.52 D/年，0.27 mm/年である一方，眼鏡非装用群では0.38 D/年，0.23 mm/年であり，眼鏡非装用群のほうが近視進行量と眼軸伸展量ともに軽度であることが示された. この報告では**図3**のように，非眼鏡装用では近視の程度が強くなればなるほど，全体としては近視の年間進行量が減少していることが示されている．しかし，1.00 Dを超える低矯正であっても，年間1.00 Dを超えて進行する症例もあり，非眼鏡装用による近視進行抑制効果は個々の症例によってばらつきが多いと考えられる.

低矯正眼鏡とQOV

Liらの**図2**の結果から，1.00〜1.50 Dの低矯正眼鏡を装用した場合の年間の近視進行抑制量は完全矯正眼鏡と比較して0.10 D/年であり，1.50 Dを超える低矯正眼鏡を装用した場合は0.26 D/年程度と推察される．低矯正眼鏡を装用することで十分な近視抑制効果を得ようとするならば，1.50 Dを超える低矯正眼鏡を装用させることが必要と考えられる.

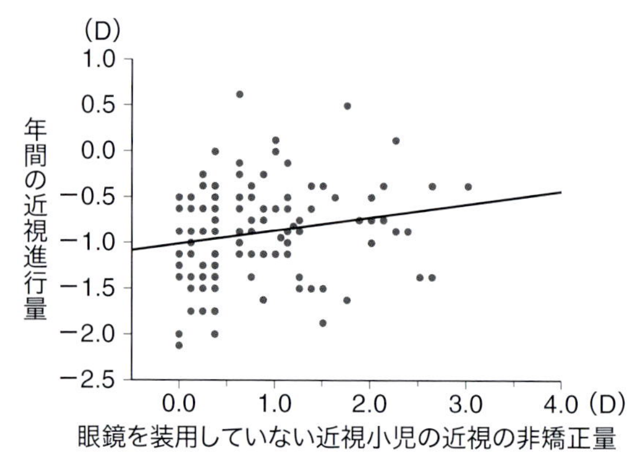

図3　眼鏡を装用していない近視小児の近視非矯正量と年間の近視進行量の関係
（文献4より引用改変）

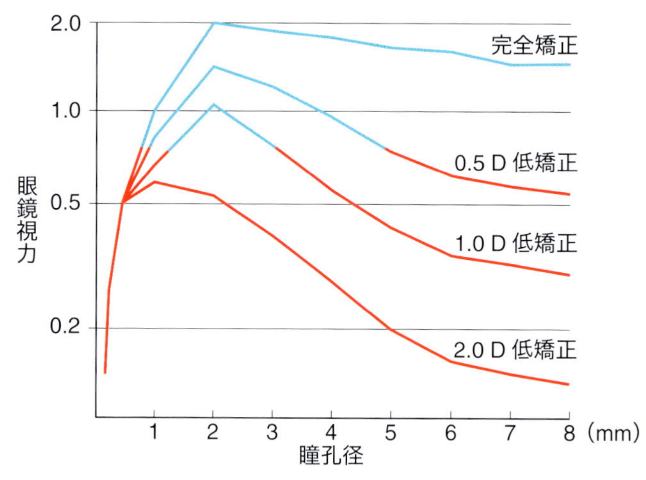

図4　低矯正の程度と裸眼視力の関係　（文献10より引用）

一方で，長谷部による低矯正量と視力との関係を**図4**に示す[10]．瞳孔径は学童や近視患者で大きいことや，夜間や薄暮時には瞳孔径が拡大することを考慮すると，1.00～1.50 D の低矯正であっても眼鏡視力は 0.5 を下回る可能性があり，近視進行抑制効果を得るために QOV を大きく損ねることとなる．また低矯正眼鏡を処方することで，眼鏡を作り変える頻度が増し，経済的負担も大きくなると考えられる．近年は従来と異なり，低矯正眼鏡が有する効果以上の抑制が期待される近視進行抑制治療が臨床応用されている〔詳細は「小児の近視の進行抑制」(p.165)参照〕．近視進行抑制の観点のみで考えれば，QOV を犠牲にして殊更に強い低矯正眼鏡を処方することで，近視の進行を抑制しようと試みる必要はないのではないかと考えられる．

未矯正・低矯正では，読書距離が近くなり進行を早める可能性

近業時に眼鏡を外したほうが近視の進行抑制に対して有利かどうかのエビデンスは確立していない．しかし，6～8歳の小学生の眼の状態を調査する香港の地域住民をベースにした2023年の報告（Hong Kong Children Eye Study）では，未矯正や低矯正では，近業時の読書距離が近くなることで近視の進行が早まる可能性があり，近視の進行を遅らせる目的で低矯正眼鏡を処方することは推奨できない，との見解が示されている[11)]．

この研究では2,363人のデータを用いて，非近視の児童と，低矯正の近視児童（視力<0.8で，凹レンズの負荷で少なくとも2段階以上の改善が自覚的検査で得られるもの）および完全矯正の近視児童の，習慣的な読書距離を動画撮影し調査している．その結果，低矯正の近視児童の読書距離（23.37±4.31 cm）は，非近視（24.20±4.73 cm，P＝0.002）および完全矯正の近視児童（24.81±5.21 cm, P<0.001）と比較して最も短かった．一方，後者2つのグループの間には有意差は認められなかった（P＝0.17）．また年齢，性別，身長，近業時間，屋外活動時間，および親の近視を調整した多変量解析では，読書距離が短いほど近視のリスクが高いことが示されたが（オッズ比＝1.67，95％信頼区間＝1.11～2.51，P＝0.013），低矯正の近視児童を除外した場合は，読書距離と近視の関連性は認められなかった（オッズ比＝0.97，95％信頼区間＝0.55～1.73，P＝0.92）．さらに，習慣的な矯正下で視力が不良な学童ほど，読書距離が短いことも示された（$\beta=-0.003$，P<0.001）．

完全矯正眼鏡と低矯正眼鏡のどちらを処方すべきか？

現在までの報告をまとめると，非調節麻痺下で小児の近視眼鏡を処方する場合，完全矯正眼鏡の装用に問題がない小児の場合は基本的に完全矯正眼鏡でよい．しかし，初めての眼鏡や，眼鏡に慣れない小児，完全矯正眼鏡の装用が困難な小児や，近業時に霧視や眼精疲労，複視を訴える小児では，低矯正眼鏡や場合によっては累進屈折力眼鏡の処方がよい．これらの小児では，完全矯正眼鏡を装用することで近業での調節必要量が増し，近見時に内斜位が生じ，輻湊と調節の相互作用から調節反応量が低下し（調節ラグ），霧視などが生じる．これらが眼精疲労の原因と考えられる．低矯正眼鏡や累進屈折力眼鏡を処方することで調節性輻湊が軽減し，諸症状を解消することができる．

実臨床においては，ボケ像に対する感受性はさまざまである．教室の最前列で黒板を見るために最低限必要とされる0.3程度の裸眼視力しかない近視の小児であっても，本人は眼鏡装用の必要性を全く感じていないケースもあり，またクラクラするとの理由で完全矯正眼鏡を装用できない小児も多い．このような小児に，無理に眼鏡を装用させたり完全矯正眼鏡を処方することは，かえって患児のQOVを悪化させる結果になる．

近視眼鏡の処方では，後述するように，眼位・輻湊・調節機能などを考慮したうえで，低矯正の眼鏡を処方したほうがよい場合もある．さまざまな状況を鑑みたうえで重要な点は，完全矯正眼鏡と低矯正眼鏡の比較試験から得られた新しい知見を念頭に置きつつ，個々の患児の希望に沿ったQOVを損なわない適切な矯正度数を，症例に応じて選択していくことではないかと考えられる．

過矯正眼鏡

過矯正が引き起こすさまざまなデメリット

小児の近視眼に過矯正眼鏡を処方すると，明視を得るために常に過剰な調節努力を行うだけではなく，遠視性デフォーカスが増大することで眼軸長の視覚制御機能が発動し，近視の進行を促進させる恐れがある．また，調節努力により調節性輻湊が生じ近見の内斜位が生じると，複視や眼精疲労，調節不全の原因となる．このため近視の小児の眼鏡処方において，過矯正眼鏡の作製は絶対に避けなければならず，注意が必要である．

眼鏡レンズの矯正効果とレンズ位置

一般に眼鏡レンズの矯正効果は，眼鏡レンズ自体の屈折力だけではなく，装用距離との関係によって変化する．この関係は，図5に示す主点屈折力の計算式によって決定される[12]．

近視レンズは凹レンズであるため，眼鏡を角膜頂点から12 mm以上離して装用した場合は矯正効果が弱まり，逆に近づけて装用した場合は強くなる．完全矯正眼鏡を処方した際に，もし小児が眼鏡フレームを12 mmより近づけて装用すると過矯正眼鏡となる．このため作製した眼鏡は，眼鏡のレンズ後面から角膜頂点間の距離

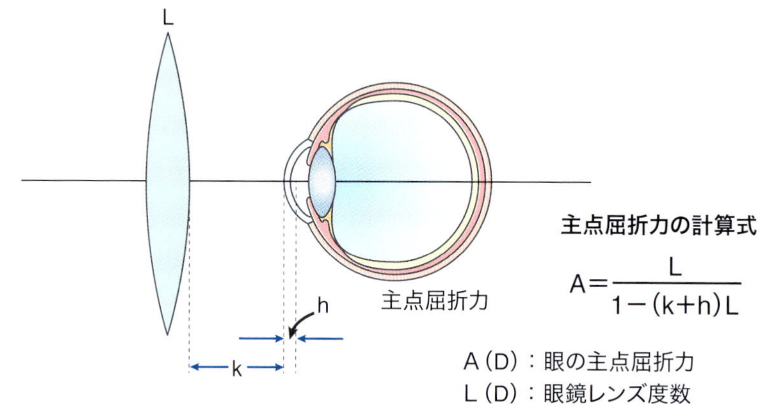

図5　眼鏡レンズの矯正効果：主点屈折力の計算式　（文献12より引用改変）

〔頂点間距離（vertex distance：VD）〕が 12 mm で正しく装用させる必要がある．この近づけて装用すると矯正が強くなる効果は，近視度数が強度であるほど顕著となる．そのため自覚的屈折検査やレンズを数枚組み合わせて行う装用テストの際にも留意する必要がある．検眼枠による検眼レンズの位置は**図 6** のように，枠の最内側（眼球側）に入れたレンズの VD が 12 mm でも，その外側のホルダーは 19 mm，さらにその外側は 23 mm となる．このレンズ距離の違いによる矯正効果の差は±3 D 以下の弱度レンズでは大きな問題にならないが，−4 D 以上の強い凹レンズが必要な場合に問題となる（**図 7**）．近視度数の強い凹レンズを外側のホルダーに入れて自覚的屈折検査や装用テストを行うと，過矯正眼鏡を作製する恐れがある．

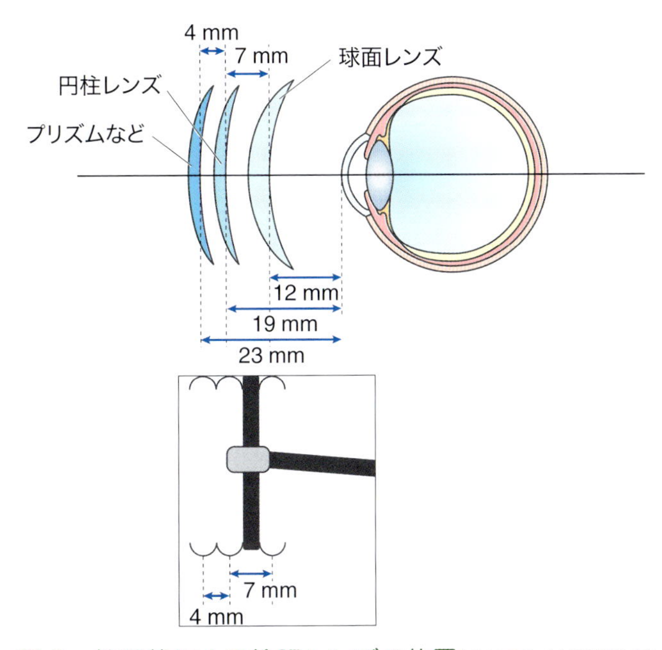

図 6　検眼枠による検眼レンズの位置（文献 12 より引用改変）

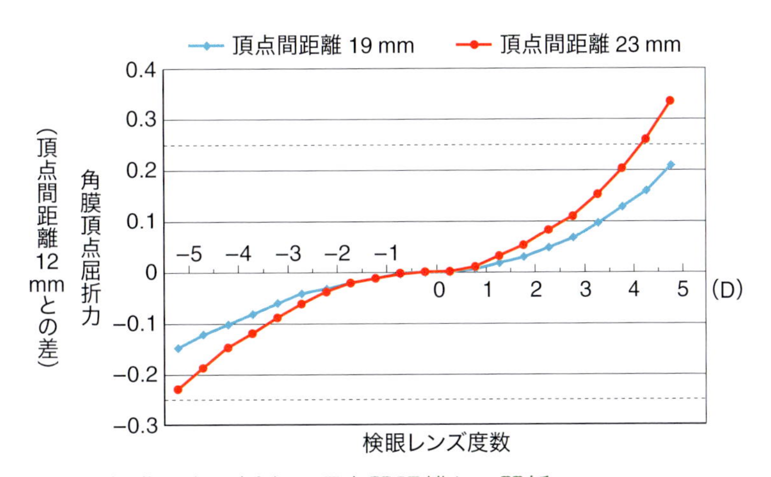

図 7　角膜頂点屈折力と頂点間距離との関係（文献 12 より引用改変）

過矯正にならないためのアフターフォロー

過矯正眼鏡を避ける最も簡単な方法は，意図的に低矯正の眼鏡を作製することである．しかし，程度の強い低矯正眼鏡はQOVを低下させる可能性があり，また眼鏡を作り変える回数の増加から家族に経済的負担を強いることにもなる．矯正視力が良好で両眼視機能の異常がない弱度近視に対して，低矯正眼鏡をむやみに処方する必要はないが，完全矯正眼鏡や軽度の低矯正眼鏡を処方した場合は，作製された眼鏡が過矯正ではないかを確認することを忘れてはならない．確認は所持眼鏡のレンズ度数を計測するだけではなく，所持眼鏡を装用させた状態で，両眼開放下のオーバー・レチノスコピー（検影法），オーバー・レフラクションを行う（詳細は他稿参照）．

特に注意したい病態の眼鏡処方

調節の異常や心因性視覚障害を伴う近視などに関しては，「注意が必要な症例への対応（p.94）」を参照されたい．

偽近視

偽近視の診断基準は明確ではないが，毛様体筋が異常に緊張しているがまだ固着していない状態を示す概念である〔診断の詳細は「小児の近視の定義・診断基準」（p.29）参照〕．弱度の近視の発生は近業と関連があり，その前駆状態として偽近視を伴っているという考え方がある．その場合，通常の屈折検査によって測定される屈折値は，偽近視＋真の近視と考えられ，眼鏡矯正は真の近視の部分にのみ行われるべきである．

近視の眼鏡処方にあたっては，小児の場合には調節麻痺下屈折検査を行わなければならない．しかし所らは，アトロピン硫酸塩の点眼では正常なトーヌス（筋緊張）も除かれる可能性があるため，ミドリン®P程度の調節麻痺薬を点眼し（調節麻痺作用は点眼後約30分でピークに達しその後速やかに失われるため，検査を行うタイミングに注意する），調節の戻りがあるかどうかを確認するよう指導している[12]．ミドリン®P点眼後，1D以上プラス側に屈折値が動く場合は眼鏡処方を行わず，就寝前のミドリン®M点眼を3ヵ月1クールとして行い，経過をみる．しかし，このような偽近視に対する治療を行っていったんは眼鏡装用を免れたとしても，効果は通常一過性であり，最終的には眼鏡装用が必要となる．このため3ヵ月点眼した時点で近視の軽減効果が認められない場合は，眼鏡による屈折矯正を原則的に行う．

強度近視・病的近視

強度近視・病的近視の矯正の特徴

強度近視や病的近視眼では，小児期から正常をはるかに逸脱して近視度数が強度であることが多い．強度近視や病的近視の小児では，適切な眼鏡を装用させても矯正視力が(1.0)に達するまで時間がかかり，10代を過ぎてようやく(1.0)の矯正視力に至る症例も多い．眼鏡の度数に関しては，近視が強度であるほど低矯正眼鏡を装用する率が高く，低矯正量の程度も強くなる．

プリズム効果や過矯正を防ぐためのフィッティング確認

また，処方後も定期的にフィッティングの確認を行う必要がある．近視眼鏡の凹レンズは，中心からずれると後述するPrenticeの法則(p.127参照)に対応するプリズム効果が生じ両眼視がしづらくなる．このため強度近視の眼鏡フレームは，大きな丸いフレームよりも，小型の楕円のフレームのほうが適している．瞳孔間距離(pupillary distance：PD)がずれていても同様にプリズム効果を生じるが，凹レンズではPDを狭くするとBase out効果，広くするとBase in効果が生じる．また近視眼鏡の凹レンズでは，頂点間距離12 mmを短くすると過矯正に，遠くすると低矯正になる．度数が大きい強度近視では，これらのフィッティングの悪化による影響を受けやすいため注意が必要である．また処方の際には，レンズは高屈折レンズを選択し眼鏡店に薄く作製してもらうことも重要である．

レンズの像の縮小効果から強度近視ではコンタクトレンズによる矯正が有利

近視を矯正する凹レンズの眼鏡には，像の縮小効果がある．矯正眼における像の大きさと矯正前の像の大きさの比は眼鏡倍率〔spectacle magnification：SM(矯正時の網膜像の大きさ/裸眼時の網膜像の大きさ)〕で表される[13)]．**図8**に，屈折異常と眼鏡倍率の関係を示す[14, 15)]．

眼鏡はVDが12 mmに設定されているため，凸レンズでは像の拡大効果を生じるが，凹レンズでは縮小効果を生じる．たとえば，−10 Dのレンズを装用した場合の像の大きさは，レンズ後頂点と眼の前主点までの距離が(VD 12 mmにGullstrandの模型眼を参照した係数を足すと)d＝12.0 mm＋1.3 mm＝0.0133 mであるため，

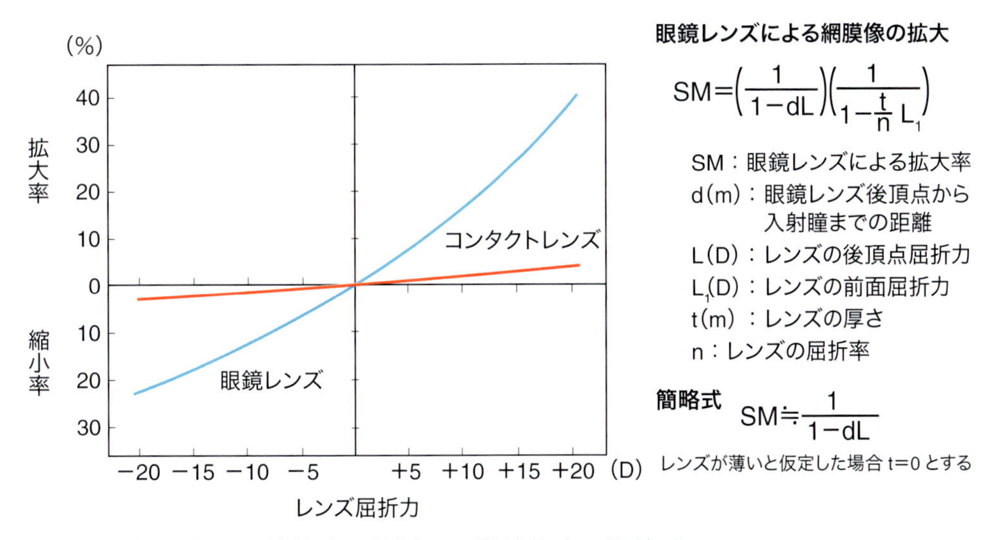

図8　屈折異常と眼鏡倍率の関係と，眼鏡倍率の計算式　(文献15より引用改変)

1/〔1－0.0133×(－10)〕＝0.883 となり，約 12％の像の縮小効果があると算出される．しかし，コンタクトレンズの場合は VD 12 mm を考慮しないため，1/〔1－0.0013×(－10)〕＝0.987 であり，約 1.3％の縮小効果でほとんど変化がない．このため，強度近視ではコンタクトレンズによる矯正のほうがより良好な矯正視力が得られる．

近視性不同視

眼鏡矯正が引き起こす不具合

国際的には，不同視差が 1 D 以上の場合に不同視と定義されているが，わが国では，不同視差が 2 D 以上ある場合を不同視という[16]．小児の近視性不同視では，強度近視性不同視や片眼強度近視性不同視の症例も多く，これらは通常，先天性の軸性近視である．また，片眼強度近視性不同視弱視は予後不良であることも知られている．不同視それ自体によって，弱視や両眼視機能の低下を生じるが，眼鏡矯正によっても，不等像視や，眼鏡レンズの周辺部プリズム作用に基づく眼位不同・眼精疲労が生じるため，不同視を眼鏡矯正する場合には注意が必要である．

不等像視の定義・測定法・許容限度

不等像視とは

不同視を光学的に矯正した結果，左右の眼で感じられる像の大きさに差が生じた場合を不等像視(aniseikonia)という．粟屋らにより考案された New Aniseikonia Test を用いて，不等像視がより簡便に測定できる．New Aniseikonia Test では，赤緑眼鏡で両眼を分離して，左右眼に投影された半円の直線部分の長さが“同じ”と感じられる場合の円の大きさの拡大/縮小率で，不等像の程度を測定する．なお一般的に個人差はあるものの，眼鏡矯正 1 D あたり 1～2.5％の不等像視を生じる．不等像視が 5％以上では両眼視機能障害を生じ，眼鏡装用が困難となる[17]．

屈折性不同視と軸性不同視による不等像視

不同視を矯正する際の不等像視は，不同視眼の屈折異常が屈折性か軸性かで異なる[15]．屈折異常眼を矯正した場合の網膜像の大きさと，標準的な正視眼の網膜像の大きさの比は相対眼鏡倍率〔relative spectacle magnification：RSM(矯正時の網膜像の大きさ/正視の網膜像の大きさ)〕で表され，屈折性と軸性に分けて議論されるが，軸性の屈折異常眼では**図 9** に示す計算式によって決定される．軸性および屈折性の屈折異常と相対眼鏡倍率の関係をそれぞれ**図 9**，**図 10** に示す．

Knapp の法則

なお Gullstrand の模型眼を参照した場合，眼の前焦点距離は－15.07 mm である．眼鏡を 15 mm の位置に装用した場合は，眼鏡レンズ後頂点から入射瞳までの距離が d＝15.0 mm＋1.3 mm＝0.0163 m であるため，1－(－0.01507＋0.0163)L≒1 であり，RSM≒1 となる．これが，軸性の屈折異常眼では頂点間距離が約 15 mm になるように眼鏡をかければ正視眼と網膜像の大きさは同じになるという「Knapp の法則」である(**図 11**)．従来からの，「軸性近視は眼鏡で矯正すればよい」とする説の

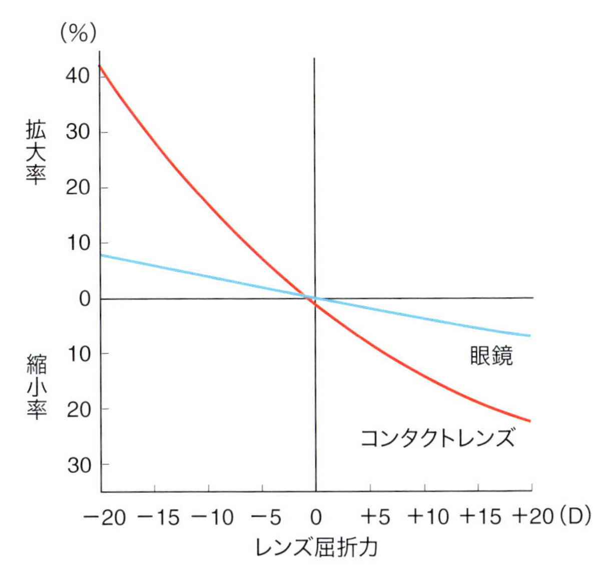

軸性屈折異常眼の相対眼鏡倍率

$$\mathrm{RSM} \fallingdotseq \frac{1}{1-(f+d)L}$$

RSM：相対眼鏡倍率
d (m)：眼鏡レンズ後頂点から前主面までの距離
f (m)：眼の前焦点距離
L (D)：レンズの後頂点屈折力

図 9　軸性の屈折異常と相対眼鏡倍率の関係と，相対眼鏡倍率（軸性屈折異常）の計算式
（文献 15 より引用改変）

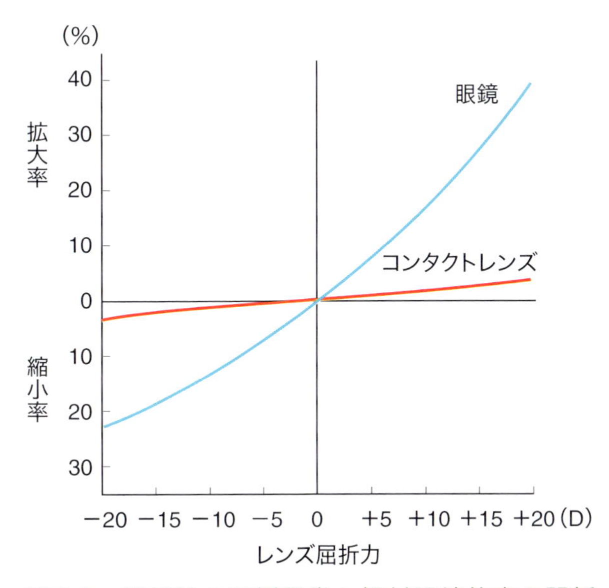

図 10　屈折性の屈折異常と相対眼鏡倍率の関係

軸性と屈折性で，眼鏡とコンタクトレンズにおける網膜像の拡大倍率が逆転する.
（文献 15 より引用改変）

根拠であるが，実際にはこの法則が成立しないことが多い．所らが強度近視性不同視症例 7 例につき，眼鏡とコンタクトレンズ装用の場合の不等像視を測定した結果，眼鏡レンズのほうが良好であった症例は 7 例中わずか 1 例のみであった（**図 12 A**）[15, 18]．**図 9** の軸性屈折異常における相対眼鏡倍率では，眼鏡のほうが網膜像の拡大率が低く差異が少ないため，たとえ Knapp の法則が成立しない場合でも，眼鏡が軸性近視の不同視矯正において有利と理論上考えられるが，実際はコンタクトレンズが良好である．

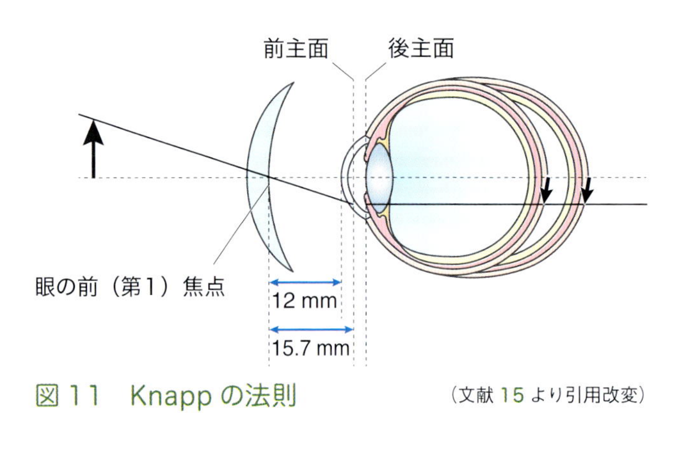

図 11　Knapp の法則　（文献 15 より引用改変）

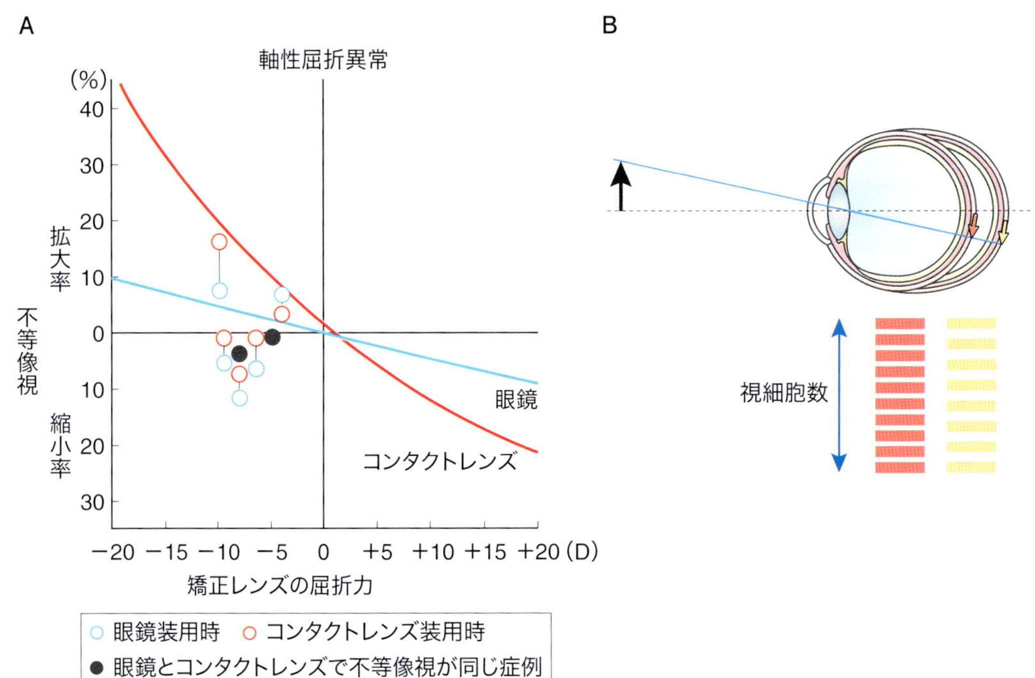

図 12　片眼強度近視性不同視矯正による不等像視と補償光学を用いた強度近視の視細胞密度　（文献 15, 18 より引用改変）

網膜視細胞密度と像の見え方

この矛盾を説明する研究結果が報告された．すなわち，補償光学眼底カメラを用いた視細胞間距離の計測において，近視眼では眼軸長の伸長によって視細胞間の距離が延びていることが示された[19]．そして視細胞間隙が拡大することで視細胞の数が減少し，網膜像の大きさが同じであっても，近視眼では実際は像が縮小して見えていることが示唆された(**図 12 B**)[15, 19]．視細胞間隙の拡大によって像が縮小して見えているとすれば，強度近視性不同視でも拡大率の高いコンタクトレンズ矯正のほうが都合がよいと考えられ，実臨床での結果とも一致する．すなわち，従来は軸性不同視に対しては眼鏡矯正が適していると考えられてきたが，視細胞密度の解析結果から，実際は軸性不同視の場合であっても，コンタクトレンズ矯正が適していることが示唆された．

強度近視性不同視とプリズム効果

強度近視性不同視を眼鏡矯正する場合には，眼鏡レンズのプリズム効果による眼精疲労にも配慮する必要がある[20)]．不同視を眼鏡矯正した場合は，左右のレンズのプリズム効果が異なるため，眼位不同が生じ，その結果生じた複視による不快感を解消しようとして融像するために，眼精疲労を生じる．垂直方向の融像幅は4Δ程度と水平方向よりも非常に狭いので，問題となるのは下方視したときに生じる眼位不同であり，プリズム眼鏡を処方し補正が必要な場合もある．眼鏡フレームの天地幅が狭いものを用いることで，対象を光学中心でとらえて上下のプリズム効果を最小限に抑えたり，不等像視・プリズム作用を極力小さくするために，睫毛がレンズに接触しない程度にVDを短くしたり，非球面レンズを用いることも効果的である．コンタクトレンズによる矯正は，臨床的には不等像視も少なく側方視でのプリズム効果による問題もないため，これらの点において眼鏡矯正よりも優れている．

小児の近視性不同視の眼鏡処方に対する留意点

近視性不同視で一方の眼の裸眼視力が比較的良好な場合は，眼鏡を装用しなくても日常生活に不便を生じないが，不同視差が大きい場合には，不同視弱視を生じていることがあり完全矯正が必要になる．不二門は，弱視がなくとも不同視差が1.5～2D以上ある場合は，両眼視機能を考えると完全矯正に近い眼鏡処方が望ましく，不同視差が4Dを超える場合は，年長児であればコンタクトレンズを勧めると述べている[16)]．

なお，小児の軸性不同視の場合は中枢神経系の適応能力が高いため，3～4Dの不同視でも眼鏡による完全矯正が可能である．検査時の装用テストで違和感がない場合は，眼鏡レンズによる不等像視が問題にならない場合も多い．一方，屈折性の不同視（片眼の無水晶体眼など）では，不等像視の限界（4～7%）を超える場合，コンタクトレンズによる矯正が必要になる[16)]．複雑な病態を示す不同視症例では個々の症例で不等像視を測定しながら，コンタクトレンズによる矯正も含めて最適な屈折矯正方法を検討する必要がある．

斜視を伴う近視での注意点

調節と輻湊の共存バランスを考慮する

調節作用と輻湊運動は密接に関係する．調節刺激を与えた場合には調節性輻湊が生じ，輻湊刺激を与えた場合は輻湊性調節が生じる．2つの運動が共存して生じることで，いわゆる近見反応が形成される（**図13**）[21)]．屈折異常が矯正されていない場合は，その眼の調節は屈折異常の種類と程度によって明らかに異なる状態となる．そして屈折異常眼の調節状態は眼位とも密接に関連する．このため，斜視を伴う近視では，両眼視，輻湊，調節機能に配慮したうえで，度数決定を行う必要がある．

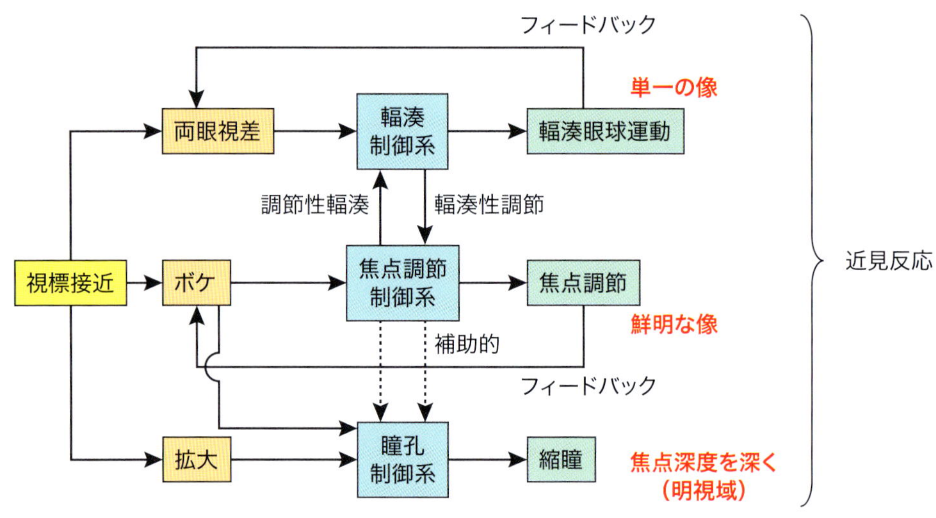

図 13　調節－輻湊の制御機構と近見反応　（文献 21 より引用改変）

近視眼鏡が調節に与える影響

近視を完全矯正することで近視眼は正視に類似した状態となり，調節と輻湊との平衡が維持できる．正視眼と比較し，眼鏡矯正によって調節機能がどのように変化するかを理解しておくことは，特に斜視を伴う近視を矯正するうえで重要である．

所は，20～30 歳の正視眼群と近視群（−3.50～−0.51 D）を対象に，前面開放型オプトメータによる他覚的調節力検査法を用いて，近視眼の裸眼状態と完全矯正眼鏡装用時の調節刺激に対する調節反応量の変化を測定した（図 14）[22]．矯正されていない近視群では，その眼の遠点付近で調節が始まるが，完全矯正眼鏡を装用させることで，正視群とほぼ類似した調節刺激と反応量との関係が認められる．完全矯正眼鏡を装用した近視群では正視群と同様に，低調節刺激で緊張性調節（tonic accommodation）がみられ，強い調節刺激では調節ラグ（lag of accommodation）が認められた．

さらに所は，完全矯正眼鏡の装用で人工的に正視状態となった近視眼の調節反応と，正視眼の調節反応の違いを詳細に検討した[22]．この結果，調節刺激量 0.5 D での調節性緊張は，完全矯正された近視群のほうが正視群に比べて有意に大きく，調節刺激量 5.0 D での調節ラグには有意差はないものの，近視群で大きい傾向が認められた．完全矯正された近視群の調節性緊張が大きい点に関しては瞳孔径の影響を，調節ラグの増加に関しては縮瞳に伴う焦点深度の増加，収差，乱視などの影響もあるが，眼鏡装用による見かけの調節力の低下が関与している（近視眼鏡を装用した場合の見かけの調節力低下に関しては図 15 の関係を参照）[23] ものと推察した．

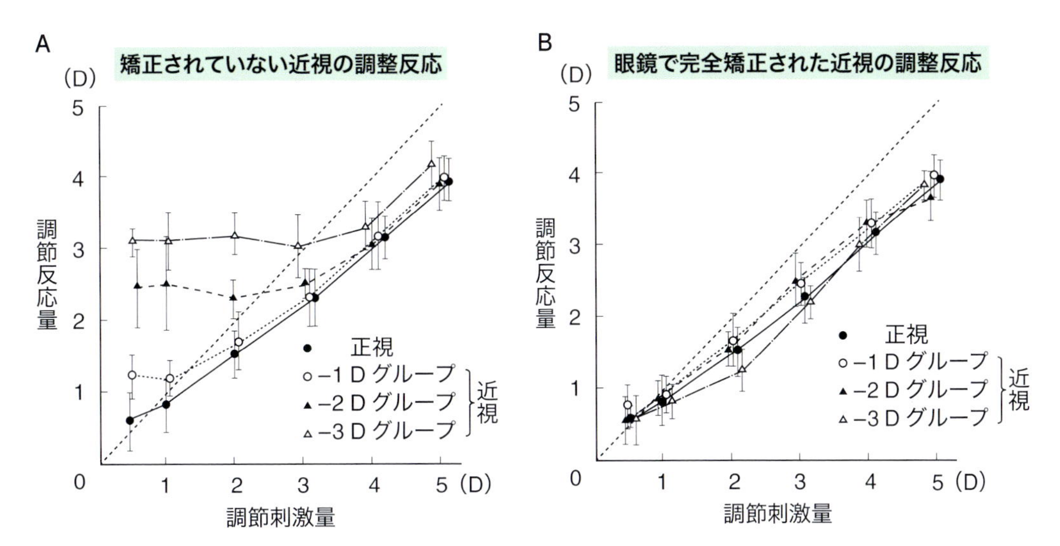

図 14　近視眼を眼鏡矯正した場合の調節力の変化

A：矯正されていない近視の調整反応．B：眼鏡で完全矯正された近視の調整反応．

（文献 22 より引用改変）

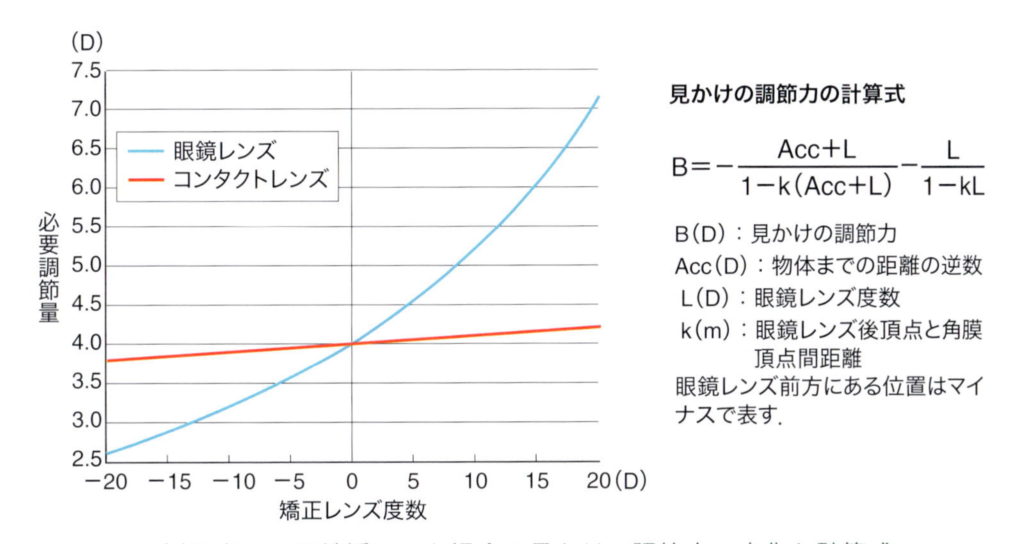

$$B=-\frac{Acc+L}{1-k(Acc+L)}-\frac{L}{1-kL}$$

図 15　屈折異常眼を眼鏡矯正した場合の見かけの調節力の変化と計算式

屈折異常眼を眼鏡で矯正した場合には，眼鏡レンズと角膜との間に隔たり（頂点間距離）があるため，必要調節力に変化が生じる．近視では実際の調節より少なくてよく，遠視では多く調節しなければならない．これを見かけの調節力という．

（文献 23 より引用改変）

外斜位・外斜視

近視では外斜傾向になることが多い

眼位に関しては，屈折異常と眼位には関連がないとの報告もあるが，近視では調節性輻湊が不十分であるため外斜傾向になることが多い．1987 年に山下ら[24]は，東京都内の小・中・高校生 1,790 人を対象に屈折度と眼位異常の関係を調査し，近視の増加とともに外斜位・外斜視（間欠性を含む）の頻度が増加することを示した（**図**

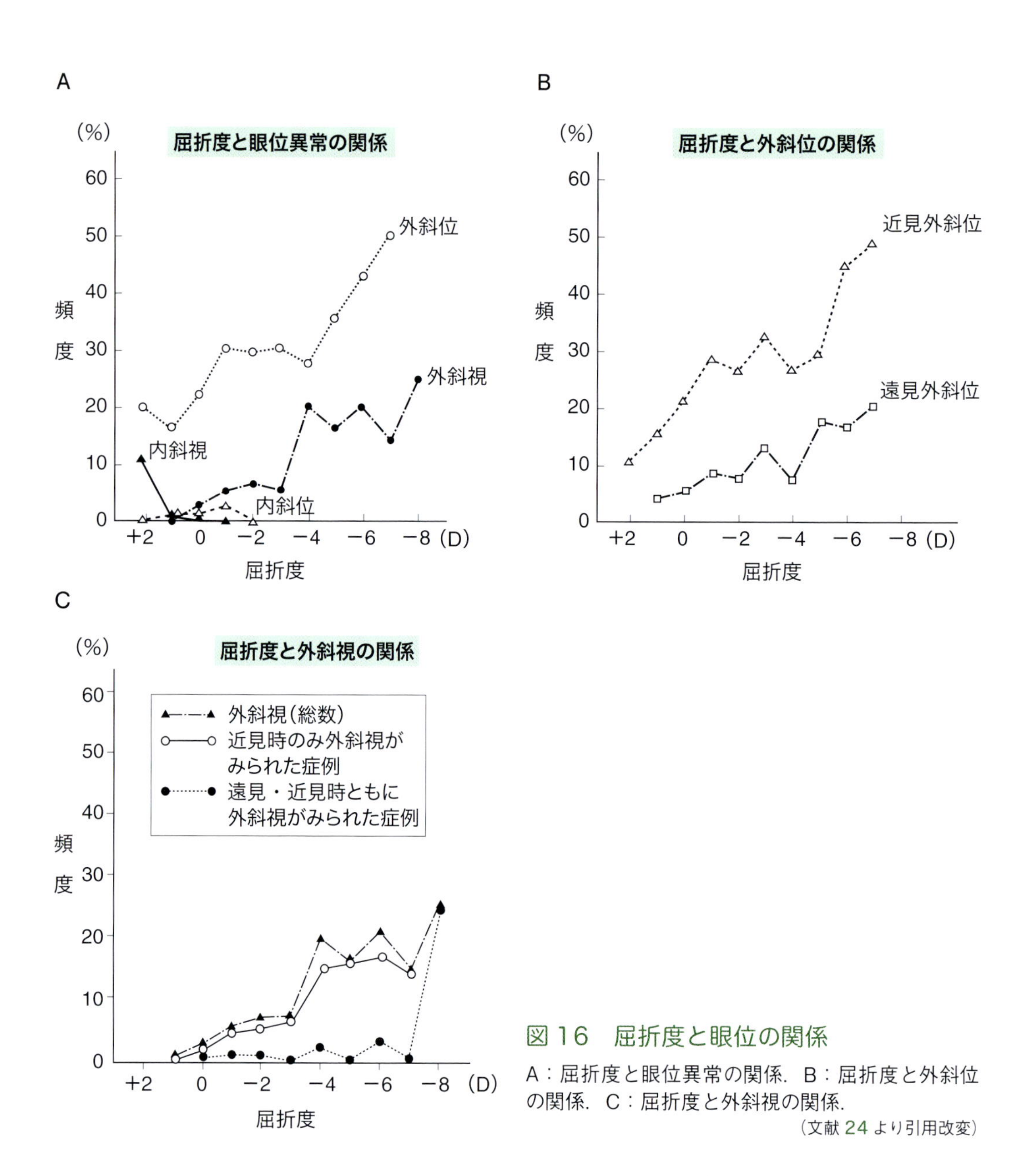

図 16　屈折度と眼位の関係

A：屈折度と眼位異常の関係．B：屈折度と外斜位の関係．C：屈折度と外斜視の関係．

（文献 24 より引用改変）

16 A)．また，屈折度と外斜位の関係を調査し，近視では近見外斜位が遠見外斜位よりも頻度が高く，また両者とも近視度数が強くなるほど頻度が高くなることを示した(**図 16 B**)．さらに，屈折度と外斜視との関係を，遠見・近見時の両方で外斜視がみられるものと，近見時のみ間欠性外斜視がみられるものの 2 群に分けて検討し，近視の増加に伴う外斜視の増加は，後者の近見時のみ間欠性外斜視の増加に影響されることを示した(**図 16 C**)．すなわち，近視眼では AC/A 比が低い傾向にあることが示された．

外斜位・外斜視を伴う近視への眼鏡処方

未矯正・低矯正の近視がもたらす眼位への弊害

未矯正・低矯正の近視眼では，遠点を越えた遠方視では調節性輻湊がほとんど惹起されない．また近業での調節必要量は正視眼と比較して少ないため，これに伴う調節性輻湊も少なくなる．通常であれば相対輻湊幅に補正されて外斜視になることはないが，長期間近視を矯正しないで放置した場合はAC/A比の正常発達が阻害されて，輻湊不全型の外斜視を発症する可能性がある．近視眼鏡を装用することで近業時の調節必要量が増加し，調節と輻湊の平衡が保たれ，外斜位や外斜視は軽減する．近見眼位が遠見眼位より10Δ以上大きい輻湊不全型外斜視を示している症例でも，完全矯正して眼位を再測定すると調節性輻湊が誘発されて基礎型外斜視となる症例もあるので，外斜視では眼位測定および眼位コントロールの判定時には，必ず近視を完全矯正して行う．ただし，外来で初めて完全矯正してもその効果はすぐに発揮されるものではないので，完全矯正の眼鏡処方を行い，数ヵ月反応をみることも考慮する[25]．

また，近視が未矯正や低矯正で遠見視力が不良であると，遠見での像のボケが生じ融像性輻湊が誘発されにくく，間欠性外斜視では遠見での外斜視が顕性化する頻度が増加することが多い[25]．片眼近視の場合は，近見時は近視眼が固視眼となるが，遠見時は近視眼が斜視眼となり，外斜視が顕性化する頻度が多くなる．いずれも，完全矯正眼鏡を常用させることで，外斜視の頻度・角度の改善が得られる．遠見の裸眼視力が比較的良好で日常生活に支障がない場合でも，間欠性外斜視の眼鏡処方は完全矯正で行い，眼鏡も常用させたほうがよい．近視を低矯正にする必要はない．

近視を伴う間欠性外斜視への過矯正マイナスレンズ療法の是非

近視を伴う間欠性外斜視に対して，遠見視力が低下しない程度で1.00～2.50Dの過矯正眼鏡を処方して調節性輻湊を誘発して斜位に持ち込む過矯正マイナスレンズ療法がある．わが国ではあまり一般的ではないが，欧米では間欠性外斜視治療の第一選択として用いられており，約50%を超える効果が報告されている．しかしこの治療法は，過矯正眼鏡の装用によって近視の進行が有意に早まる問題があるだけでなく，長期的検討が不十分であること，調節への影響，過矯正レンズをやめたときの眼位コントロールをどうするかの課題もあるため，現時点では積極的に推奨しない[25]．

近視性不同視を伴う外斜視への眼鏡処方

不同視症例のなかには，近見時と遠見時で固視眼を交代視している症例がある[25]．間欠性外斜視では両眼視機能が発揮できない状態となるため，外斜視が顕性化して眼位コントロールが不良となる．眼位を斜位に維持するためには両眼の調節域を同等にし，調節性輻湊，融像性輻湊が惹起されるように完全屈折眼鏡を処方したほうがよい．

斜位近視

斜位近視は，斜視角の比較的大きい間欠性外斜視に伴うことがあり，完全屈折矯正眼鏡装用時の片眼ずつの視力値は良好なのに，両眼視の際に近視化が生じて両眼遠見視力の低下を訴える状態である．他覚的には両眼視時の縮瞳が認められる．両眼視した際の遠見視力の低下は，調節性輻湊を働かせて眼の外方偏位を正位にしたことで近視化した結果生じたものである[25)]．両眼開放視力検査を行った際に，片眼ずつの視力よりもマイナスのレンズを加入しないと矯正されない場合も，斜位近視の可能性を考える．斜位近視は，調節力が不足する年齢になって発症することが多く，小児では少ない．遠方視時に外斜視の状態では鮮明に見えていた像が，外斜位で両眼視した状態ではぼやけて見えるが，斜位近視の小児では両眼視時の視力低下を自覚しないこともある．

オートレフラクトメータでは両眼視での屈折検査ができないため，従来は検影法を用いて片眼視時と両眼視時の屈折値を検査し，両眼視時に近視化と縮瞳が認められることで診断されてきた．近年，Spot™ Vision Screener などの機器を用いて，被検者に近づかずに両眼視時の屈折値が容易に測定できるようになった．プリズム眼鏡の装用によって眼位を矯正することもあるが，斜位近視の根本治療は，眼位矯正手術である．眼鏡処方の際にはシクロペントラート塩酸塩調節麻痺下屈折検査を行い度数を決定する．その際，両眼視時の近視化した屈折値での眼鏡処方はしない．

内斜位・内斜視

内斜位・内斜視を伴う近視への眼鏡処方

頻度は低いが矯正前に内斜位がある症例では，近視を矯正することで近業での調節必要量が増加し，内斜位が悪化する可能性がある[26)]．また矯正前に内斜位がない症例でも，近視眼鏡処方後に眼精疲労や複視を訴える小児では，近視眼鏡を装用することで近業での調節必要量が増加し，近見時に内斜位や内斜視が生じている可能性がある．このため，眼鏡装用下での遠見・近見眼位の確認をすることが大切である．内斜位は運動性融像で代償されにくいため複視が生じやすく，輻湊と調節の相互作用から調節反応が低下し，近業時に霧視や眼精疲労を生じる．内斜位を伴う近視，もしく近視眼鏡装用下で近見内斜位が生じる場合は，低矯正の近視眼鏡を処方するか累進屈折力眼鏡を処方することで，調節性輻湊を軽減させる必要がある．

内斜視の小児に対する眼鏡処方には，アトロピン硫酸塩調節麻痺下屈折検査が必須である．

調節性内斜視への眼鏡処方

屈折性調節性内斜視と部分調節性内斜視は，成長とともに遠視と内斜視が減少することがある[25)]．年齢が上がって調節麻痺下屈折検査を行っても近視となり，内斜視もなくなった場合は，近視眼鏡を処方する．しかし近視眼鏡装用後も，内斜視の再発がないかを経過観察する．

非屈折性調節性内斜視はAC/A比が高いために起こる内斜視で，近見眼位が遠見眼位より10Δ以上大きいものをいう．近見眼位は，眼鏡の近用部に＋3.0 D程度の凸レンズを加入することで正常化する．非屈折性部分調節性内斜視は，眼鏡の近用部に＋3.0 D程度の凸レンズを加入することで近見眼位が改善するが，正位にはならず内斜視が残るものである．これらは経過観察中に近視化が進み，遠見は近視で近見は内斜視という場合もありうる．この場合は，調節麻痺下屈折検査の結果をもとに，近視眼鏡に近見＋3.0 D程度の凸レンズを加入した累進多屈折眼鏡や，二重焦点眼鏡を処方する．

非調節性内斜視への眼鏡処方

完全矯正眼鏡を装用しても眼位が改善しない内斜視である[25]．近視を伴う非調節性内斜視に近視眼鏡を処方すると近業での調節必要量が増加し，もともとあった内斜視が増悪することや，近見時に内斜視が発症することがあり，複視や眼精疲労を生じることもある．非調節性内斜視を伴う小児の近視では，眼鏡装用テストを30分以上行った後，遠見・近見での眼位を確認したうえで処方度数を決定する．眼位が悪化する場合は，遠近眼位と視力をみながら，低矯正眼鏡を処方する．もし近見のみ内斜視が増悪する場合は，累進多屈折力眼鏡を処方する．眼鏡処方後は常用し，1ヵ月後に遠見・近見の視力と眼位を確認する必要がある．また，眼鏡装用前に内斜視がなかった小児であっても同様の確認が必要である．

急性後天共同性内斜視の原因と治療

急性内斜視の発症機序は不明であるが，ストレス，高熱，外傷，頭蓋内病変などで発症することがある[25]．近年はスマートフォンなどを至近距離で長時間使用することによって斜視を発症し，使用制限で斜視角が減少する若年齢の報告が増加している．長時間休憩なく至近距離を凝視することで，調節作用と輻湊運動のバランスが崩れることが原因と考えられている．また未矯正や低矯正の近視眼で，短い視距離での近業や，遠方を明視しない生活習慣がある若年者が，間欠的な遠見内斜視から恒常性内斜視へと移行する症例も増えている．治療は，調節麻痺下屈折検査後に適切な近視眼鏡を処方して，近業時に適切な視距離を保つことと，スマートフォンの使用制限を行うことである．改善しない場合，プリズム治療や眼位矯正手術を選択する．

レンズ中心間距離（心取り点間距離）の決定

瞳孔間距離の決定

眼鏡処方時には，処方するレンズの度数決定とともに瞳孔間距離（PD）を決定する必要がある．

瞳孔中心での計測法(図 17)[13)]

①検者の頭越しに遠方の物体を見てもらい，上眼瞼または下眼瞼に物差しを当てる
②被検者の右眼の瞳孔中心から鼻根部中央までの距離を，検者の左眼で読み取る
③被検者の左眼の瞳孔中心から鼻根部中央までの距離を，検者の右眼で読み取る
　瞳孔中心の確認には角膜反射像を用いるとよい
④計測結果は左右別々に記載を行う

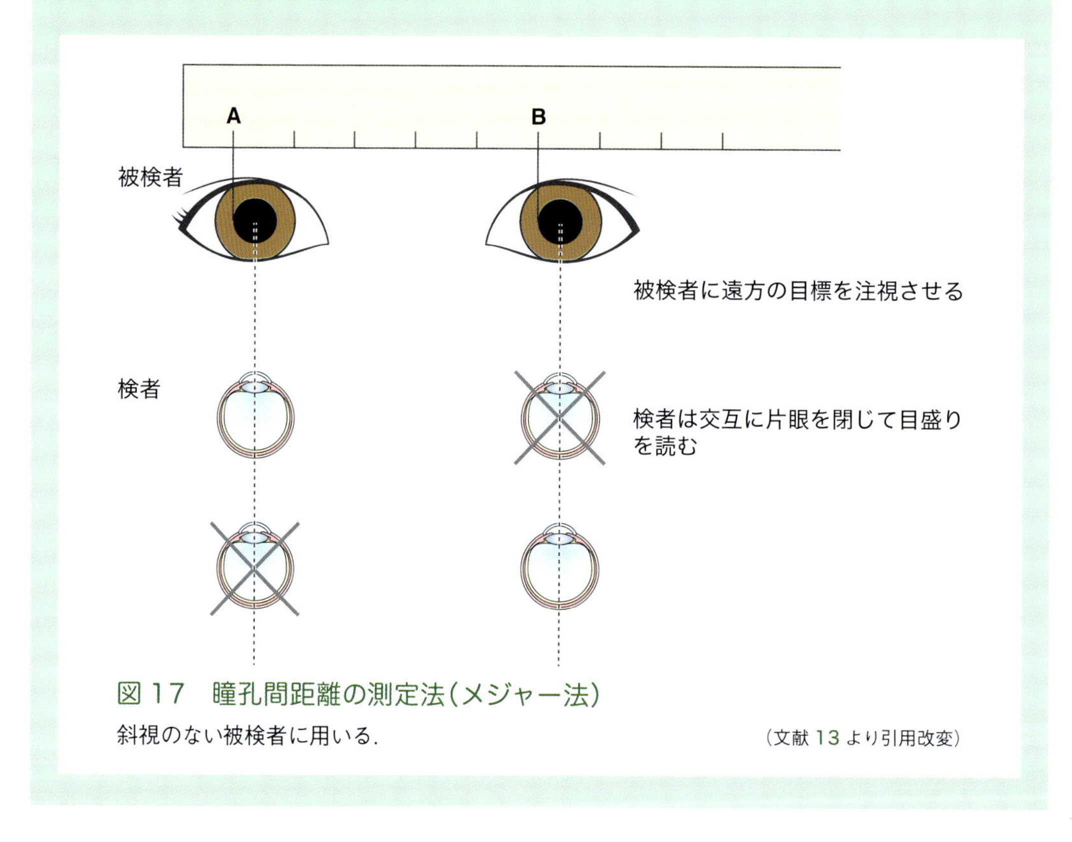

図 17　瞳孔間距離の測定法(メジャー法)
斜視のない被検者に用いる．
(文献 13 より引用改変)

しかし，アジア人では虹彩の色素が濃く瞳孔中心での瞳孔間距離の計測が難しい．さらに小児では，検査中の頭位の固定が困難で固視の持続も不安定である．計測が難しい場合は，瞳孔中心ではなく，角膜輪部を目印として計測を行うと簡便である．

角膜輪部を目印とした計測法(図 18)[26)]

①被検者の右眼の輪部の位置を，検者の左眼で読み取る
②被検者の左眼の輪部の位置を，検者の右眼で読み取る
③左右別々ではないが，瞳孔間距離の計測が可能

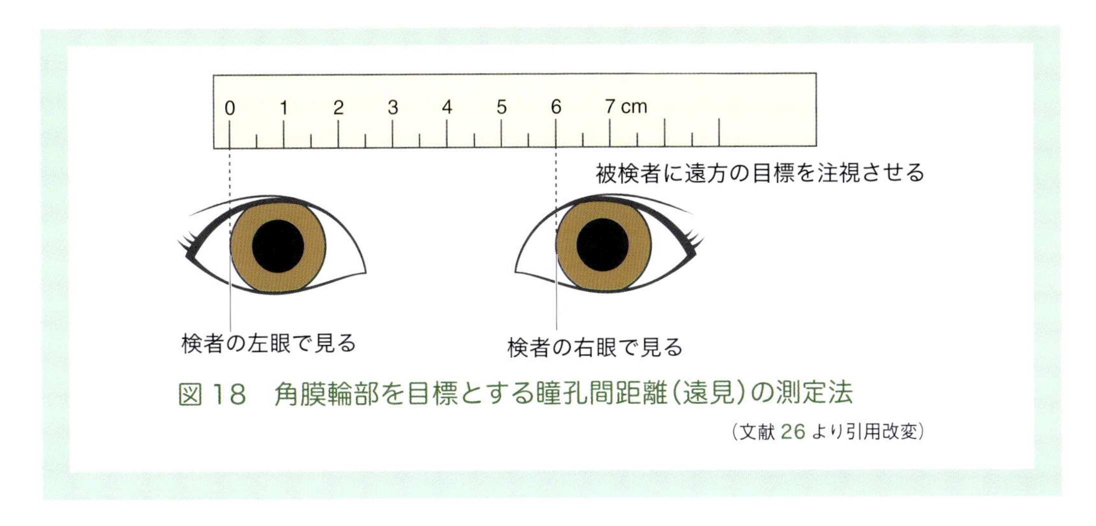

図 18　角膜輪部を目標とする瞳孔間距離（遠見）の測定法

（文献 26 より引用改変）

なお，検者が片眼をつぶり対側の被検者の眼を計測するのは，視線の方向が変わることによる計測誤差を避けるためである．

レンズ中心間距離の算出

本来の PD は前述のように，正面に遠方視した無調節状態での瞳孔中心間の距離である．しかし，眼鏡処方箋上で慣用されている瞳孔間距離とは眼鏡レンズ中心間距離〔心取り点間距離（centration distance：CD）〕であり，本来の PD から算出したものである[13]．眼鏡処方箋上で“瞳孔間距離”という言葉を使用する際には，PD と CD を混同しないようにする必要がある．

小児の近視眼鏡のレンズ中心間距離は，小児では十分な調節力があり近視眼鏡を用いて近方視も行うことを考慮して，左右の遠見実測値から各々 1 mm ずつ引いた値とする（PD −2 mm）．遠方視ではレンズ中心の 1 mm 外側，中間距離ではレンズ中心，近方視ではレンズ中心の 1 mm 内側を通して見ることになり，レンズのプリズム効果が最小限に抑えられるためである．

輻湊不全や外斜位を伴う場合

一方で輻湊不全や外斜位を伴う場合は，レンズのプリズム効果を利用してレンズ中心間距離を決定することもある．通常の凹レンズは**図 19** に示すようなプリズムの集まりと考えられる[27]．レンズ中心位置を瞳孔中心から偏心させることで，プリズム効果が生じる．眼鏡レンズのプリズム効果は Prentice の法則から算出できる．

Prentice の法則（図 19）

レンズ中心間距離を規定の値より長く処方すると，輻湊が不良な近視や近視の外斜位では，凹レンズを用いた基底内方のプリズム効果が生じ，輻湊不全や斜位をある程度矯正することが可能となる．以上の点から従来，輻湊不全や外斜位を伴う症例では，PD の計測値そのままを CD としたほうが都合がよいとされていた．しかし近年は，非球面レンズ（大口径高屈折率プラスチックレンズなど）を用いて眼鏡を作製することが多い．非球面レンズでは，レンズ周辺で度数ずれと乱視が計測され収差が

外斜視→基底内方で矯正

レンズ中心間距離→長くする

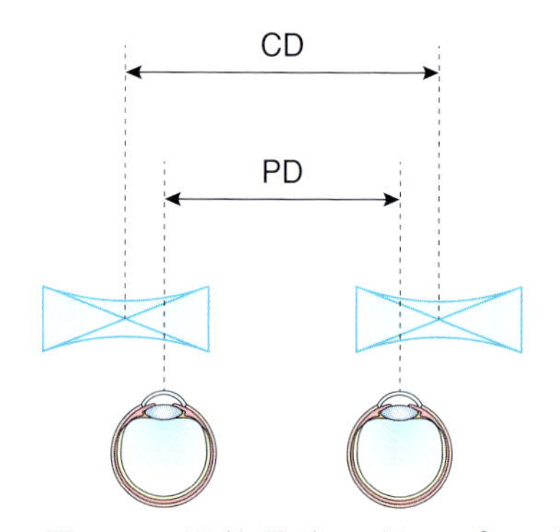

内斜視→基底外方で矯正

レンズ中心間距離→短くする

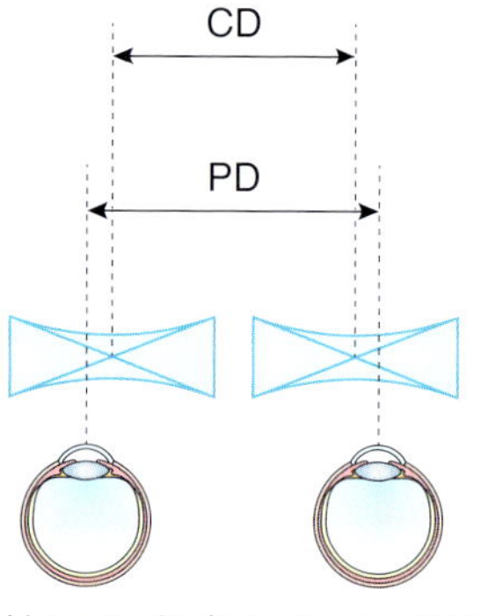

Prentice の法則

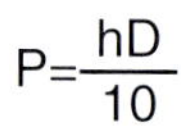

$$P=\frac{hD}{10}$$

P(Δ)：プリズムジオプトリ
h(mm)：レンズの光心からの偏位量
D(D)：眼鏡レンズ度数

図 19　眼位異常に対しプリズム効果を考慮した近視眼鏡の心取り点間距離の処方とPrentice の法則
（文献 27 より引用改変）

増加するため，Prentice の法則を応用するには注意が必要となる．近年は非球面レンズを使用する頻度が高いため，もしレンズの中心が瞳孔からずれていると見えづらさが生じることから，PD は正確に合わせて，斜位などの問題に対してはプリズムを追加することで対応するほうがよい．

フィッティング状態の確認

処方後は，出来上がった眼鏡のフィッティング状態を確認する必要がある．視線がレンズの光学的中心を通り，レンズに直行していることが大切である．

簡便な方法では，直像鏡を 2 m ほど離して徹照しながら光源を固視させたとき，眼鏡レンズの前面，同後面および角膜の 3 ヵ所からの反射光が一点に重なっているかどうかを確認する．次に，小児の近視の単焦点眼鏡の処方では，側面から見て頂点間距離（角膜頂点からレンズ後頂点までの距離：VD）が 12 mm，前傾角（顔面に対するレンズ面の傾斜角）が 10° であることを確認する．

望ましい前傾角

眼鏡レンズは角膜から 12 mm 離して装用したときにレンズの収差が最小になるように設計されているため，12 mm で正確に装用させる．完全矯正眼鏡を処方した際に，装用距離が 12 mm より短い場合は過矯正となる．

また，眼鏡レンズの前傾に伴うレンズの光心位置の上下方向への偏位は，**図 20** に示す関係で表される[13)]．前傾角が 5° では，レンズ光心位置は遠方を見たときの視線の下方 2.2 mm，前傾角 10° では下方 4.4 mm，前傾角 15° では下方 6.7 mm となる．小児の近視眼鏡は遠方視・近方視の両方で用いるため，前傾角 10° が望ましい（なお，遠用専用眼鏡では 5°，近用専用眼鏡では 15° がよい）．

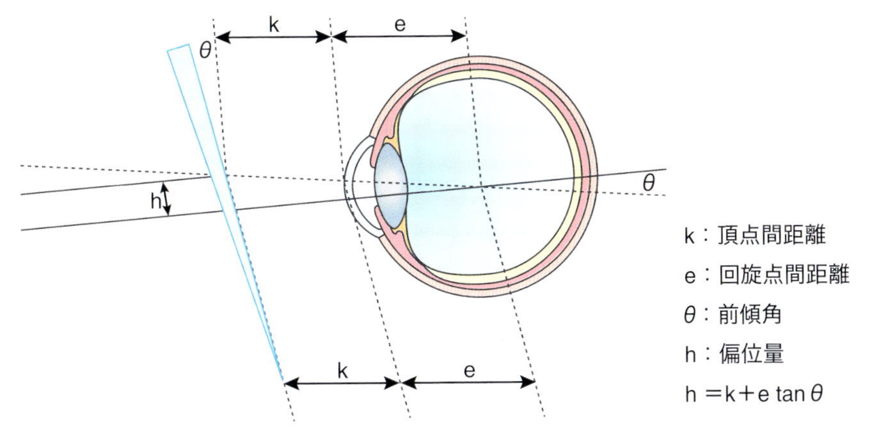

図 20　眼鏡レンズの前傾角とレンズ光心位置の上下方向への偏位量との関係
（文献 13 より引用改変）

また，遠見では視線は眼鏡レンズ面に対して直行しても，近見では輻湊するため傾きが生じる．視線はレンズ面に対して直行することが望ましいため，左右のレンズの光軸もわずかに内側に傾斜するように作製する．

望ましい眼鏡フレーム

眼鏡フレームの材質に関しては，小児では鼻骨が未発達で鼻根部が低いため，フレームはプラスチックで鼻パッドを高くしたものがよい．さらにテンプルの長さを調整できる 2 段曲げのテンプルモダンが望ましい．しかし実際には多くの小児が，鼻パッドが潰れやすく手で簡単に曲げることのできるメタルフレームを使用している．眼鏡のフィッティングに問題がある場合は，眼鏡店で調整するよう指導する．

実際の眼鏡処方例（ケーススタディ）

幼児期からみられる強度近視

症例①：6 歳 2 ヵ月，男児

主訴と経過

40 週 3,470 g で出生．テレビに近づいて見る，眼を細めるなどがあり，3 歳児健診で両眼の視力不良がわかったとのことで来院した．家族歴として，母親は近視が強い（コンタクトレンズは両眼−7.50 D を使用）とのこと．

初診時検査結果

3歳1ヵ月時

視力：遠見　絵視標　BV＝0.08

近見　森実式ドットカード（くま）　BV＝0.4

屈折：非調節麻痺下

R：S－5.75 D⊃C－1.00 D Ax170°

L：S－5.00 D⊃C－1.25 D Ax170°

シクロペントラート塩酸塩調節麻痺下

R：S－5.25 D⊃C－1.50 D Ax170°

L：S－5.25 D⊃C－1.25 D Ax170°

眼位・眼球運動：異常なし

両眼視機能：立体視　Lang stereotest Ⅰ　all＋

前眼部・中間透光体：異常なし

眼底：両視神経乳頭に異常なし．紋理眼底を認める

本症例の問題点

本症例は，年齢に比して強い両近視性乱視を認めている．幼児期から強度近視を認める全身疾患としては，Stickler 症候群，Wagner 症候群，Marfan 症候群，Ehlers-Danlos 症候群，Down 症候群などが知られている．また，Leber 先天黒内障，完全型の先天停在性夜盲，網膜色素変性症，網膜有髄神経線維，未熟児網膜症などの網膜疾患でも強度近視がみられる．幼児期から強度近視を認める場合，全身疾患や網膜疾患の検索が大切である．

本症例は，顔貌から Stickler 症候群の可能性は低く，完全型の先天停在性夜盲が疑われるが，夜盲症状については年齢のこともありはっきりしていない．まだ3歳のため，必要であれば成長を待って網膜電図などによる電気生理学的検査を施行したいと考えていた．

実際の処方のポイント

初診時3歳1ヵ月であり近見が中心の生活を送っていると考えられるため，眼鏡はやや近見に合わせて1Dの低矯正で処方した．

眼鏡処方：R：S－4.25 D⊃C－1.25 D Ax170°

L：S－4.25 D⊃C－1.25 D Ax170°　（PD 54 mm）

6ヵ月後，眼鏡装用は定着していなかったが，以後装用時間が延びるようになり，終日装用となった．

約1年後の4歳3ヵ月時に両眼の度数を－0.50 D強くし，瞳孔間距離も広げて再処方した．

眼鏡処方：R：S－4.75 D⊃C－1.25 D Ax170°

L：S－4.75 D⊃C－1.25 D Ax170°　（PD 56 mm）

まだ眼鏡は低矯正の状態であるが，4 歳 11ヵ月時で視力（遠見）は，
RV＝0.04（0.4×glass），LV＝0.04（0.4×glass），BV＝（0.5×glasses）
であった．4ヵ月後に再度，眼鏡度数を強くするかどうかを検討することにした．このときまで非調節麻痺下での屈折値には，ほとんど変化がみられていない．その後しばらく来院がなく，6 歳 1ヵ月時に 1 年 2ヵ月ぶりに来院した．視力（遠見）は，
RV＝（0.15×glass）（0.9×S－6.50 D⌒C－1.25 D Ax170°）
LV＝（0.2×glass）（0.8×S－6.25 D⌒C－1.50 D Ax175°）
となっており，近視進行がみられた．

シクロペントラート塩酸塩調節麻痺下での屈折値は，
R：S－6.00 D⌒C－1.25 D Ax170°，L：S－6.00 D⌒C－1.25 D Ax175°
となっていた．すでに近視が強いため，現在の眼鏡から大きな度数変更は困難と考え，1ヵ月後の再処方を伝えたうえで－0.75 D ずつ強くして処方した．

眼鏡処方：R：S－5.50 D⌒C－1.25 D Ax170°
L：S－5.50 D⌒C－1.25 D Ax175°　（PD 58 mm）

6 歳 2ヵ月時，視力は，
RV＝（0.6×glass）（1.0×S－6.50 D⌒C－1.25 D Ax170°）
LV＝（0.7×glass）（1.0×S－6.25 D⌒C－1.50 D Ax170°）
となり，就学にあわせて眼鏡を再処方した．

眼鏡処方：R：－6.00 D⌒C－1.25 D Ax170°
L：－5.75 D⌒C－1.50 D Ax175°　（PD 58 mm）

夜盲症状はないことがはっきりしたため，網膜電図は行っていない．

近視や近視性乱視の場合，矯正すると遠見視力が良くなるため眼鏡装用の定着が早いように思うが，実際には本症例のように時間がかかることも多い．近視度数が強い場合は，おそらく屈折異常弱視と同様，近視であっても眼鏡装用によって良く見えるという感覚が出るまで時間がかかるものと思われる．

通常，年長児になると就学にあわせて眼鏡度数は遠見適矯正にあわせ直すことが多い．しかし近視度数が強い場合，実際には物が小さく見えるため，小児であっても近くの細かいものを見ようとするときに，眼鏡を外して極端に近づいて見ることがある．このため眼鏡度数に関しては，今後の小児の成長と活動状態をみながら，どの距離に合わせていくかを慎重に検討する必要がある．本症例でも，成長と就学にあわせて，少しずつ遠見視力が良くなるように眼鏡度数を変更してきている．

保護者への対応

母親自身に強い近視があり，近視と眼鏡装用への家族の理解は良好であった．眼鏡再処方や視力の状態については，診察の度に説明している．

就学にあわせて眼鏡を処方する近視

症例②：5 歳，女児

主訴と経過

3 歳児健診で視力不良を指摘され，精査目的に来院した．家族歴に特記すべきことなし．

初診時検査結果

3 歳 5ヵ月時

視力：遠見　ランドルト環字ひとつハンドル使用　BV＝0.3
　　　　絵視標　BV＝0.5，RV＝0.3，LV＝0.3
　　　　　R：S－0.75 D⊃C－0.50 D Ax90°
　　　　　L：S－0.75 D⊃C－0.50 D Ax90°
　　　　　上記装用で BV＝(1.0)

屈折：非調節麻痺下
　　R：S－0.75 D⊃C－0.50 D Ax100°
　　L：S－1.25 D⊃C－0.25 D Ax100°
　シクロペントラート塩酸塩調節麻痺下
　　R：S－0.75 D⊃C－0.50 D Ax100°
　　L：S－0.75 D⊃C－0.50 D Ax110°

眼位：遠見・近見　正位

両眼視機能：立体視　Lang stereotest Ⅰ，Ⅱ　all＋

前眼部・中間透光体・眼底：異常なし

本症例の問題点

両軽度近視性乱視のみで，眼鏡装用下の視力は良好であり，弱視はない．3 歳であり，保育所や家庭での生活においても支障が出ないことが予想され，また実際に眼を細めたり近づいて見ようとするなどの様子はみられない．このまま近視度数に変化がないかどうかを定期的に検査し，眼鏡装用は就学にあわせて行えばよいと考えられる．その後，4ヵ月ごとの定期検査を施行した．

実際の処方のポイント

近視度数は経過観察中にやや強くなっており，就学にあわせて 6ヵ月前の 9 月末に眼鏡を処方した．近視度数は過矯正とならないように，視力を慎重に測定して処方している．

5 歳 11ヵ月時の検査結果

視力：遠見　ランドルト環字ひとつ　BV＝0.5
　　　　RV＝0.2(1.0×S－1.50 D)，LV＝0.4(1.0×S－1.25 D)
　　近見　ランドルト環字ひとつ　RV＝1.0，LV＝1.0

屈折：非調節麻痺下　R：S−2.00 D，L：S−1.75 D
眼位：遠見・近見　正位
両眼視機能：立体視　TNO stereo test　120sec＋
前眼部・中間透光体・眼底：異常なし
眼鏡処方：R：S−1.50 D，L：S−1.25 D　（PD 54 mm）

本症例では3歳児健診という早期に近視が判明しているが，軽度で弱視や斜視の合併がないため，眼鏡を処方せず経過をみた．

保育所での生活と異なり，学校生活では行動範囲が広くなって遠方視力の必要性が高くなるため，小学校低学年では両眼で0.7以上の視力が必要とされる．なお，3歳児でやや強い近視がみられ，近づいて見ようとする，眼を細めるなどの行動がみられる場合は，もう少し早い時期に眼鏡を処方していくことが多い．

保護者，園や学校への対応

母親へは，3歳の時点で眼の状態について説明を行った．また，年長の秋ごろからは就学にあわせて眼鏡装用に慣れたほうがよいと思うことを伝え，眼鏡を処方した．眼鏡装用によりいじめられることもあるため，保育所へは視力や眼鏡装用の目的などについて文書で保護者を通じて説明を行った．就学に際しては，同様に小学校に対しても説明を行った．

進行する近視にあわせた眼鏡の再処方

症例③：10歳，女児

主訴と経過

就学前の眼科健診を希望し来院した．

初診時検査結果

● 6歳5ヵ月時

視力：遠見　BV＝0.9，RV＝0.7(1.2×C−1.25 D Ax90°)
　　　　　　　　　　LV＝0.7(1.2×C−1.00 D Ax100°)
　　　近見　RV＝0.9，LV＝0.9
屈折：非調節麻痺下　R：C−1.50 D Ax90°，L：C−1.00 D Ax100°
　　　シクロペントラート塩酸塩調節麻痺下　R：S＋0.50 D⊃C−1.25 D Ax85°
　　　　　　　　　　　　　　　　　　　　L：S＋0.50 D⊃C−1.00 D Ax100°
眼位：遠見・近見　正位
両眼視機能：立体視　TNO stereo test　120sec＋
前眼部・中間透光体・眼底：異常なし

本症例の問題点

日本人の小児では，直乱視がほとんどである．本症例では初診時に両混合倒乱視を認めているが，倒乱視は，直乱視に比べ少ない乱視度数で視力低下をきたしやすく，また眼精疲労を起こしやすい点に注意が必要である．

実際の処方のポイント

初診時は両眼視力 0.9 と比較的良好であり，弱視はない．このためすぐに眼鏡を処方せず経過をみることとした．3ヵ月後，就学して2ヵ月経ったときに行った定期検査で，近くが見えにくいという訴えがみられ，

RV＝0.8(1.0×S＋0.50 D⊃C－1.25 D Ax85°)

LV＝0.8(1.0×S＋0.50 D⊃C－1.00 D Ax100°)

であり，眼鏡をかけると文字がよく見えるという自覚があったため，PD 51 mm で眼鏡を処方した．

● 7歳6ヵ月時の検査結果(1年1ヵ月後)

視力：遠見　RV＝(0.5×glass)(1.0×C－1.50 D Ax85°)
　　　　　　LV＝(0.6×glass)(1.0×C－1.00 D Ax100°)

上記のように，混合乱視から近視性乱視への移行がみられた．

眼鏡の再処方：R：C－1.50 D Ax85°，L：C－1.00 D Ax100°　(PD 54 mm)

その後も近視の進行がみられ，8歳3ヵ月，9歳4ヵ月，9歳10ヵ月，10歳2ヵ月時に，眼鏡を再処方している．

● 10歳6ヵ月時の検査結果(4年1ヵ月後)

所持眼鏡：R：S－2.25 D⊃C－1.00 D Ax90°
　　　　　L：S－1.50 D⊃C－1.00 D Ax115°(10歳2ヵ月時再処方)

視力：遠見　RV＝(0.8×glass)(1.0×S－2.75 D⊃C－1.00 D Ax90°)
　　　　　　LV＝(0.6×glass)(1.0×S－2.00 D⊃C－1.00 D Ax115°)
　　　近見　RV＝(1.0×glass)，LV＝(1.0×glass)

屈折：非調節麻痺下
　　　R：S－3.50 D⊃C－1.00 D Ax90°
　　　L：S－2.50 D⊃C－1.00 D Ax135°

眼位：遠見・近見　正位

両眼視機能：立体視(眼鏡装用下) TNO stereo test　60sec＋

前眼部・中間透光体・眼底：異常なし

眼鏡の再処方：R：S－2.75 D⊃C－1.00 D Ax85°
　　　　　　　L：S－2.00 D⊃C－1.00 D Ax115°　(PD 55 mm)

近視は，7～11歳で速く進行するといわれている．本症例では9歳過ぎから近視の進行が速くなっており，4～5ヵ月ごとの診察で毎回眼鏡の再処方が必要になっている．このように近視進行が速い場合は，適切に定期検査を行って眼鏡度数を変更していく必要がある．

眼鏡度数の変更に対する慣れは個人差が大きいが，近視が－2.00 D を超えた場合，

異和感なく近視度数を変更できるのは1回に−0.50 D前後が多い．それ以上の度数変更だとクラクラするとの訴えが出ることが多く，その都度装用テストで確認が必要である．このため眼科定期受診が遅れ，近視が進行してしまった状態で来院した場合は，2～3ヵ月かけて，2回に分けて眼鏡の矯正度数を強くしていくこともある．

本症例は倒乱視であり，乱視度数そのものはあまり変化していないが，乱視度数を強くしたい場合は−0.25 Dずつの変更が無難である．近視度数も同時に強くする場合は，必ず装用テストが必要である．

4年間の経過で瞳孔間距離は4 mm大きくなっている．診察の都度，瞳孔間距離を確認することが大切である．レンズによるプリズム効果の影響もあるため，2 mmの変化があれば，眼鏡度数が同じであっても再処方を考慮する．

また，多くはないが近視進行の速い例のなかに，小児緑内障がみられることがある．このため，眼底検査で視神経乳頭の状態を定期的にみることや，一度は眼圧を測定しておくことも大切である．

保護者，園や学校への対応

本症例では本人および家族が納得したうえで，眼鏡の装用を開始することができた．保育所・幼稚園や小学校低学年で眼鏡装用を開始する場合，眼鏡の必要な状態を，保護者を通じてきちんと園(担任・園長・看護師)や学校(担任・養護教諭)に説明しておくと，年度替わりなどでも対応に手間取ることが少ない．近視進行の速い例では，眼鏡を適矯正に合わせても，次の診察までに低矯正になっていることも多い．このため大人数の教室では，座席をやや前にしてもらえるような配慮を依頼することもある．

−2.50 Dを超えた近視になると，水泳時に近視矯正レンズを入れたゴーグル(いわゆる度付きゴーグル)が必要となることも多い．度数は水中での屈折変化があるため球面レンズ度数かそれよりやや低めでよく，乱視を入れなければ既製品を使えるため比較的安価ですむ．

同様にスポーツ時にも，サッカーやバスケットボール，バレーボールなど身体がぶつかり合うことが多い競技では，度付きのスポーツゴーグルが必要となることも多い．小学生では自己管理が難しいため，安易にコンタクトレンズにすべきではないと考えている．

心因性視覚障害

症例④：10歳，女児

主訴と経過

今までの健診で裸眼視力は良好と言われていた．2ヵ月前の学校健診での裸眼視力は左右ともにA判定であった．1週間前から急に「見えにくい」と言って，本を近づけて読むようになった．

初診時検査結果

視力：RV＝0.1(n.c.)，LV＝0.1(n.c.)

屈折：非調節麻痺下(オートレフラクトメータ)

R：S−0.25 D，L：S+0.25 D⊃C−0.50 D Ax180°

眼位：正位

眼球運動：異常なし

両眼視機能：立体視　「見えにくい」とのことで検査不可

前眼部・中間透光体・眼底：異常なし

初診時の経過

検査終了後，待合室で 30 分過ごしてもらいその様子を観察すると，ずっと携帯ゲーム機でゲームをしていた．付き添ってきた母親もずっと自分のスマートフォンを見ていた．

視力再検査(初診時 2 回目)

RV＝0.02(1.0×S+3.00 D⊃S−3.00 D)

LV＝0.06(1.0×S+3.00 D⊃S−3.00 D)

「眼鏡をかけると良く見える」と言う．

診察室で話を聞く

4 人家族で両親ともに近視が強く眼鏡装用している．半年前から父親は米国に単身赴任中．8 歳の妹の視力は左右ともに A 判定で，最近，地域のピアノコンクールで優勝したため，母親と一緒に全国大会のための練習に毎日励んでいる．親友が左右ともに C 判定で眼科受診の結果，眼鏡処方され装用し始めた(母親)．親友の眼鏡を借りたら良く見えた(本人)．

診　断

レンズ打消し法で良好な視力が得られていることから，心因性視覚障害とする．

治療方針

まず保護者と本人に，視力は確認できているので重篤な疾患ではないということを説明する．保護者には，「見えにくい」と訴えることで精神的な問題提起を行っているので，児との会話を心掛けながら通院してもらうことが治療につながることが多いと説明する．通院中や待合室では積極的に会話をしてもらう．そのなかで家庭や学校生活などで原因となることがないか再考してもらう．

実際の処方のポイント

本症例では，児は眼鏡をかけたがっているので，場合によっては平面レンズの眼鏡を治療用に処方することもある．眼鏡処方箋には，治療用であることのコメントを記載する．眼鏡フレームは児の好きなデザインを選ばせるのもよい．

保護者への対応

児は実際に裸眼では見えにくい，あるいは「裸眼では見えにくい」と訴えることで精神的に不安定な状態をわかってもらおうとしているので，「どこも悪くないのに，見えていないふりをしている」や「仮病だ」などと，保護者が児に対して言わないようにアドバイスすることが重要である．

内斜視（アトロピン硫酸塩調節麻痺下屈折検査）

症例⑤：8 歳，女児

主訴と経過

3 歳 2 ヵ月で発症，初診した調節性内斜視．1 年前に新しく処方された完全屈折矯正眼鏡（R：S＋4.50 D，L：S＋4.25 D）を常用している．最近，眼鏡を装用すると見えにくく，装用を中止してしまった．

検査結果

視力：RV＝1.0（1.5×S－0.50 D），LV＝1.2（1.5×S－0.75 D）

屈折：非調節麻痺下　R：S－1.25 D，L：S－1.00 D
　　　アトロピン硫酸塩調節麻痺下　R：S＋4.00 D，L：S＋3.50 D

眼位：遠見・近見ともに 20Δ の内斜視．手持ちの眼鏡装用にて正位

眼球運動：異常なし

前眼部・中間透光体・眼底：異常なし

治療方針

まず，アトロピン硫酸塩調節麻痺下での屈折値（完全屈折矯正）の眼鏡を処方する．アトロピン硫酸塩は点眼を中止してからも効果が消失するのに 2 週間程度かかる．完全屈折矯正眼鏡は，調節麻痺効果が残存する間にできる限り早急に眼鏡装用を再開すると，装用可能となることが多い．しかし，調節麻痺効果が消失した後には装用不可能な場合もあるので，「期間内に医師の指示があれば 1 回に限りレンズ交換は無料」などレンズ交換補償のある眼鏡店で購入してもらうとよい．

実際の処方のポイント

眼鏡装用再開 1 ヵ月後に視力・眼位を確認する．完全屈折矯正眼鏡を装用すると視力が下がり見えにくくなる場合は，眼鏡の遠視度数を下げて装用テストを行い，できるだけアトロピン硫酸塩調節麻痺下での屈折値に近い装用可能な度数で，まず処方して常用してもらい，1 ヵ月後に視力・眼位を確認する．眼鏡装用下での視力・眼位が良好であれば，そのまま経過をみていく．眼鏡装用下で内斜視があれば，徐々に遠視度数を上げていくようにする．

保護者や学校への対応

保護者には，調節性内斜視の病態を再度説明し，学校には裸眼視力が良くても眼鏡常用が必要であることを伝えてもらう．

非屈折性調節性内斜視

症例⑥：4 歳，女児

主訴と経過

3 歳児健診で内斜視を指摘され，眼科初診した．遠くを見ているときはあまり気にならないが，近くを見ると内斜視が目立つ．

初診時検査結果

視力：RV＝0.6（1.0×S－1.50 D），LV＝0.5（1.2×S－1.75 D）

屈折：非調節麻痺下　R：S－2.00 D，L：S－2.25 D

　　　アトロピン硫酸塩調節麻痺下　R：S±0 D，L：S－0.50 D

眼位：遠見　正位，近見　18 Δ の内斜視

眼球運動：異常なし

前眼部・中間透光体・眼底：異常なし

治療方針

アトロピン硫酸塩調節麻痺下では右眼は屈折異常なく±0 D で，左眼は－0.50 D の近視であり，両眼ともに遠視ではなかった．アトロピン硫酸塩の効果が消失してから，左右ともにアトロピン硫酸塩調節麻痺下での屈折値に＋3.00 D を加えた値の眼鏡，つまり R：＋3.00 D，L：＋2.50 D の近用眼鏡を装用して近見眼位を確かめると，正位となった．遠用部は R：S±0 D，L：S－0.50 D で，近用部に＋3.00 D を加入した累進屈折力眼鏡や二重焦点眼鏡を処方する．

実際の処方のポイント

眼鏡を常に装用して 1 ヵ月後に，眼鏡装用下での遠見眼位・近見眼位を確認後，視力検査する．近くを見るときには眼鏡の近用部（レンズの下方）をうまく使えているかも確認する．累進屈折力レンズは，外見上は通常の単焦点レンズと変わりないが，児によってはうまく使いこなせない場合がある．二重焦点眼鏡は遠用部と近用部がくっきり分かれており，遠くを見るときは上部，近くを見るときは下部のレンズで，どちらを使って見るのかわかり使いやすいという利点があるが，外見上もレンズの境目に線があり「特別なレンズ」と思われることから，児が嫌がって装用できないこともある．

外斜視（シクロペントラート塩酸塩調節麻痺下屈折検査）

症例⑦：12 歳，男児

主訴と経過

5 歳時に初診した間欠性外斜視．視力は裸眼で良好であった．最近，ゲームを長時間するようになった．急に黒板の字が見えにくくなった．

検査結果

視力：RV＝0.6(1.5×S－2.00 D◯C－0.75 D Ax180°)

LV＝0.4(1.5×S－2.25 D◯C－1.00 D Ax10°)

屈折：非調節麻痺下(オートレフラクトメータ)

R：S－3.75 D◯C－1.00 D Ax180°

L：S－4.00 D◯C－1.00 D Ax10°

シクロペントラート塩酸塩調節麻痺下(オートレフラクトメータ)

R：S－0.50 D◯C－0.75 D Ax180°

L：S－0.75 D◯C－0.75 D Ax10°

眼位：裸眼にて 5 m：－20 Δ の間欠性外斜視，30 cm：25 Δ の間欠性外斜視

前眼部・中間透光体・眼底：異常なし

治療方針

近業(ゲーム)を長時間行うようになって，非調節麻痺下でのオートレフラクトメータ値では急に近視が進行したように思われた．しかし，シクロペントラート塩酸塩調節麻痺下での屈折値は軽度の近視性乱視であった．

治療は，まず生活環境を改善(ゲームの時間を短く)し，1～3ヵ月後に視力・屈折・眼位の検査を行う．シクロペントラート塩酸塩調節麻痺下での屈折値を参考に眼鏡装用テストを行い，装用後の視力・眼位を検査する．

実際の処方のポイント

2カ月後の再診時，裸眼でRV＝0.9，LV＝1.0と視力が改善し，眼位が遠見－16 Δ の間欠性外斜視，近見－20 Δ の間欠性外斜視であった．矯正するとRV＝(1.0×S－0.25 D◯C－0.75 D Ax180°)，LV＝(1.2×S－0.50 D◯C－0.75 D Ax10°)と視力は大きな差はないが，眼位が遠見－10 Δ の間欠性外斜視(c.c.)，近見－16 Δ の外斜位(c.c.)と改善したので，積極的に眼鏡処方する．シクロペントラート塩酸塩調節麻痺下での屈折値が遠視であった場合も同様に眼位と視力を検査して，両方とも改善されるなら，外斜視であっても眼鏡処方を行うとよい．

調節麻痺薬の特徴

小児の屈折を評価するには，調節麻痺下での屈折検査が必要である．アトロピン硫酸塩での調節麻痺効果を完全とした場合，シクロペントラート塩酸塩は＋1.5 D程度効果が不完全な場合がある．アトロピン硫酸塩の効果が最大となるには7日間の点眼が必要だが，シクロペントラート塩酸塩は点眼後60～120分でよい．調節麻痺効果の持続はアトロピン硫酸塩が2～3週間，シクロペントラート塩酸塩が2日間である．アトロピン硫酸塩は劇薬であり使用上の注意を厳守し，副作用があった場合はすぐに中止して小児科を受診する必要がある．シクロペントラート塩酸塩は一過性運動失調や幻覚などの副作用がある．ミドリン®P は散瞳効果は大きいが調節麻痺効果は不十分であり，調節麻痺薬としては不適切である(**表4**)．

表4　調節麻痺薬

	麻痺効果	効果最大 効果持続	副作用
アトロピン硫酸塩 （副交感神経遮断薬）	完全	7日 2～3週間	発熱 顔面紅潮 など
サイプレジン® 1.0%シクロペントラート塩酸塩 （副交感神経遮断薬）	不完全 0～+1.5 D （アトロピン値と比べて）	60～120分 2日	幻覚 一過性運動失調 など
ミドリン®P 0.5%トロピカミド +　（副交感神経遮断薬） 0.5%フェニレフリン塩酸塩 （交感神経刺激薬）	不完全（調節麻痺薬としては不適切） 0～+3.0 D （アトロピン値と比べて）	30分 4時間	—

学童の強度近視

症例⑧：12歳，女児

主訴と経過

小学1年時の学校での視力検査にて視力低下を指摘され，初診となった．学校での視力結果は，右眼C判定（0.6～0.3），左眼B判定（0.9～0.7）であった．経過観察とし，定期検査を指示した．経過をみていたところ，近視が進行し小学6年生で強度近視に移行した．

家族歴

強度近視（－），特記すべき眼疾患（－）

眼科での視力の経過

小学1年生では，

RV＝0.3（0.9×S＋0.25 D⊃C－0.50 D Ax180°）
LV＝0.9（n.c.）

小学2年生では，

RV＝0.6（1.2×S－0.50 D⊃C－0.75 D Ax180°）
LV＝0.9（1.2×C－0.50 D Ax180°）

小学4年生では，右眼C判定，左眼D判定（0.3未満）となった．本人も黒板の字が見えにくいと訴え，眼鏡処方を行った．

RV＝0.2（1.0×S－3.75 D⊃C－0.50 D Ax180°）
LV＝0.1（1.0×S－4.00 D⊃C－0.50 D Ax180°）

小学6年生の学校での視力検査では，右眼D判定（眼鏡視力C判定），左眼D判定（眼鏡視力C判定）となり眼鏡処方を希望したので，再処方を行った．

○ 検査結果

視力：RV＝0.05(1.2×S−6.75 D⊃C−0.75 D Ax180°)
　　　LV＝0.1(1.0×S−6.75 D⊃C−2.00 D Ax180°)

眼位・眼球運動・輻湊：異常なし

前眼部・中間透光体：異常なし

眼底：両眼に耳側コーヌスと紋理眼底を認める

●診　断

両眼：強度近視，近視性乱視

○ 本症例の問題点

●眼鏡処方の時期

小児の視力低下に対して，眼鏡処方を行う時期の選択はきわめて重要である．小児の視機能の発育は6歳頃にほぼ完成する．弱視や斜視は乳幼児期に見つけ，眼鏡装用や必要な視能訓練を開始し，就学時には矯正視力が(1.0)となっていることが望ましい．自治体による3歳児健診時の視力検査や，幼稚園・保育所での視力検査の実態は不十分であることが多く，就学時健診で初めて視力検査を受ける小児も一定数存在し，就学時健診で弱視が発見されるケースをしばしば経験する．本症例は小学校入学後の視力検査で，BとCであったことから，就学時健診で見落とされていた可能性がある．

小学1年生での視力は左右差があるが矯正視力はほぼ正常であり，屈折度から不同視ではなく，眼位異常もないため，眼鏡処方は行わなかった．

小学2年生では変化は少なかったが，小学4年生，6年生と近視の進行が目立つ．小学生では，低学年で弱度近視の場合，黒板が見えるならば眼鏡処方は必ずしも必要はない．眼鏡は，中等度近視に移行した時点で必要となる．本症例は，小学4年生で裸眼視力が0.2となり眼鏡処方を行った．中等度近視となると，視力低下のさまざまなサインが現れる．たとえば，眼を細めたり，眉間に皺を寄せたりする．瞬きが多くなったり，眼痛・頭痛を訴えることもある．授業に集中できなくなることもある．このようなしぐさや行動があるときは，眼鏡処方の適応と考えられる．

●学校での視力検査後の事後措置

学校での視力検査は，370方式で行われる．測定結果はA判定1.0以上，B判定0.9～0.7，C判定0.6～0.3，D判定0.3未満と表示され，Aは眼科への受診勧奨不要，B・C・Dは受診勧奨するが，幼稚園年少児および年中児ではBは受診勧奨不要となっている．学童期になると，本人も保護者も眼科の受診時間がとれず，視力および屈折異常の変化を把握することが難しくなってくる．校医をしている眼科医は，担当校の養護教諭に受診勧奨の結果を確認し，未受診者には再度の受診勧奨をすることで，学童の近視進行の把握，さらに予防のための指導につなぐことができる．

実際の処方のポイント・処方で気をつけたいこと

調節麻痺下屈折検査の必要性

近視の発生には，近業で引き起こされる毛様体筋による調節緊張の結果，近視を呈するものがある（偽近視）．眼鏡による視力矯正は，真の屈折異常に対して行うものなので，評価の際には調節緊張を取り除く必要がある．そのためには，自覚的屈折検査だけでなく，他覚的屈折検査および調節麻痺薬を使用した前後の屈折度数の変化の有無を確認するのが望ましい．

調節麻痺薬には，アトロピン硫酸塩，サイプレジン®，ミドリン®P がある（**表 4**）．アトロピン硫酸塩は最も効果的だが副作用が強いので，ミドリン®P とサイプレジン®を 5 分ごとに交互に 2 回ずつ点眼し，30～60 分後に検査すると，散瞳効果も得られて検査がしやすい．

適正な屈折矯正度数の確認

近視進行予防のために，従来，低矯正眼鏡が推奨されてきた．最近では完全矯正眼鏡が近視進行予防に効果的という報告もある．学業に支障のある低矯正であってはならないし，過矯正では眼精疲労の原因になる．視力および屈折状態は動揺がある．眼鏡処方するときは，約 20 分間の装用テストで具合良くかけられるかを確認するとよい．特に眼鏡を初めて処方するときは，日を変えて 2 回行い，安定を確認して処方することが望ましい．学童期は近視進行が比較的速いので，低矯正にこだわることはないと思われる．

眼鏡装用の開始時期

眼鏡を初めて装用する場合は，－2.0 D を超えると不快感が出ることがある．常用ではなく眼鏡装用を拒み中等度から強度近視になってから装用すると，低矯正から段階的に適正な矯正眼鏡へと移行するのに時間がかかることがあるので，装用開始時期および装用を続けるための丁寧な説明が必要になる．

保護者や学校への対応および指導

①弱度近視で黒板が見えている場合であっても，－2.0 D を超えるときは眼鏡処方を行い，必ずしも常用ではなく必要に応じて眼鏡装用すればよいと勧める．

②弱視のための矯正眼鏡は，就寝時を除いて 1 日中，装用が必要であることを理解させる．本人も保護者をも励ましながら，経過観察が必要である．

③最近の社会環境から，スマートフォンやゲーム，夜間の行動など生活指導にも留意し，近業を長時間しないよう家族で話し合うよう指導する．

④強度近視は時に失明につながる眼合併症があるので，定期検査を受けるよう指導する．

コンタクトレンズと眼鏡の併用

症例⑨：12歳，男児

主訴と経過

少年サッカークラブに所属している．最近視力が落ちてきて，試合中にボールや選手の動きなどが見えにくくなってきている．授業中は眼鏡を使用しているが，サッカーをするので，コンタクトレンズを装用したい．

コンタクトレンズは眼にとって異物であり，より安全に使用するには，適切なレンズの選択と本人のケア，定期検査による安全性の確認が必要と伝えた．スポーツ時の使用から，1 Day タイプのソフトコンタクトレンズで処方し，眼鏡についても処方を行った．

家族歴

特記すべきことなし

検査結果

視力：RV＝0.3(1.2×S－3.0 D⊂C－0.5 D Ax180°)
　　　LV＝0.2(1.2×S－4.0 D)

眼位・眼球運動・輻湊：異常なし

前眼部・中間透光体：異常なし

眼底：両眼に耳側コーヌスと紋理眼底を認める

診　断

中等度近視

本症例の問題点

- 眼鏡で十分な視力が出るにもかかわらず，スポーツのためにコンタクトレンズを希望している．小学生であり，学校放課後の校外クラブ活動で，コンタクトレンズケアや突然の不具合に対処できる年齢ではないが，レギュラーメンバーとなるためにチームからコンタクトレンズを推奨されている．保護者はコンタクトレンズ装用の理解が乏しい．また，眼鏡かコンタクトレンズかではなく，コンタクトレンズ装用者であってもあくまでも眼鏡が必要であることを理解させる．
- サッカーに限らず，野球や体操などのスポーツ選手養成を目的とするクラブチームの指導者は，児童生徒の眼の健康や安全への配慮が乏しい．

実際の処方のポイント・処方で気をつけたいこと

- コンタクトレンズおよび装用についての基本的な説明をし，本人および保護者が理解できたかを確認のうえ，処方を考える．
- コンタクトレンズによる眼障害の短期的・長期的なものを説明し，定期検査の必要性，購入には眼科医による処方箋が必要であることを理解させる．
- 眼鏡処方をし，眼鏡作製を確認してからコンタクトレンズを処方する．

・眼科学的検査の結果，適切な処方が困難な場合は，無理に処方をしない．
・定期検査を怠った場合でも，怒らずに指導をする．

保護者や学校への対応および指導

①コンタクトレンズの装用時間はサッカーのときに限る．
②眼鏡を主とした生活を徹底させる．
③定期的に眼科を受診するよう指導する．
④小児の身体・眼は発育期にあることを説明し，コンタクトレンズ装用による眼障害や感染症のリスクを指導する．

小児や障害児に適した眼鏡——デザインと装用させるコツ

小児や障害児に眼鏡を処方する際には，適正な屈折矯正度数や瞳孔間距離を指定するだけではなく，眼鏡フレームの選び方，眼鏡の取り扱い方を保護者と本人にあらかじめ説明しておくことが大切である．そして必ず，処方後に眼鏡の装用状態を確認する必要がある．保護者と周囲の協力を得て，快適な装用状態を保つことが，小児・障害児に眼鏡を装用させる一番のコツである．

小児や障害児に対する眼鏡デザイン[28)]

成人用の眼鏡をそのまま小さくしただけの眼鏡や，見た目ばかりを重視して小児の顔に全く合っていない眼鏡を作製・販売している眼鏡店がある．不適切な眼鏡の装用を小児に強いることがあってはならない．眼鏡を作製し直すこととなって保護者の負担が増えないように，はじめから小児に適切な眼鏡を選び，調整や交換に応じる眼鏡店で作製するように説明する必要がある．

障害児は健常児に比べて強度の屈折異常を高率に合併し，眼鏡での屈折矯正が視覚と全身の発達に効果を及ぼす[29)]．障害児には，特に幼児期から強度近視や近視性不同視を合併する例があり，成長とともに近視性乱視の比率が増す[30)]．また，障害児の多くを占めるDown症候群では，18歳未満の児の約60％で±2D以上の乱視を合併する[31)]．したがって，眼鏡デザインを工夫して良好な装用状態を保つことがより重要となる．

眼鏡デザイン

小児・障害児の顔面は，鼻根部が平らで低く，耳介は小さく軟らかく低位であるのが特徴である．したがって種々のシリコーン製鼻パッドを用い，適切な強度のヨロイ(智)部で顔幅と前傾角合わせを行い，バネ性能をもつテンプルにて，モダンを巻きつるや二段曲げとする工夫が必要である(**図21**)．最近では，鼻根部の低いDown症児などに特化した特殊な眼鏡フレームも開発されている(**図22**)．個々の児の顔面

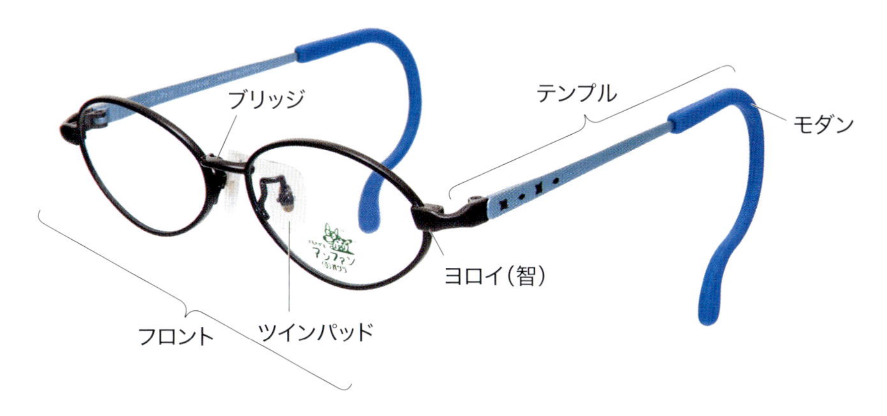

図 21　小児・障害児に適した眼鏡(アンファン®)

チタン製でフロント，ヨロイ，テンプルとも強度が高く調整範囲が広い．ツインパッド(鼻パッド)とケーブル(巻きつる)タイプのモダンを用いている．

図 22　Down 症児に適した眼鏡フレーム(アンファン®)

鼻の位置や高さに合わせたパッドを使用している．

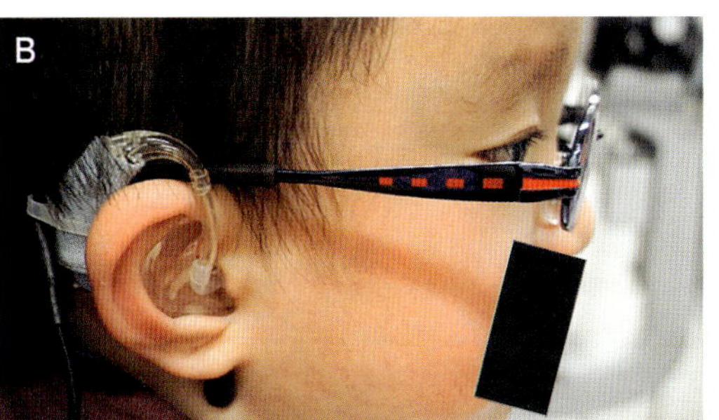

図 23　障害児に対するフィッティング調整

A：Down 症児に対する眼鏡．ツインパッドとケーブルタイプのモダンにてフィッティングを調整．
B：聴覚障害児に対する補聴器との併用．耳掛け部分のモダンをケーブルタイプにしてフィッティングを調整．

に合わせて適正サイズを選び，調整を行うことが重要である．障害児や補聴器を併用する聴覚障害児の場合には，耳掛け部分のモダンをケーブルタイプにしてフィッティングを調整する(図 23)．

フレームとレンズ

小児の使用に耐えうるように強度が高く，かつ安全なフレームを選ぶ．レンズは軽く衝撃に強いプラスチック製が望ましい．ハードコートを施すと耐久性が増す．レンズ径と屈折率および設計を工夫して，厚みや収差の少ないレンズを作製する．

フレームは最小（乳児用）でサイズ（レンズ幅）30 mm，瞳孔間距離 32 mm から作製可能となっている．また，強度近視・強度近視性乱視のレンズは，プラスチック製で－20.00 D（球面乱視度数合算）・乱視度数－8.00 D まで，特注で－25.00 D・乱視度数－9.00 D まで制作可能であるが，度数が強い場合にはガラスレンズを用いたほうが厚みが少なくなる．

眼鏡処方後の管理

眼鏡処方後には必ず眼鏡の装用状況を聴取し，小児の顔幅に適したフレームを選んでいるか，レンズのサイズが十分に広く，正しい位置に安定して装着されているかどうか，実際に装用状態（フィッティング）を確認することが大切である．眼鏡が斜めになっていたり，下がって鼻めがねになっていたり，不適切なテンプル・モダンのために眼鏡がゆるく前方へ引き出てくることがある（**図 24**）．その場合には，すぐに作製した眼鏡店へ調整・再作製に行くように指示する必要がある．

小児は体動が激しく，眼鏡の取り扱いが粗雑になりやすい．手で眼鏡をいじるようになると，レンズ面に汚れや傷が多数ついたり，フレームが曲がりやすくなる．眼鏡は両手で掛け外しすること，レンズ前面を下にして置かないこと，レンズの汚れ

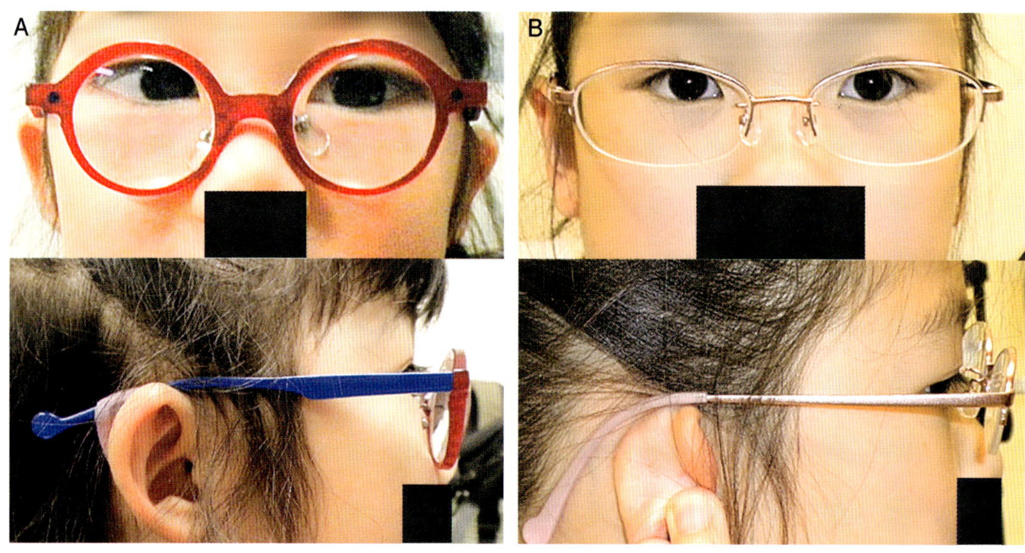

図 24　不適切なフィッティング状態

A：不適切な眼鏡デザインのため，鼻パッドがずれて“鼻めがね”となっている．B：不適切なテンプル・モダンのため，眼鏡がゆるく前方へ引き出てくる．

は強く擦らず軽く水で洗浄することなど，基本的な取り扱い方について保護者と本人に繰り返し指導する．良好な装用状態を維持するためには，1ヵ月に1回は眼鏡店へ調整に行くよう勧める．

乳幼児期～学童期は毎年屈折度が変化し，レンズ面に傷が多くなるため，調節麻痺薬を使用した精密屈折検査と眼鏡の再処方が必要となる．顔面の成長も早いため，眼鏡フレームが顔幅に合っているかどうか，瞳孔間距離は変化していないか，フィッティングやレンズの状態は良好かどうか，常に注意を払う．

眼鏡を装用させるコツ

保護者の理解と周囲の協力

小児に初めて眼鏡を処方する際には，まず保護者に眼鏡装用の必要性と効果について十分に説明し，適切な矯正眼鏡の装用は決して近視を進行させるものではないと納得させる必要がある．また周囲の人々の協力を得て，前向きな気持ちで眼鏡を装用できるように小児を励まし褒めてあげることが大切である．

眼鏡装用の開始時期

強度近視の場合には近見に焦点を合わせた低矯正，乱視は完全矯正として，2歳頃から装用を開始すると，視力が向上して知的発達や運動発達にも効果が上がる．特に障害児に対しては，早期に眼鏡処方ができた例ほど装用できる割合が高く，発達を促すことができる[31, 32]．

一方，弱度近視に対しては学童期以降に眼鏡を処方することになるが，−3.00 D以上の中等度近視は3歳頃から小児の発達に応じて処方を検討する．

快適な装用状態の維持

眼鏡はいったん慣れると継続して装用できることが多いが，心身の発達の過程で小児が装用を嫌がったり，取り扱いが粗雑になることがある．こまめに眼鏡のフィッティングを調整して，小児ができるだけ快適に眼鏡を装用できるように配慮する．

さまざまな障害児に眼鏡を装用させるのは容易ではない．Down症候群では，眼鏡を半日装用できるまでに9.0±9.3ヵ月かかるが，視力発達は13歳頃まで続くと報告されている[31]．眼鏡で遠くまで良く見えるようになると，好んでかけるようになることを保護者に説明し，眼鏡の調整を含め根気強く対応していくことが大切である．

小児とコンタクトレンズ

コンタクトレンズ（CL）の取り扱いが困難な小児にCLを装用させることは，基本的に勧められない．CLはこの数十年で，その素材もデザインも飛躍的な進歩を遂げたが，元来CL自体が生体にとって異物であり，繊細な角結膜表面にとって大きなストレスになるからである．しかしながら，先天白内障や小角膜，無虹彩症，円錐角膜などの医学的理由でCL装用が必須な場合，または，強度近視を含む強度の屈折異常で，生活や習い事などに支障が出るケースなどでCL装用を考慮することもある．小児の屈折状態や眼の状態によって，ハードCL（HCL）かソフトCL（SCL）を使い分けることとなる．ここでは，小児に対するCLの適応と選択，処方の実際，装用時の留意点について解説する．

小児のコンタクトレンズの適応

保護者の協力が必要

先天的な疾患などCLの絶対的な適応であっても，強度近視の視力補正など生活上のより良いQuality of visionの獲得目的であっても，小学校低学年くらいまでは保護者の協力なしでCL装用を行うことはほぼ不可能である．正確に安全に取り扱うことが困難であるし，装用中に異物が混入するなどの異常が生じても的確な対処ができないので，安易な処方は控えるべきである．CLがどうしても必要な場合にのみ，保護者や学校の教員などの協力のもと導入を考える．

保護者はCLの脱着はもちろん，ケアの仕方を完全に理解して，小児に主治医の指示した内容を守らせなければならない．主治医は，異常があった場合はただちにCLを外し眼科を受診させ，自覚症状がなくても定期検査を受けさせ，保護者もその場に同席させるべきである．安全に小児のCL装用を続けさせることは，保護者や学校の教員にとっても当然負担になるが，CLによって得られる恩恵の対価として危険が伴うことを，小児の代わりにしっかりと理解させなければならない．

対象の小児が小学校の高学年にもなれば，何とか自分でCLのケアや定期的な眼科受診も可能になるケースもある．ただし，小児の理解度には個人差も大きく，保護者のCLに対する理解は必須で，時に視力を奪うこともあるCLの危険性に対する啓発をしっかりと行うべきである．

眼鏡は必ず持たせる

CLでないと十分な視覚が得られないような場合であっても，最高視力に近い視力が出る眼鏡を持っていることが望ましい．CLは角結膜表面という脆弱な組織に直接装用する異物であり，角膜潰瘍という失明につながりかねない疾患を引き起こす危険を常にはらんでいる高度管理医療機器であることを忘れてはならない．特に対象が小児であれば，なおさらのことである．角膜潰瘍をはじめとする視力障害の生じる重篤な角膜感染症例の約半数はCL装用者であり，10～19歳においてはその原因の90%以上はCLにある．

CL処方を行う場合，その前に眼鏡は必ず処方・作製し，随時携帯することを啓発しなければならない．強度近視や不同視，また，円錐角膜で眼鏡視力が良好でない場合も同様である．それぞれの症例において，最高視力が出る眼鏡を用意する．不同視の場合は，不等像視の出ないぎりぎりの屈折度数で眼鏡度数を決定する．適応力のある小児期では，眼鏡装用時間をあえて設けるべきである．

小学校高学年にもなると，強度近視・不同視などの医学的理由ばかりでなく，CL装用を希望する小児が増えてくる．挺屋ら[33]によれば，10～15歳の小児158人のうち，CL処方を希望する動機として，運動が62%，整容目的が16%，不同視・強度近視が10%であったと報告している．男女比では女子が66%を占めており，整容上，眼鏡を避けたくてCL装用を希望している例も実際はもっと多いと推察される．渡辺ら[34]によれば，小中学生・高校生のCL装用者の割合は，2018年時点で小学生は0.3%，中学生は8.7%，高校生は27.5%であり，小中学生でのCL装用割合は増加傾向にあるという．小児の患者と保護者には，CLが危険をはらむツールであることを認識させ，眼鏡を常時携帯することを徹底するべきである．

コンタクトレンズの禁忌

CLの医療従事者向け添付文書によれば，医学的禁忌として，前眼部の急性および亜急性炎症，眼感染症，ぶどう膜炎，角膜上皮欠損，ドライアイ，CL装用に影響を与える程度のアレルギー疾患，眼瞼異常，涙器疾患，その他眼科医が装用不適と判断した疾患が挙げられている．

そのほか，生活習慣的・生活環境的禁忌というものもあり，眼科医の指示に従うことができない患者，定期検査を受けない患者，CLを適正に使用できない患者，必要な衛生管理を行えない患者，極度に神経質でCLの装用に向かない患者，常に乾燥した環境にいる患者，粉塵・薬品などが眼に入りやすい環境にいる患者，その他眼科医が装用不適と判断した患者である．

小児の場合は，禁忌症例であるか患児本人と保護者をあわせて判断するべきである．

定期検査は必ず受けさせる

理由があって小児にCLを処方した場合，眼科医の定期検査の施行を成人以上に徹底しなければならない．小児の屈折度数は安定せず，度数交換が必要な場合もあるし，角膜は軟らかく，成長とともに形状も変化するからである．最近，インターネットで簡単にCLが手に入るが，一方でCLが高度管理医療機器であることを知らず，定期検査を受けていない患者が多い．小児でも眼科医の処方・装用指導を受けていない例も多く，CL の添付文書など存在すらも知らない患児や保護者もいる．特にカラー SCL にいたっては，購入前に検査を受けない中学生が 78.2％，高校生が 75.5％もいることが報告されている[34]．なかには，インターネットで購入することは自己責任だと主張する患者や業者もいるが，CL 販売業者は販売時に，購入者の医療機関の受診状況を確認し，その医療機関の名称および医師の指示内容について保存しなければならないことが，厚生労働省から通知されている（厚生労働省通知 平成 29 年 9 月 26 日 薬生発 0926 第 5 号）．

小児とオルソケラトロジー

近年は，オルソケラトロジーについて相談されることが多い（**図 25**）．小児における近視進行抑制効果については別項（p.165）で述べられるので，ここではその適応について述べる．

日本コンタクトレンズ学会のオルソケラトロジーガイドライン委員会[36]によれば，適応年齢は，患者本人の十分な判断と同意を求めることが可能で，親権者の関与を必要としないという趣旨から 20 歳以上を原則とし，20 歳未満は慎重処方とするとしている．対象は屈折値が安定している近視と乱視で，近視度数は－4.00 D まで，乱視度数は－1.50 D 以下，かつ，眼疾患を有していない健常眼である．わが国での承認レンズは，臨床試験が 19 歳以上でしか行われていない．それに満たない者の安全性の評価は確定していないので，もし希望を受け小児に処方を検討する場合には，オルソケラトロジーレンズに起こりうるリスクを考慮して，その可否を慎重に判断する必要がある．特に，オルソケラトロジーレンズは繰り返し洗浄して使用することから，緑膿菌，アカントアメーバによる感染症のリスクが高いとする指摘もあるため[35]，こすり洗いに加え，ポピドンヨード剤による消毒が推奨される[36]．

患児や保護者の希望でどうしてもオルソケラトロジーが必要な場合には，眼科専門医で角膜・CL 分野に精通している医師を紹介するのが適切である．

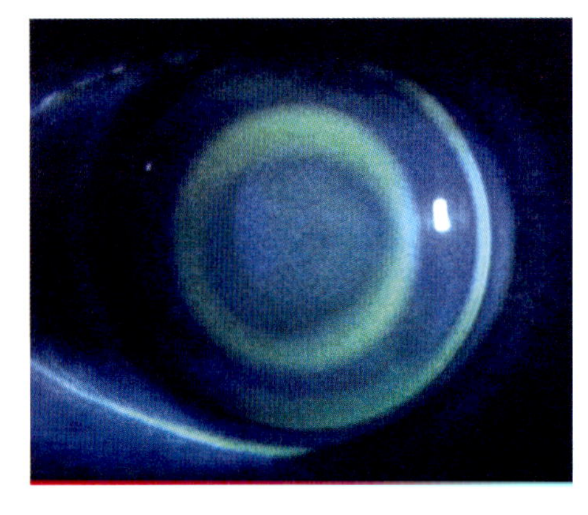

図 25　オルソケラトロジー

就寝中に特殊 HCLで角膜中央部を圧迫し，近視の屈折度数を弱める手法．朝，レンズを外しても，その効果は日中続く．

小児に対するコンタクトレンズ処方の実際

小児のCL装用の危険性を鑑みたうえで，その必要性があり，保護者のしっかりとした協力が得られる場合にはCLを処方することとなる．

コンタクトレンズ装用の可否を決める問診と検査

まず，CL装用希望の小児が来院した場合，角結膜表面の状態が医学的にCL装用可能であるか，また，装用継続が可能であるか，検査・検討を行う．問診で，想定される装用環境，眼疾患，全身疾患の既往，とりわけ異物であるCLを装用させるわけであるから，アレルギー疾患の有無についてはよく聴き出す．

次に，他覚的屈折検査，自覚的屈折検査，角膜曲率半径検査，角膜形状解析検査，角膜内皮細胞検査，外眼部検査，細隙灯顕微鏡検査，眼圧検査，眼底検査，涙液検査（Schirmer試験，涙液層破壊時間），手持ち眼鏡の検査を行う．角膜形状解析は，思春期に発症することが多い円錐角膜の診断に非常に有効である．小児では，近視と診断されて矯正視力が良好であっても初期円錐角膜が発症している場合があり，HCLによる円錐角膜進行抑制の可能性もあるため，早期診断が特に大切である．

トライアルレンズの選択とフィッティング検査

円錐角膜や外傷などによる角膜形状異常眼の場合，および2Dを超える強い乱視眼ではHCLを，その他の場合はSCL（できるだけ1 Dayの使い捨てSCL）を選択する．以前，SCLよりもHCLのほうが角膜に対して安全であるといわれた時代もあったが，十分な酸素透過性をもつ1 Dayの使い捨てレンズが処方できれば，こちらのほうが安全であると考えられる．SCLには現在，シリコーンハイドロゲルという高酸素透過性素材のものが存在するが，レンズの柔軟性や水濡れ性が落ちるものもあるので，処方後の経過観察を徹底できれば，非シリコーン系素材であってもよいであろう．レンズの種類が決まったら，自覚的屈折検査値（検査ができない場合は調節麻痺薬を使用したうえでの他覚的屈折検査値）に角膜頂点間距離補正を行った屈折度数付近のトライアルレンズを選択して，フィッティング検査を行っていく．

ハードコンタクトレンズのフィッティング検査

HCLでは，角膜曲率半径の中間値に0.05〜0.10 mm加算した値のベースカーブをもったトライアルレンズをファーストチョイスにする．通常の角膜では，角膜中央部から周辺にかけて形状が徐々にフラットになっていくためである．1 Dayの使い捨てSCLに選択肢がない強度の角膜乱視にはHCLを選択すると前述したが，こうした角膜乱視が−2Dを超えるような乱視眼では，弱主経線曲率から−0.10 mmスティープにしたあたりのベースカーブをはじめに選ぶとよい．

良いフィッティングとは，HCL中央部から周辺部にかけて，レンズ後面カーブと角膜曲率ができるだけパラレルに接している状態をいう．このときの涙液交換率が

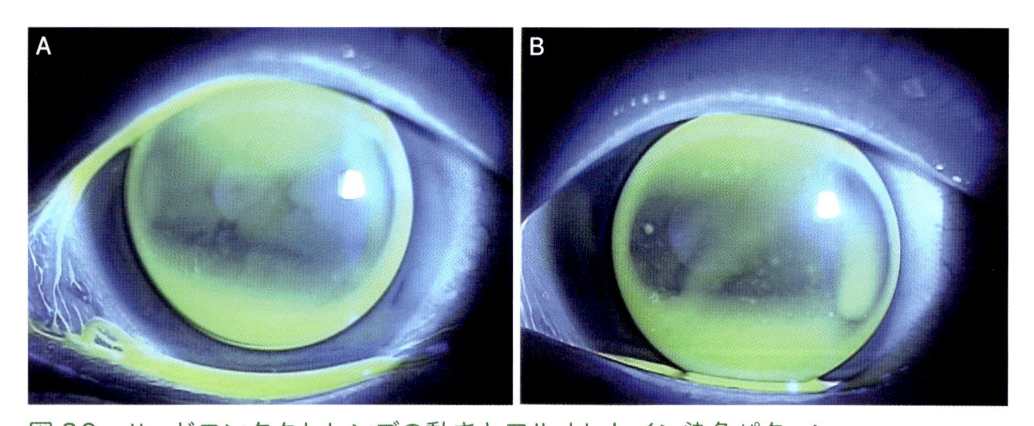

図 26　ハードコンタクトレンズの動きとフルオレセイン染色パターン

HCL は動くので，A のようにレンズが上部へ引き上げられたときと，B のように下方へ安定したときのフィッティングをフルオレセイン染色パターンで総合的に把握し，全体的に最もパラレルになるようにベースカーブを決定する.

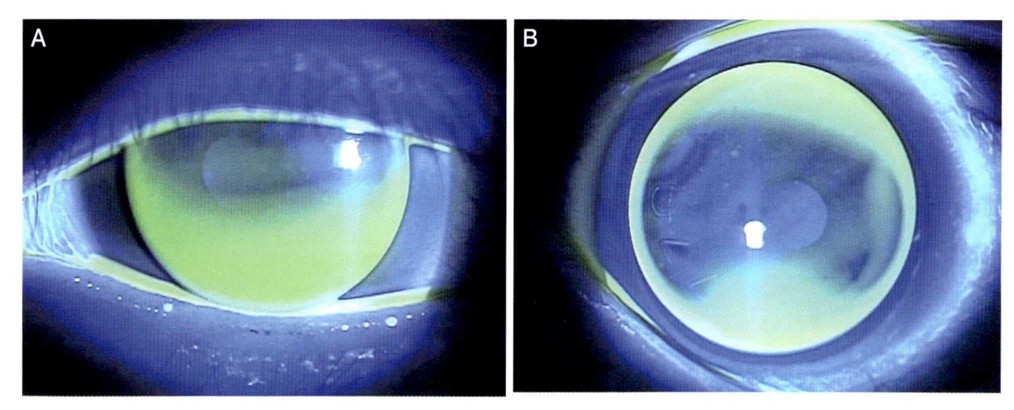

図 27　フラットなハードコンタクトレンズと良好なハードコンタクトレンズのフルオレセイン染色パターン

最も高い．HCL は動くので，レンズが上部へ引き上げられたときと下方へ安定したときのフィッティングをフルオレセイン染色パターンで総合的に把握し，最も問題のないベースカーブを選択する(図 26)．図 27 にフラットな HCL と良好な HCL のフルオレセイン染色パターンを示した．図 27 A は明らかにフラットであるが，直乱視で眼瞼圧が高いときは実際以上にフラットに見えることもある．小児の場合，こちらの指示通り瞬目してくれないことも多く，図 27 B のように眼瞼をしっかり開かせて(または開いて)，フルオレセイン染色パターンを確認するのもよい．図 27 B のフィッティングは全体的にパラレルのため合格である．

HCL のベベル幅やリフト量を指定するのは，かなり高度なテクニックである．一般に，ベベル幅とリフト量を増やすのはベースカーブを大きくするのに近いイメージとでも説明したらよいであろうか．フルオレセイン染色で，ベベル幅が狭くスティープだと 3 時 9 時ステイニング，ベベル幅が広すぎたりフラットであるとレンズがずれ落ち，4 時 8 時ステイニングを引き起こす(図 28)．

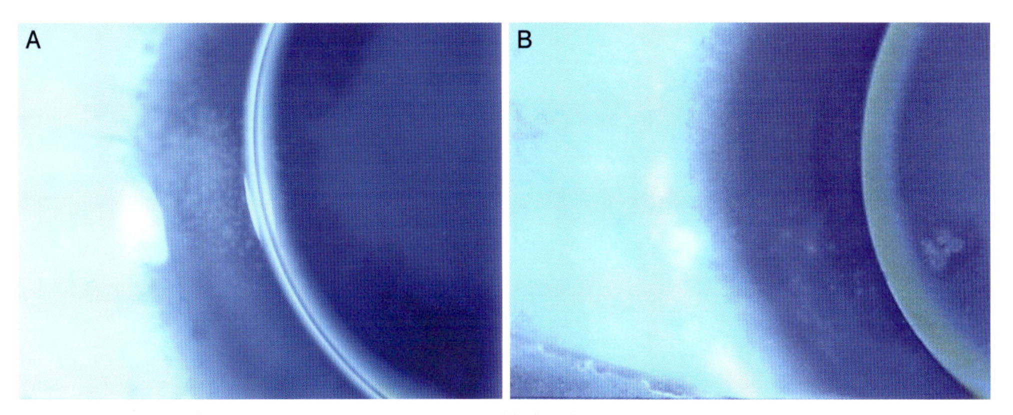

図 28　ベベル幅からみたフルオレセイン染色パターン

A：ベベル幅が狭くスティープぎみな HCL．B：ベベル幅が広い HCL．

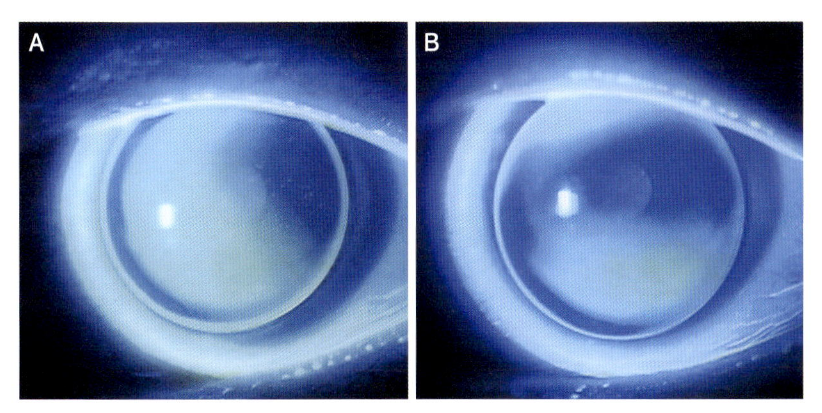

図 29　スティープなハードコンタクトレンズとベースカーブを小さくしたときのフルオレセイン染色パターン

A：角膜中央部とレンズの間にクリアランスがありスティープ．B：ベースカーブを小さく変更し角膜中央部がレンズとタッチしているが，全体的にはまだスティープな印象である．

ベベルデザインが特に重要になるのは強度の角膜乱視や円錐角膜であり，こうした症例ではベベル幅が大きくリフト量の高いレンズが奏功する．切削・研磨でベベルデザインを変えられない施設は，通常レンズで良好なフィッティングが得られない場合には CL 専門の施設へ紹介するとよい．

繰り返すが，良いフィッティングとは，HCL 中央部から周辺部にかけて，レンズ後面カーブと角膜曲率ができるだけパラレルに接している状態をいう．フルオレセイン染色パターンは全体を見て判断するのが非常に大事である(**図 29**)．

ソフトコンタクトレンズのフィッティング検査

SCL では，角膜曲率半径の弱主経線曲率よりも 1.0 mm フラットなベースカーブをもつトライアルレンズを選択する．小児の場合，できるだけ 1 Day の使い捨て SCL が好ましいが，こうしたレンズはベースカーブが 1 種類しかない場合もある．使い捨て SCL は角膜形状対応能力の高いフレキシビリティに富んだ素材から成るものが

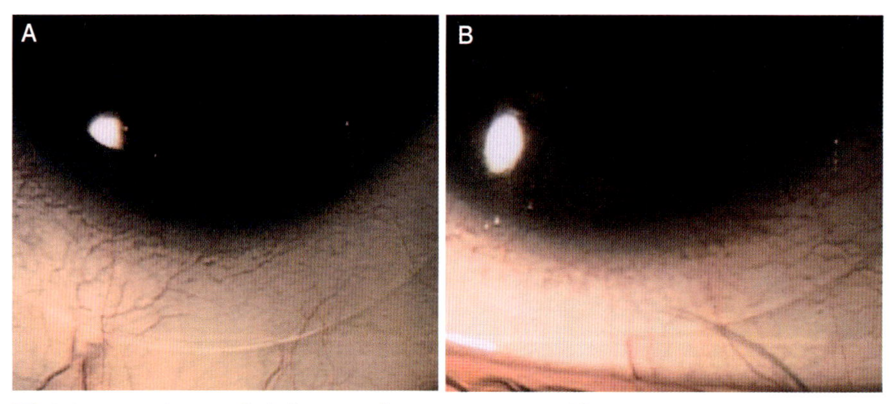

図 30　ソフトコンタクトレンズのフィッティング

小児の眼球は成人に比べて小さいので，使い捨て SCL などではフィッティングがルーズになりやすい．上方視にて，A では B に比べてフィッティングがルーズなのがわかる．上方視で SCL がずれ落ちてレンズが角膜縁を越えるようでは不適格である．

多いが，少なくとも 2 種類以上のベースカーブをもつレンズから選ぶべきである．それでも良いフィッティングが得られなければ，ほかの種類のレンズに変更して対応する．

SCL のフィッティングは，主にレンズの動きで判断する．瞬目でレンズが 0.5～1.0 mm 動き，センタリングが良く，レンズ周辺部による結膜・強膜への圧迫がないことを確認する．上方視の際もレンズがずれ落ちることなく上方角膜を覆い，瞬目時にもレンズが引き上げられて角膜輪部下方が露出することがないようにベースカーブを決定する．SCL の動きはレンズデザインや素材の水濡れ性によっても変わるので，うまく動かない場合にはほかのレンズに変えてみることも大切である(**図 30**)．

● トーリックソフトコンタクトレンズ

トーリック SCL でも，フィッティング評価は基本的に通常の SCL と同じである．ただし乱視軸があるので，レンズの回転に気をつけなければならない．乱視矯正用のトーリックレンズ(プリズムバラスト)ではレンズ下方が厚くなっており，瞬目によって下方が先に押し出され，乱視軸の安定を図る．瞬目によってレンズの位置が安定したら，そのレンズ上で作りたい乱視軸を決定する(**図 31**)．

プリズムバラストレンズのほかに，レンズの上下の部分が薄く加工されているダブルスラブオフというトーリックレンズもある．瞬目の際にレンズ上下の薄い部分が眼瞼にくわえ込まれて乱視軸の安定を得る方法である．レンズの最終的乱視軸の決定は，プリズムバラストレンズに準じる．

● 注意すべき角膜上皮障害

なお，レンズ素材の選択やフィッティングによって引き起こされる可能性がある SCL 起因の角膜上皮障害として，epithelial splitting がある(**図 32**)．レンズのフィッティングがスティープすぎると，角膜上方に弓状の角膜上皮障害が生じることがあり，こうした場合にはベースカーブを大きくして，軟らかな素材のレンズに変えるとよい．**図 33** は smile mark staining と呼ばれるもので，SCL の含水率が乾燥によっ

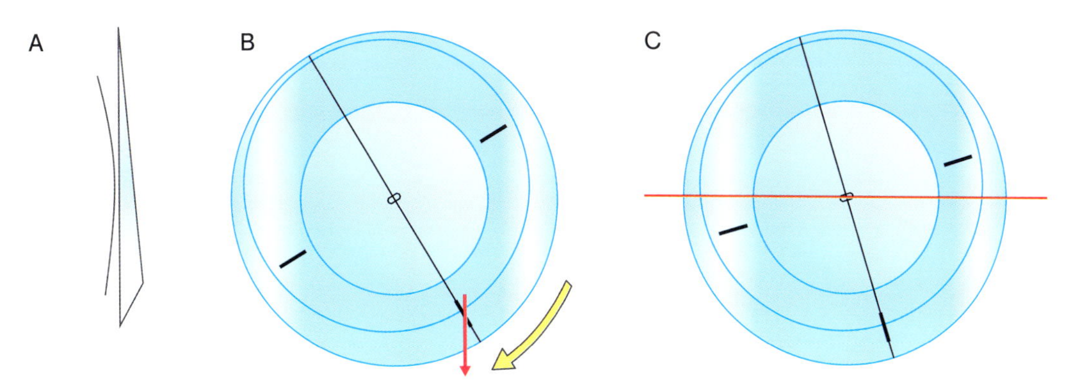

図 31　トーリックレンズ(プリズムバラスト)と乱視軸の決定

A：乱視矯正用のトーリックレンズ(プリズムバラスト)ではレンズ下方が厚くなっている．B：瞬目によって下方が先に押し出され(→)，乱視軸の安定を図る(⇨)．C：瞬目によってレンズの位置が安定したら，そのレンズ上で作りたい乱視軸を決定する．たとえば，図では 20 度反時計回りにレンズが安定しているので，180 度に乱視軸を作りたい場合には 180−20 で，トーリックレンズの乱視軸は 160 度となる．

図 32　Epithelial splitting

SCL のフィッティングがスティープすぎると，角膜上方に弓状の角膜上皮障害が生じることがある．ベースカーブを大きくして，軟らかな素材のレンズに変えるとよい．

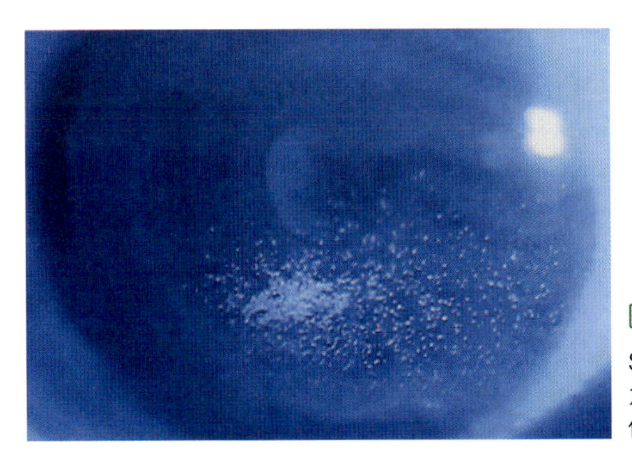

図 33　Smile mark staining

SCL の含水率が乾燥によって低下すると起きる角膜上皮障害．低含水性 SCL または，親水・保水機能をもった SCL へ変更するとよい．

て低下すると起きる角膜上皮障害である．低含水性 SCL または，親水・保水機能をもった SCL へ変更するとよい．いずれにせよ，レンズ上からの人工涙液の点眼は，こうした角膜上皮障害を起こりにくくする効果があるので，小児の軟らかな角膜を守るためにも，点眼の習慣をつけるよう指導するのが望ましい．

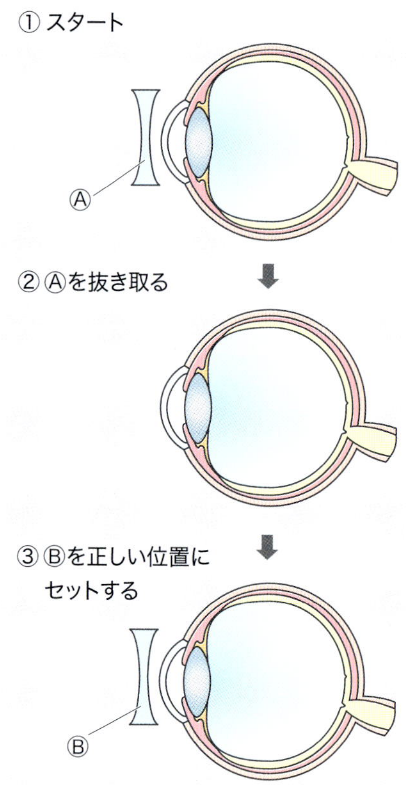

図 34　マイナスレンズの交換法

トライアルレンズによる追加矯正視力検査

追加矯正視力検査は，調節力の強い小児の場合，必ず雲霧状態，または低矯正状態から開始する．赤緑試験を利用し，処方度数が過矯正にならないように注意する．球面レンズで追加矯正を行うとき，−0.25 D の追加で視力の上がり方が 1 段階程度となれば，それ以上の球面度数の追加矯正をせず，残余乱視の確認に入る．視力が安定しない場合には，CL 上から検影法によって屈折状態を確認するとよい．小児の場合，オートレフラクトメータでは器械近視が入りやすく，屈折度数がマイナス側に出ることがあるからである．

小児では調節の介入が大きいため，視力検査でレンズを交換する方法には特に注意する．追加矯正でマイナスレンズを交換する場合には，そのまま換えてよいが(**図 34**)，プラスレンズで追加矯正している場合には，前のレンズを残したまま新しいレンズを検眼枠に入れ，その後，前のレンズを抜く(**図 35**)．調節の介入を許さないためである．

最終的な屈折度数の決定は自覚的屈折検査の値を優先するが，年齢的に視力検査の結果に疑問が残る場合には，他覚的屈折検査値を重視することもありうる．

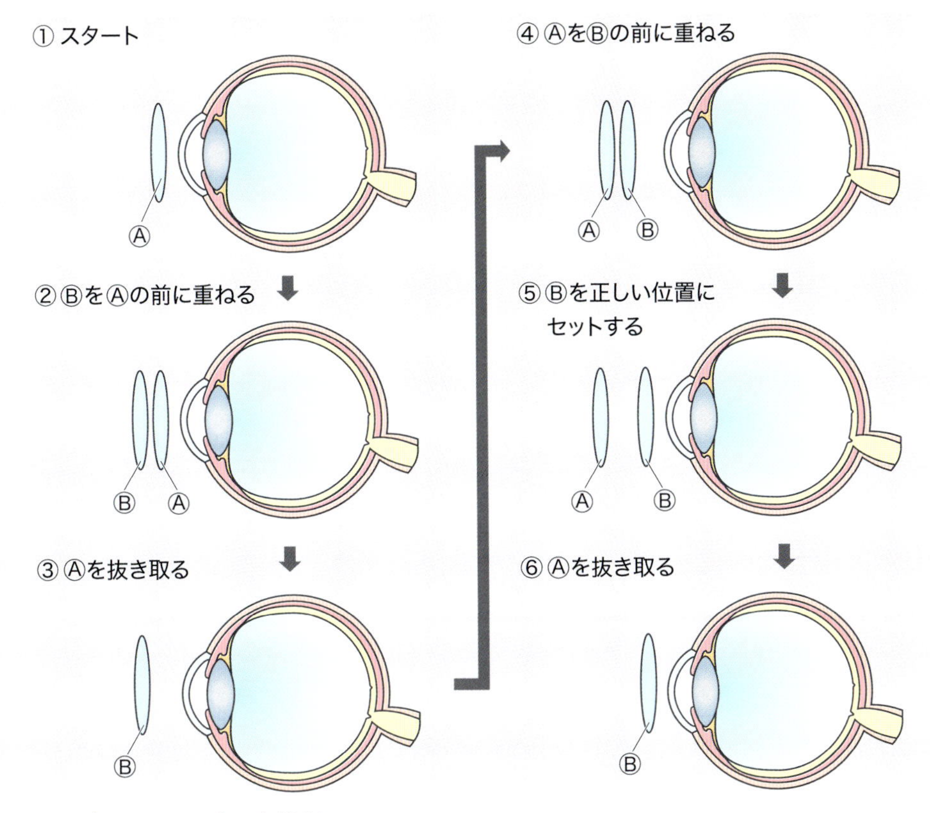

図 35　プラスレンズの交換法

実際に処方されたコンタクトレンズでの視力検査とフィッティング検査

実際に処方された CL での視力検査とフィッティング検査は，非常に大切である．トライアルレンズと厳密にはデザインが変わるため，矯正視力やフィッティングに差が出る可能性があるからである．必要があれば，処方された CL を装用した検査結果をもとに適切なレンズへ変更することになる．

小児の場合，どうしても調節の介入が大きいので，実際に処方されたレンズの屈折度数を確認するために，両眼同時雲霧法[37]を用いるとよい(**図 36**)．追加矯正度数が 0 であれば，処方されているレンズの屈折度数は合格である．**図 37** に，両眼同時雲霧法による年齢，自覚的球面度数とその戻りの程度を示した．平均で＋0.45±0.24 D ほど屈折度数が戻るので参考にするとよい．

また，HCL の場合，トライアルレンズと実際に処方したレンズとの間でフィッティング，特にレンズの動きが変わることはよくある．通常，ベースカーブは 0.05 mm きざみで変えられるが，涙液レンズとの関係から，1 段階(0.05 mm)フラットにすると，おおよそ－0.25 D 加えたのと同じ効果があることを知っておくと便利である．

0.1
0.2
0.3
0.4
0.5
0.6
0.7
0.8
0.9
1.0
1.2
1.5
2.0

図 36　実際に処方されたコンタクトレンズでの両眼同時雲霧法による度数の確認

両眼の CL の上からプラスレンズを＋2.50 D ずつ加える．次に，0.5 の視標が見えるまで両眼に−0.50 D ずつ加える．その後，左右のバランスを 0.25 D きざみで整える．そして，最後に両眼に−0.25 D ずつ加えて最高矯正視力が得られる追加矯正度数を最終的に決定する．

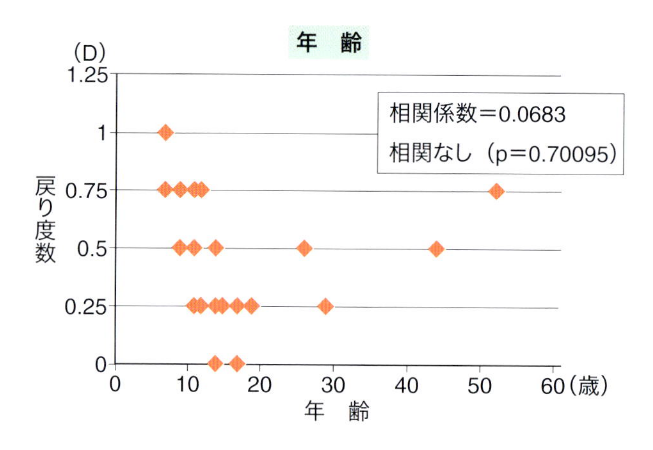

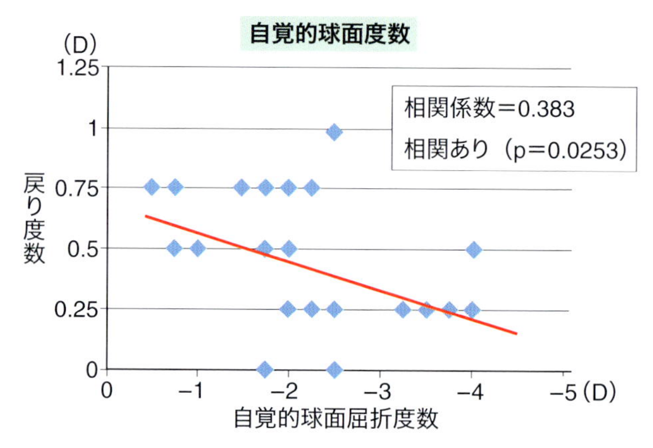

図 37　両眼同時雲霧法による，年齢と自覚的球面度数に対する戻り度数

若年者のほうが，相関はないものの戻り度数が大きくなる傾向がみられ，平均＋0.45±0.24 D 戻った．（筆者自験例）

小児のコンタクトレンズ定期検査

定期検査の注意点

小児の場合，角膜曲率が成長とともに大きくなり，瞼の形状も変化する．また，眼瞼結膜のアレルギー性変化も多く，CL 装用により悪化することが多い．すなわち，成長とともに処方した CL のフィッティングは変化することを理解していなければならない．

定期検査の内容

CL は屈折矯正の非常に効果的なツールであるが，角膜に直接フィットさせるものなので，必ず障害が起きることを前提に，定期検査を徹底して受けさせるようにしなければならない．

定期検査は CL 処方から原則として 1～2 週間後，1ヵ月後，3ヵ月後，それ以降は 3ヵ月ごとに実施する．定期検査で必ず行うこととして，自覚症状の有無，CL 洗浄・消毒方法の確認，CL 矯正視力検査（両眼同時雲霧法），外眼部検査，細隙灯顕微鏡検査，CL のフィッティング検査，CL の状態（傷や汚れなど）の確認である．必要に応じて実施するべき検査は，他覚的屈折検査，角膜曲率半径検査，角膜形状解析検査，角膜内皮細胞検査，眼圧検査，眼底検査，涙液検査が挙げられる．前述したように，小児ではアレルギー性結膜炎の悪化，フィッティングの変化がありうることを念頭に置いて定期検査を行うことが重要である．

小児への特殊コンタクトレンズ処方

円錐角膜へのコンタクトレンズ処方

通常の近視眼だと思っていても，円錐角膜（**図 38**）である場合はよくある．小児期に発症することが多いので，見逃さないように特に注意する．初期円錐角膜の状態で発見し（**図 39**），的確な HCL を処方できれば，進行を抑制できる可能性がある．進行例においても多段カーブ HCL，非球面 HCL，ピギーバックレンズシステム（**図 40**）を用いることにより，多くの症例は HCL の装用が可能となる．

虹彩付きコンタクトレンズ

無虹彩症，小角膜，または外傷で虹彩を失った症例では，虹彩付き CL の適応となる（**図 41**）．無虹彩症では黄斑低形成や緑内障を併発していることが多く，屈折矯正しても良好な視力を得られない場合が多いが，虹彩付き CL は羞明感の軽減に効果があり，自覚的にも見え方が改善したと喜ばれる．白内障の合併がある場合にも，手術後に虹彩付き CL が必要となることが多い．**図 42 A** は，無虹彩症に虹彩付き

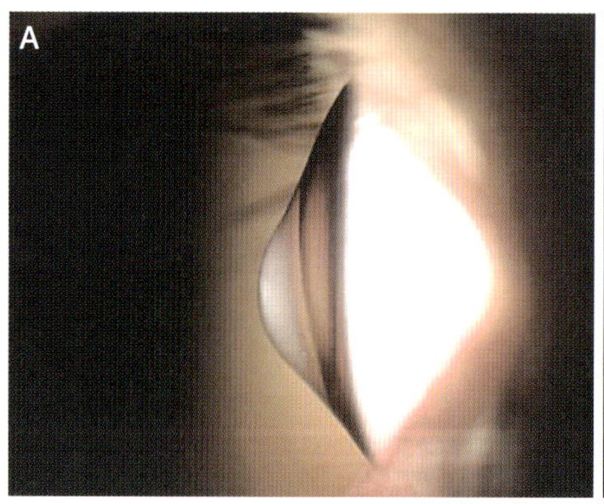

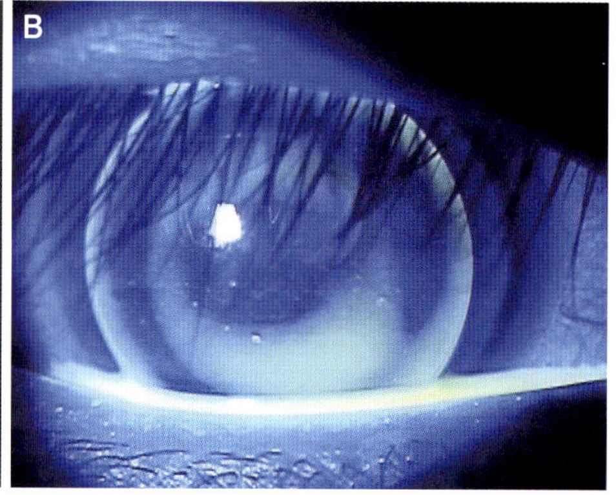

図 38　円錐角膜とコンタクトレンズ

A：円錐角膜は従来 1 万人に 1 人程度といわれていたが，実際にはもっと多い．小児期に発症し，はじめは通常の近視性乱視と診断されていることがよくある．B：小児期に発症することの多い円錐角膜では，角膜不正乱視が強くなるため視力補正に HCL 装用が必須な場合が多い．また，この時期は進行期でもあるので，通常の近視と間違えて見逃すことのないよう注意したい．

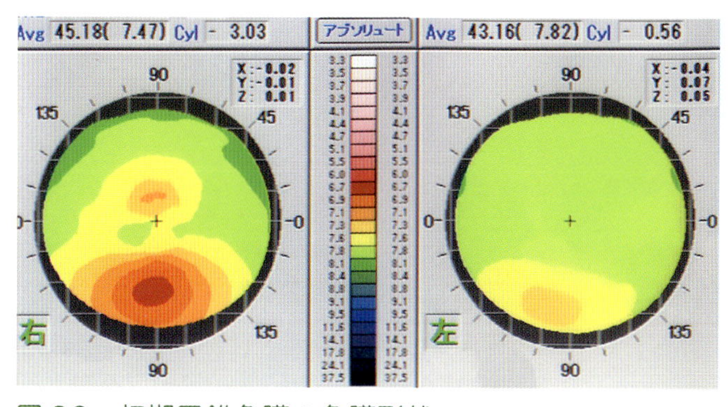

図 39　初期円錐角膜の角膜形状

屈折検査をすり抜けて，一見問題がないように見えても角膜形状解析によって発見される場合がある．初期の円錐角膜で的確な HCL を処方できれば，進行を抑制できる可能性があるので，早期に発見することが大切である．

CL を処方した症例である．小角膜や外傷で虹彩を失ったり，角膜混濁が残った場合にも，整容的改善，視力補正目的で虹彩付き CL が処方されることがある．視力補正が望めないケースでも，瞳孔部分が黒く塗りつぶされた虹彩付き CL によって整容的改善を図ることができる．**図 42 B** に，角膜径 8 mm の小角膜に虹彩付き CL を処方した症例を示した．患者は整容上の改善によって，思春期などの過敏な時期も明るく過ごすことができた．

虹彩付き CL は，わが国では 2023 年現在，シード社だけが生産・提供している．

先天白内障とコンタクトレンズ

図 43 に，先天白内障術後に CL を処方した症例を示した．最近では先天白内障

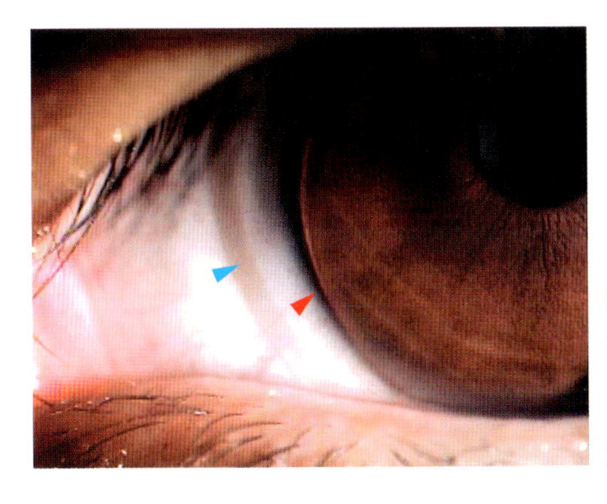

図 40　ピギーバックレンズシステム

円錐角膜進行例においても，SCL（►）の上に HCL（►）を処方するピギーバックレンズシステムを用いることにより，多くのケースは HCL による視力補正が可能となる．

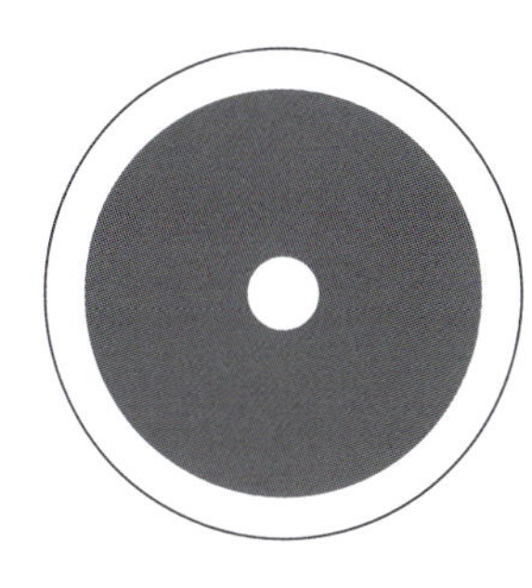

図 41　虹彩付きコンタクトレンズ

小角膜，無虹彩症などの医学的理由で CL 装用が必須な場合がある．整容上の改善によって，思春期などの過敏な時期も明るく過ごすことができる．無虹彩症では，黄斑病変の合併などで視力が上がらない場合も多いが，羞明の低減により見え方の改善を自覚することも多い．わが国では現在，シード社だけが生産・提供しており，5 種類のタイプと 4 種類の虹彩色をそろえ，全 19 通りのパターンから選択できる．

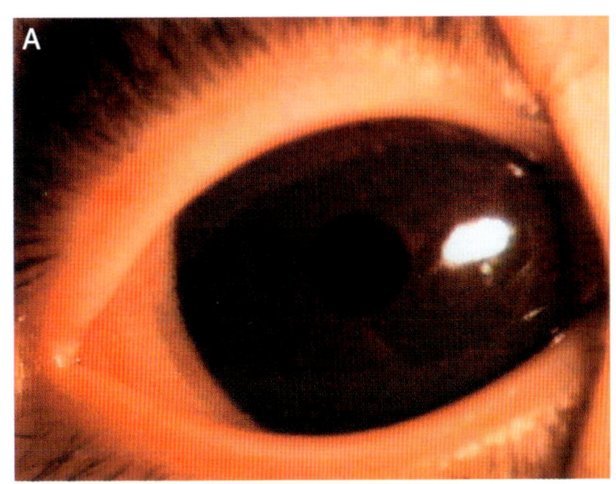

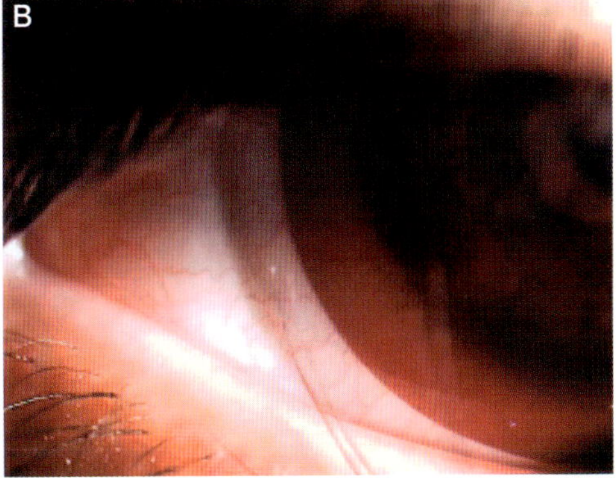

図 42　虹彩付きコンタクトレンズの処方例

A：無虹彩症．B：小角膜．

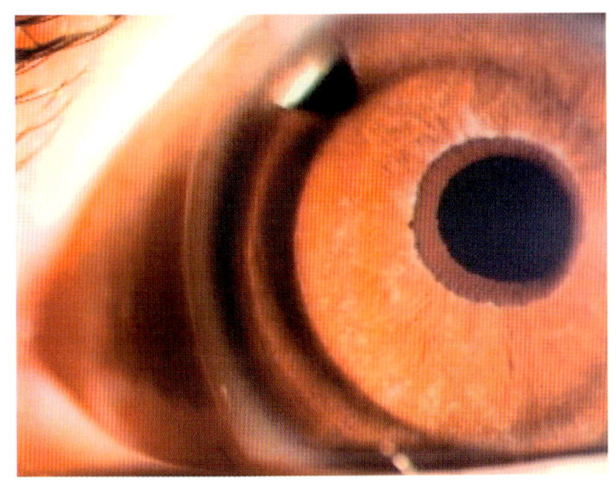

図 43　先天白内障とコンタクトレンズ

に眼内レンズ挿入術が行われることも多いが，眼の成長とともにレンズの度数が合わなくなること，合併症や再手術の頻度が高いなどの問題があり，術後 CL での屈折矯正が選択される場合もある．強いプラスレンズになることが多いので，角膜上皮障害の有無，屈折度数の変化について，しっかりとした経過観察が必要である．

スポーツ用眼鏡

小児に対する CL 処方について述べてきたが，大切なのは，CL には禁忌があることである．CL を視力補正のツールとして使わなければ十分な視覚が得られない場合には，CL によって得られるメリットとデメリットを処方医が天秤にかけるケースもありうるが，通常の近視で，アレルギー性結膜炎などがあり CL の適応でない場合には，本人と保護者にそのことを明確に伝えることが大事である．

学校の部活動などで，生徒に対して担当教員から CL にするよう安易に指導されることがあるが，CL には医学的に装用できないケースがあることを，学校保健活動を通じてしっかりと説明する．サッカーなどのボディコンタクトのあるスポーツで CL を希望する場合が多いが，度付レンズ対応可能のスポーツ用ゴーグルが競技別に開発・販売されていることを眼科医もしっかり把握しておくべきである（**図 44**）．まるで CL を装用できないことが，小児の才能の開花を妨げているように思っている保護者もいるが，元プロ野球選手では古田敦也氏をはじめ，多くのスポーツ選手が眼鏡でプレーしており，サッカー元オランダ代表選手，エドガー・ダーヴィッツ氏もスポーツゴーグルを使用していた．こうしたスポーツ用眼鏡を装用しながらも活躍できることを説明するとよい．また，スポーツ用眼鏡が小児用に特化したものからスポーツの種目別に多くの種類が開発されていることを知ると，CL の装用できない症例であっても希望をもつことができると思う．

図 44　度付対応のスポーツ用眼鏡（山本光学社）

スポーツ中の危険から子どもの眼を守る小児用に特化したスポーツ用眼鏡．激しい動きのスポーツ中で，汗をかいてもずれにくく安全なデザイン．衝撃性に優れたフレームとレンズ，頭をグリップしてずれ落ちを抑制するゴムバンド搭載で，小児の顔の大きさを問わず最適にフィットする．

コンタクトレンズは高度管理医療機器

CL は高度管理医療機器に指定されている．これは，人工透析器や人工心肺装置などと同じくわが国では最も高いリスクをもった医療機器であることを示している．CL は屈折矯正の非常に有効なツールであり，眼科医・視能訓練士にとって CL 診療は必須のスキルである．CL 開発の進歩は目を見張るものがあり，年々改良されてはいるが，それでも CL は角結膜表面にとって異物であることは変わらず，その装用は特に小児の軟らかくて脆弱な角膜組織にとっては大きなストレスになる．CL 装用者の大半を占める若年層の視力低下は社会にとっても大きな損失であり，眼科医に課せられた責務は非常に重い．特に将来ある小児への CL 処方には，より一層の配慮が必要である．

文献

1） Leat SJ：To prescribe or not to prescribe? Guidelines for spectacle prescribing in infants and children. Clin Exp Optom 94：514-527, 2011.
2） American Academy of Ophthalmology：Pediatric Eye Evaluations Preferred Practice Pattern, 2022. https://www.aao.org/Assets/0b507d20-f419-40ac-ac7c-99b11c95f58e/638070751054300000/pediatric-eye-evaluations-ppp-pdf
3） Li SY, Li SM, Zhou YH, et al.：Effect of undercorrection on myopia progression in 12-year-old children. Graefes Arch Clin Exp Ophthalmol 253：1363-1368, 2015.
4） Sun YY, Li SM, Li SY, et al.：Effect of uncorrection versus full correction on myopia progression in 12-year-old children. Graefes Arch Clin Exp Ophthalmol 255：189-195, 2017.
5） Chung K, Mohidin N, O'Leary DJ：Undercorrection of myopia enhances rather than inhibits myopia progression. Vision Res 42：2555-2559, 2002.
6） Adler D, Millodot M：The possible effect of undercorrection on myopic progression in children. Clin Exp Optom 89：315-321, 2006.
7） Vasudevan B, Esposito C, Peterson C, et al.：Under-correction of human myopia — Is it myopigenic?：A retrospective analysis of clinical refraction data. J Optom 7：147-152, 2014.
8） Chen Y-H：Clinical observation of the development of juvenile myopia wearing glasses with full correction and under-correction. Int Eye Sci 14：1553-1554, 2014.
9） Yazdani N, Sadeghi R, Ehsaei A, et al.：Under-correction or full correction of myopia? A meta-analysis. J Optom 14：11-19, 2021.
10）長谷部聡：小児の近視矯正（近視進行抑制眼鏡も含む）．あたらしい眼科 32：43-46, 2015.
11）Tang SM, Zhang XJ, Wang YM, et al.：Effect of Myopic Undercorrection on Habitual Reading Distance in Schoolchildren：The Hong Kong Children Eye Study. Ophthalmol Ther 12：925-938, 2023.
12）所　敬：第 3 章 屈折検査．“屈折異常とその矯正 第 7 版” 金原出版，2019，pp69-107.
13）所　敬：第 6 章 屈折矯正．“屈折異常とその矯正 第 7 版” 金原出版，2019，pp259-346.
14）魚里　博：近視の光学．“眼科 MOOK No.34（近視）” 保坂明郎 編．金原出版，1987，pp132-148.
15）所　敬：第 4 章 屈折異常．“屈折異常とその矯正 第 7 版” 金原出版，2019，pp109-231.
16）不二門尚：とくに注意したい病態の眼鏡処方 不同視を伴う近視．あたらしい眼科 39：293-299，2022.
17）Bannon RE, Teiller W：Aniseikonie-A clinical report covering a ten years period. Am J of Optom 21：171-182, 1944.
18）所　敬，佐藤百合子，山下牧子，他：軸性近視矯正による網膜像と不等像視．日眼光会誌 1：13-17, 1979.

19) Kitaguchi Y, Bessho K, Fujikado T, et al.：In vivo measurements of cone photoreceptor spacing in myopia eyes from images obtained by an adaptive optics fundus camera. Jpn J Ophthalmol 51：456-461, 2007.
20) 西村香澄：小児の不同視の矯正．あたらしい眼科 32：47-51，2015.
21) 原　直人：調節の神経機構．あたらしい眼科 31：629-635，2014.
22) 所　敬：屈折異常と調節．日眼光会誌 12：1-9，1991.
23) 所　敬：第5章 調節．"屈折異常とその矯正 第7版" 金原出版，2019，pp233-257.
24) 山下牧子，村上たか子，榎本裕子，他：屈折状態と眼位異常．眼臨医報 81：1245-1249，1987.
25) 杉山能子：とくに注意したい病態の眼鏡処方 斜視を伴う小児近視の眼鏡処方．あたらしい眼科 39：279-292，2022.
26) 長谷部聡：第2回 小児の眼鏡処方．眼科ケア 7：90-95，2007.
27) 山下牧子：レンズ中心間距離の決定方法について教えてください．あたらしい眼科 20：200-202，2003.
28) 内海　隆：幼小児の眼鏡処方．"すぐに役立つ臨床で学ぶ 眼鏡処方の実際" 所　敬，梶田雅義 編．金原出版，2010，pp10-22.
29) 仁科幸子：発達障害児の屈折異常．日本の眼科 73：13-16，2001.
30) 久保真奈子：障害児の眼鏡装用．日視会誌 38：77-83，2009.
31) Tomita K：Visual characteristics of children with Down syndrome. Jpn J Ophthalmol, 61：271-279, 2017.
32) 吉里　聡，志鶴紀子，高橋　広：知的障害をもつ重複障害児の眼鏡装用開始時期．日視会誌 37：145-149，2008.
33) 挺屋孝子，斎藤恵美，大上瑞恵，他：西葛西井上眼科クリニックにおける小児コンタクトレンズの処方と実態．日視会誌 41：149-154，2012.
34) 渡辺英臣，柏井真理子，大藪由布子，他：平成30年度学校現場でのコンタクトレンズ使用状況調査．日本の眼科 90：1194-1216，2019.
35) Liu YM, Xie P：The safety of orthokeratology—a systematic review. Eye Contact Lens 42：35-42, 2016.
36) 日本コンタクトレンズ学会オルソケラトロジーガイドライン委員会：オルソケラトロジーガイドライン 第2版．日眼会誌 121：936-938，2017.
37) 梶田雅義，山田文子，伊藤説子，他：両眼同時雲霧法の評価．視覚の科学 20：11-14，1999.

小児の近視の進行抑制

オルソケラトロジー

近視罹患率の著しい増加が近年の疫学調査により明らかにされ[1]，2050年には世界人口の約50%（約50億人）が近視を有するようになると試算されている[2]．強度近視も明らかに増加傾向にあり，緑内障や黄斑症などの合併による失明者の急増が懸念される[2]．

近視の原因は遺伝的要因と環境要因に大別できるが，その発生や進行はきわめて複雑であり，完全に予防する方法は見つかっていない．しかし，近視が急激に進む小児期において進行を抑制することができれば，青年期以降の社会活動におけるQOLが維持できるだけでなく，重篤な眼疾患による失明のリスクを軽減できると考えられ，近視進行抑制法の確立は社会的にもきわめて重要な課題であるといえる．

これまでの研究によって，屋外活動時間の増加，特殊デザイン眼鏡，オルソケラトロジー（orthokeratology：OK），多焦点コンタクトレンズ，アトロピン点眼は，近視進行抑制効果を有することが確認されている．なかでもOKに関しては多数の臨床研究が行われており，エビデンスレベルも高い．ここでは，OKによる近視進行抑制効果についてレビューする．

オルソケラトロジーとは

ハードコンタクトレンズの曲率をフラットに処方することで，装用した角膜の形状が変化することは1960年代から確認されており，これを意図的・計画的に行うことにより近視軽減を得る手法をOKと呼ぶようになった．当初は近視矯正の効果や予測性が低かったが，1980年代に入りリバースジオメトリーデザインが考案されると矯正効果や精度が飛躍的に向上した（**図1**）．角膜中央ではフラットなベースカーブにより上皮の厚みが薄くなり，それを取り囲むリバースカーブ部分へと角膜上皮細胞が移動することで中間周辺部の角膜厚が増し，その結果，角膜の屈折力が減弱して近視が軽減し裸眼視力の向上が得られる（**図2**）．また，角膜トポグラフィが登場したことにより周辺角膜の形状変化が確認できるようになったため，処方に反映できるようになった．さらには高酸素透過性レンズ素材の開発により，夜間就寝時装用も可能となった．そして，2002年には夜間装用オルソケラトロジー（overnight orthokeratology）が米国FDAで認可され，以降世界中で普及するようになった．なかでも学童は近視が比較的軽度であり，効果も発現しやすいことから広く処方されるようになったが，学童の臨床経過を追っていくと近視進行が鈍化することがしばしば経験されるようになった．

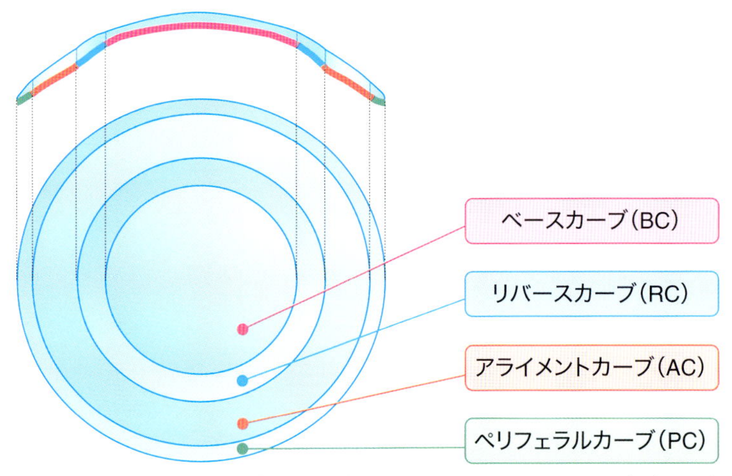

図1　オルソケラトロジーレンズデザイン（リバースジオメトリーデザイン）

レンズ平面および断面を示す．レンズは4つの異なるカーブ〔①ベースカーブ（base curve：BC），②リバースカーブ（reverse curve：RC），③アライメントカーブ（alignment curve：AC），④ペリフェラルカーブ（peripheral curve：PC）〕の領域から構成される．BCはレンズ中心部，直径約6 mmの部分であり，角膜よりも扁平な曲率を有し角膜中央部を圧迫し扁平化させる．RCは扁平なBCを角膜表面まで戻すように設計され，非常に急峻なカーブとなる．この領域ではレンズと角膜の間にスペースが形成され，角膜上皮が中央から周辺へ再分布するための重要な領域と考えられている．ACはレンズのセンタリングや安定性保持のために，角膜と平行なカーブに設計される．PCは適度なエッジリフトによりレンズの固着を防止する．

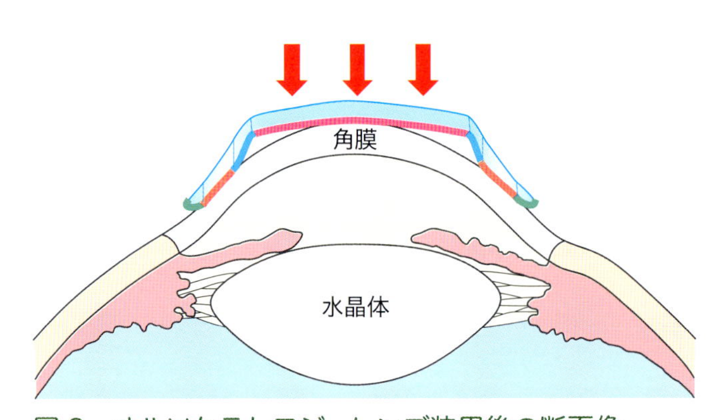

図2　オルソケラトロジーレンズ装用後の断面像

ベースカーブが角膜を圧迫することで角膜中央部は扁平化するが，急峻なリバースカーブが形成する周辺側のスペースへ再分配された角膜上皮により角膜周辺部は肥厚化する．その結果，角膜の屈折力が減弱し，眼球全体としての近視度数が軽減する．そして裸眼視力が向上する．

光学的眼軸長測定装置の登場

OK治療中は角膜中央部が扁平化しており，屈折値を測っても正視に近い状態となるため，屈折度数の変化で近視の進行を評価することが難しい．もちろん治療を一定期間中止すれば本来の角膜形状に戻るため正しい屈折状態を評価できるが，患者は裸眼視力を向上させ日中の眼鏡やコンタクトレンズ装用から解放されたいがためにOK治療を継続しているので，簡単には中断を受け入れてくれない．それゆえOKの臨床研究においては，眼軸長変化で近視進行を評価することがゴールドスタンダードとなっている．

従来のAモード（接触式超音波眼軸長測定）を用いて小児の眼軸長を正確に測定することはやや困難であったが，非接触式の光学的眼軸長測定装置が登場したことで，非侵襲かつ短時間での測定が可能となり精度が向上した．そして，経験的に感じていたOKの近視進行抑制効果を学術的に証明しようとする気運が高まった．

オルソケラトロジーの臨床研究

眼軸長伸長抑制効果の初報とパイロットスタディ

2004年に初めて学術論文（ケースレポート，エビデンスレベル5）が報告され，片眼だけOK治療を行っていた11歳男児の2年間の眼軸長の伸長が僚眼の半分以下（治療眼0.13 mm vs 僚眼0.34 mm）であったことが紹介された[3)]．次いで2年間のパイロットスタディ（エビデンスレベル2 b）の結果が報告され，Choら[4)]は対照眼鏡群と比較して46％の眼軸長伸長抑制が達成されていることを，またWallineら[5)]は対照ソフトコンタクトレンズ群と比較して56％伸長が抑制されていることを明らかにした．

非ランダム化とランダム化比較試験

その後，単焦点眼鏡装用を対照とした2年間の非ランダム化比較試験（エビデンスレベル2 a）が施行され，Kakitaら[6)]は日本人において36％の眼軸長伸長抑制効果を，Santodomingo-Rubidoら[7)]はスペイン人において32％の同抑制効果を確認した．

さらにChoら[8)]のグループにより初のランダム化比較試験（エビデンスレベル1 b）が香港で行われ，OK治療群では単焦点眼鏡群と比較して眼軸長の伸長が2年間で43％抑制されていることが確認された．この研究はretardation of myopia in orthokeratologyの頭文字をとってROMIO studyと呼ばれている．さらに同グループは強度近視眼にも適応を広げた研究を行っているが，過度の矯正を行うと角膜上皮が菲薄化するため感染症などに対する安全性が損なわれることから，partial reduction OKという手法を用いた．すなわち，OKで4 Dだけ部分的に近視矯正を行い，残存した近視度数に対して眼鏡を装用させるという方法で2年間の前向き研究を行ったところ，きわめて強い眼軸長伸長抑制効果（63％）を確認した[9)]．また乱視

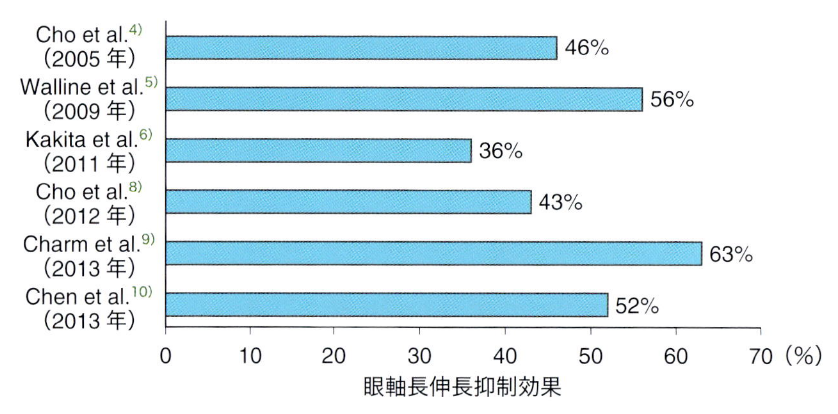

図3 オルソケラトロジー近視進行抑制効果に関する既報の比較

列挙したものはすべて2年間の臨床研究であり，対照群（単焦点の眼鏡もしくはソフトコンタクトレンズ）との眼軸長変化を比較している．いずれの研究においてもオルソケラトロジー群は対照群よりも有意に眼軸長伸長が抑制されており，その抑制効果は36～63%と報告されている．（文献4～6，8～10を参照して作成）

眼に対しても適応を広げ，トーリックOKレンズを用いたTO-SEE（toric orthokeratology-slowing eye elongation）studyにおいて，やはり強い眼軸長伸長抑制効果（52%）を確認した[10]．このように，近視進行抑制を目的としたOKの適応範囲が年々拡大していることも興味深い．もちろん成長期の眼軸長伸長を完全に停止させることはできないが，これらの既報に基づけばOKを用いると2年間で30～60%程度の抑制効果が期待できる（**図3**）．

メタ解析と双生児研究

2015～2016年には，4本のメタ解析（meta-analysis）論文（エビデンスレベル1a）が報告された．いずれの論文においてもOKは眼軸長の伸長を有意に抑制すると結論づけられており，近視進行抑制効果に関するエビデンスは最高レベルまで到達した[11～14]．

また，一卵性双生児を対象に行われた研究において，OK治療を受けている双子Aでは単焦点眼鏡装用の双子Bに比べて6ヵ月後の眼軸長の伸長が大きく抑制され，2年後も維持されていたと報告された[15]．すなわち，遺伝的要因と環境要因が完全に一致した条件においてもOKは有効であることが証明された（**図4**）．

近視度数と抑制効果の関連および人種差

OK治療開始時の近視度数と眼軸長伸長抑制効果の関連についてもいくつかの報告[16]があるが，メタ解析の結果によれば，弱度の近視よりも中等度～強度の近視のほうが抑制効果は強く得られている[11]．

人種差に関しても検討が行われており，白色人種（西洋人）よりも黄色人種（東洋人）のほうが得られる眼軸長伸長抑制効果は強いと報告されている[11]．

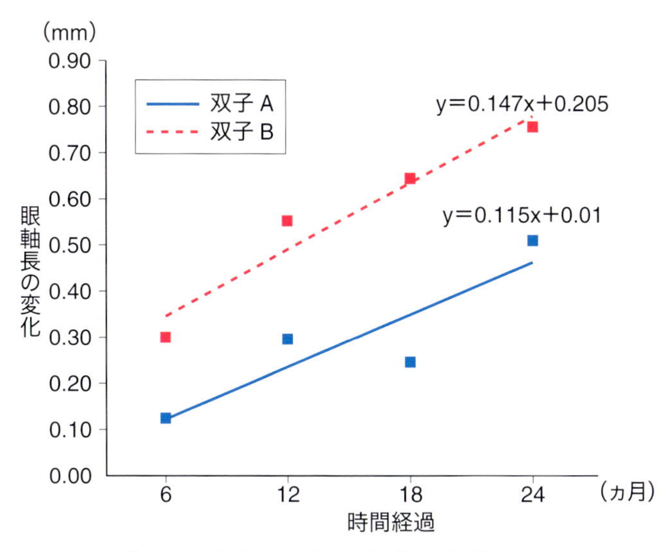

図４　一卵性双生児の眼軸長変化の比較

双子 A(—)はオルソケラトロジー治療を受けており，双子 B(…)は単焦点眼鏡を処方されている．横軸は時間経過を示すが，双子 A では治療開始後６ヵ月時点で半分以下の眼軸長変化に留まっており，双子 B よりも抑制されていることが明らかである．２年の経過を通して，この差が保たれていることもわかる．

（文献 15 より引用改変）

中長期の検討

これまでの臨床研究はいずれも２年間の報告であったが，５年間へと観察期間を延長した前向き研究も行われている．OK 治療の期間が長くなるにつれ抑制効果は減弱する傾向があるが，５年間の長期にわたっても約 30％の眼軸長伸長抑制が達成されていることが示された(**図５**)[17]．さらに７年[18]および 10 年[19]にわたり観察した研究も行われており(**図６**)，長期にわたる近視進行抑制効果とさまざまな合併症に対する安全性が報告されている．

近視の急速な進行の検討

Cho ら[20]は ROMIO study[8]と TO-SEE study[10]の結果を再解析し，近視の急速な進行(rapid progression)について詳細な検討を行ったところ，年齢が若いほど rapid progression を示す症例が多く，OK は rapid progression のリスクを有意に低下させ，早期(６～８歳)に開始したほうが抑制効果は強く発現されることを見いだした．それゆえ(両親ともに近視眼であるなど)近視進行が危惧される症例においては，早期に OK 治療を開始することを推奨している．

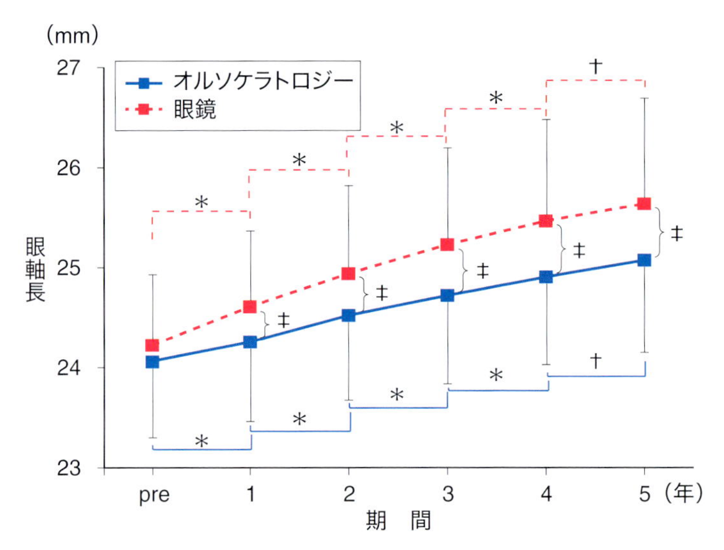

図 5　オルソケラトロジー群と単焦点眼鏡群における 5 年間の眼軸長変化

両群とも年々有意に眼軸長は伸長していくが，両群の差が徐々に広がっていくのがわかる．開始時点では両群の眼軸長に有意差はないが，1 年目以降はオルソケラトロジー群の眼軸長は単焦点眼鏡群より有意に短い．

＊：$P<0.0001$，　†：$P<0.001$（Bonferroni test），　‡：$P<0.05$（Mann-Whitney U test）．　（文献 17 より引用改変）

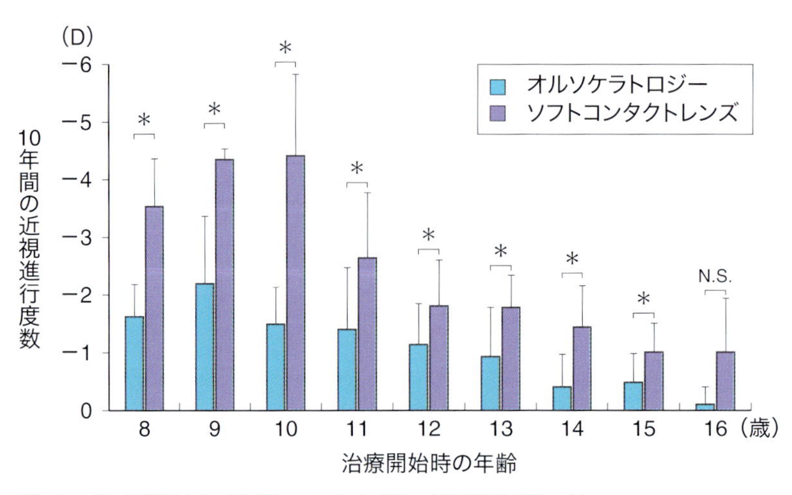

図 6　治療開始年齢別の 10 年間の近視進行比較

横軸は治療開始年齢，縦軸は 10 年間での近視進行度数を示す．たとえば 8 歳で治療を開始した場合，オルソケラトロジー群では 10 年間で約 1.6 D の近視進行がみられるが，単焦点ソフトコンタクトレンズ群では約 3.5 D であり，オルソケラトロジー群での近視進行が有意差をもって抑制されているのがわかる．同様に，いずれの開始年齢においてもオルソケラトロジー群の近視進行は単焦点ソフトコンタクトレンズ群よりも抑制されており，16 歳以外では有意差が認められた．

＊：両群間に有意差あり．　（文献 19 より引用改変）

近視進行抑制のメカニズム

周辺部遠視性デフォーカス

小児の近視が進行する主因は，眼軸長の過伸展による軸性近視と考えられている．この重要なトリガーとして，遠視性デフォーカス（網膜後方での結像による焦点ボケ）が注目されており，多種の動物において実験的に検証されている．成長期の眼球には，視覚環境に順応して網膜像のボケを最小限にするように眼軸長を伸展させる能力がある．つまり，焦点が網膜の後方にある状態が持続すると，生体は眼軸長を延長させることにより焦点を合わせようとする（この現象を眼軸長の視覚制御機能と呼ぶ）．

Smith ら[21)]の研究によると，眼軸長の視覚制御機能は軸上（on-axis）だけでなく軸外（off-axis）にも存在し，サルの実験ではむしろ軸外が重要であるとの結果が得られている．つまり，黄斑部よりも周辺網膜における遠視性デフォーカスが眼軸長伸長の重要なトリガーになるという仮説を軸外収差理論（peripheral refraction theory）と呼ぶようになった．通常，眼鏡やコンタクトレンズによる矯正では周辺部遠視性デフォーカスが生じるため，近視の進行を抑制できない．しかし，OK レンズ装用後は周辺部の角膜形状が急峻化するため，周辺部遠視性デフォーカスが改善され，近視の進行が抑制されると考えられている（**図 7**）．

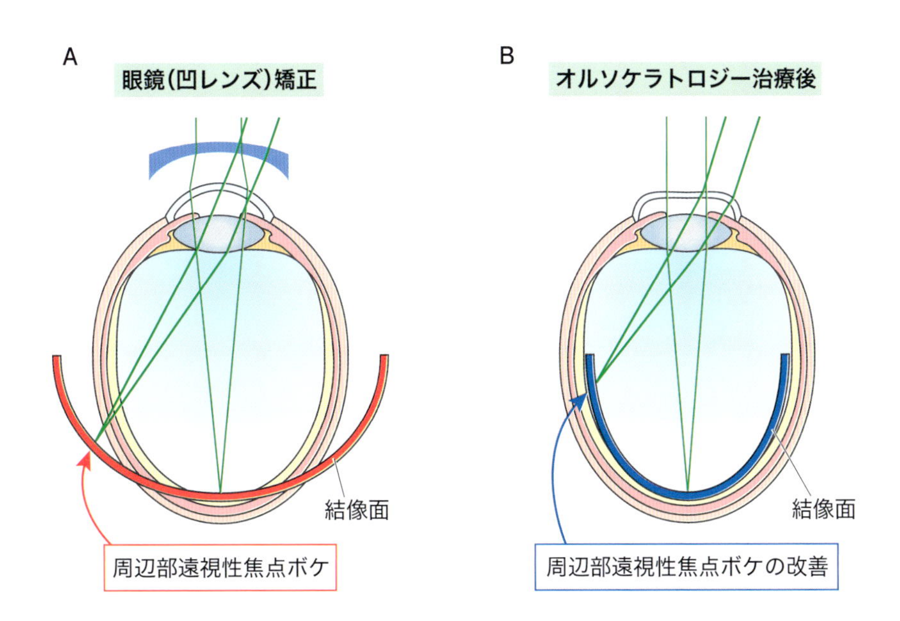

図 7　周辺部遠視性デフォーカスと軸外収差理論

A：眼鏡で近視矯正すると，周辺部に遠視性デフォーカス（焦点ボケ）を生じ，これが眼軸長を伸長（近視を進行）させるトリガーとなる．B：オルソケラトロジー治療後は角膜中央がフラット化し近視が軽減するが，角膜周辺部は肥厚化するため周辺での屈折力が増し，その結果，周辺網膜像での遠視性デフォーカスが改善する．それゆえ眼軸長伸長が抑制され，近視進行が鈍化すると考えられている．

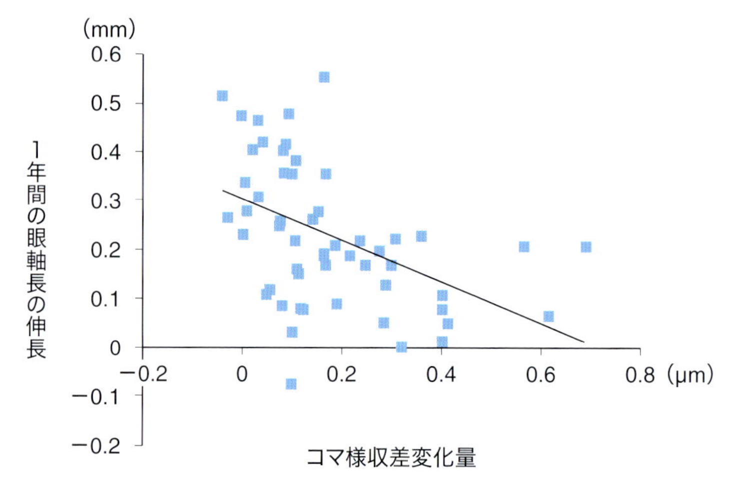

図８　オルソケラトロジー治療眼におけるコマ様収差と眼軸長の関連

横軸に１年間のコマ様収差変化量，縦軸に１年間の眼軸長変化量をプロットした散布図である．コマ様収差の増加が大きい症例ほど，眼軸長の伸長が抑えられている．逆に，コマ様収差の変化が少ない症例では眼軸長の伸びが大きい．これらの関係から高次収差は眼軸長伸長に対して抑制的に働いている可能性が示唆されている．　（文献22より引用改変）

高次収差

そのほか，高次収差が眼軸長伸長と相関するとの報告がなされている[22～24)]（図８）．高次収差は偽調節量の増加や焦点深度の拡大に寄与し，結果として調節負荷を軽減するため眼軸長の伸長が抑制される可能性が示唆されている．

いずれにせよ，近視の発生や進行のメカニズムはきわめて複雑で，単一の機序では説明できない可能性が高い．多要因が絡み合っているうえに個々の眼球においてもバリエーションが多いことが，その解明を難解にしていると考えられる．

低濃度アトロピン点眼との併用療法

2018年に入って，OKと低濃度アトロピン点眼との併用療法についてきわめて興味深い研究結果が報告された．１年間の経過観察において，OKと0.01％アトロピン点眼の併用療法を行っている群では，OK単独療法群よりも眼軸長の伸長が約50％抑制されたとのことである[25)]．2020年には続報[26)]が報告され，２年間の治療継続の結果，併用療法群ではOK単独療法群よりも28％の眼軸長伸長抑制効果が確認された．この続報では，弱度の近視（−1.00～−3.00 D）と中等度以上の近視（−3.01～−6.00 D）に分けてサブグループ解析を行っており，弱度近視群では0.01％アトロピン点眼の相加効果が確認されたが，中等度以上の近視群では併用による相加効果が認められなかった．以上の結果から，比較的弱い近視眼には併用療法を推奨するが，中等度以上の近視眼ではOK単独療法の効果が十分に強いため0.01％アトロピン点眼を併用する意義は低いと考察している．

また，類似する研究としてAOK（combined atropine with orthokeratology）studyというランダム化比較試験が香港で行われている[27]．OKと0.01％アトロピン点眼の併用療法群の1年間の眼軸長変化は，OK単独療法群よりも0.09 mm抑制されており，Kinoshitaら[25]の結果とほぼ一致している．しかし，2年間の経過観察を行った続報[28]では，併用療法群は単独療法群よりも約50％の眼軸長伸長抑制を達成しており，Kinoshitaら[26]の2年間の結果よりも強い効果が確認された．AOK studyでは−3.00 Dを超える中等度以上の近視眼においても，弱度近視眼（−1.00〜−3.00 D）と同様に0.01％アトロピン点眼の併用による相加効果が認められたとしており，この点でKinoshitaらの結果と異なる．この理由については定かではないが，試験方法や対象の違いが示唆されている．

なお，2023年に報告されたOKとアトロピン点眼の併用療法を評価したレビュー[29]では，軽度の近視小児に対しては，OKと0.01％アトロピン点眼を1〜2年間組み合わせて治療することが最も効果的であることが示されている．

AOK studyでは，高次収差や瞳孔径の影響を検討した研究も報告されており[30]，OKと0.01％アトロピン点眼の併用療法群の眼軸長変化量は明所瞳孔径の拡大やいくつかの高次収差成分と有意に相関したことから，併用療法群ではアトロピンによる瞳孔拡大効果により光学的な作用が修飾され，近視進行抑制効果を増大した可能性が示唆されている．

おわりに

近視進行抑制を目的としたOK処方は中国，韓国，香港，台湾などの東アジア諸国で大流行しているが，エビデンスの蓄積とともに近年では欧米でも普及してきている．OKレンズは日中装用しないので，装着・脱着を保護者が家庭で管理でき，比較的低年齢から開始できるという利点がある．また，低濃度アトロピン点眼が散瞳や調節麻痺に伴う視機能低下を代償としているのに対して，OKは裸眼視力を向上させQOLを高める効果が期待できる点も強みである．さらには，多焦点コンタクトレンズ（近視進行抑制目的）や低濃度アトロピン点眼はわが国では未承認であるのに対して，OKはすでに承認済み（2009年）であり，2017年の「オルソケラトロジーガイドライン（第2版）」で未成年者に対する処方も緩和されたことから，日常診療に導入しやすいといえる．

ただし，意図的に角膜を変形させる手法であるがゆえ，角膜への侵襲は避けられない．特に角膜上皮への影響は大きく，中央部は菲薄化しバリア機能も低下すると考えられる．したがって，ほかのコンタクトレンズよりも重篤な角膜障害に注意する必要があり，レンズケアを含めた患者教育は厳格に行わなければならない．また，適応範囲を超えた過度の矯正も慎むべきである．

今後の課題として，最大限の効果を得るための治療開始年齢や継続期間が不明である点が挙げられる．また，中止後の近視進行抑制効果の戻り（リバウンド）やほかの治療法へ切り替えた場合の効果維持に関しても，検討が必要である．

眼鏡およびコンタクトレンズ

眼鏡やコンタクトレンズには長い歴史があり，安全性が確立され，近視に対する標準的治療法として社会的コンセンサスが得られている．今日ではEBMの方法論を拠り所に，各種の近視進行抑制法が試みられているが，強度近視に伴う黄斑変性症，緑内障，網膜剝離などに罹患するリスク軽減が急務であるとしても，小児を対象とする予防的治療においては，高い安全性に加えて，時間的・経済的負担が少ないことが必要条件となる．この意味から，眼鏡またはコンタクトレンズを装用するだけで近視の進行が抑制されるのであれば，最も理想的な予防的治療といえるだろう．

眼軸長の視覚制御機能の発見

学童期になぜ近視が進むかという疑問には，水晶体屈折説と眼軸長説の両者があり，20世紀後半，わが国でも盛んな論争があった．水晶体屈折説は経験則から示される近業と近視進行の因果関係を説明できたが，眼軸長測定を含む眼球のバイオメトリー技術の進歩によって，ほぼ否定されている．しかしそれなら近業によって，なぜ眼軸長は過伸展を示すのだろうか．

1990年頃よりSmithらは，生後間もないサルを用いて数多くの近視化実験を実施した．**図9**に代表的な結果を示す[31)]．凹レンズを片眼に装用させフォーカスを網膜後方へ移動させると，planeレンズを装用した対照の僚眼に比べて遠視は急速に

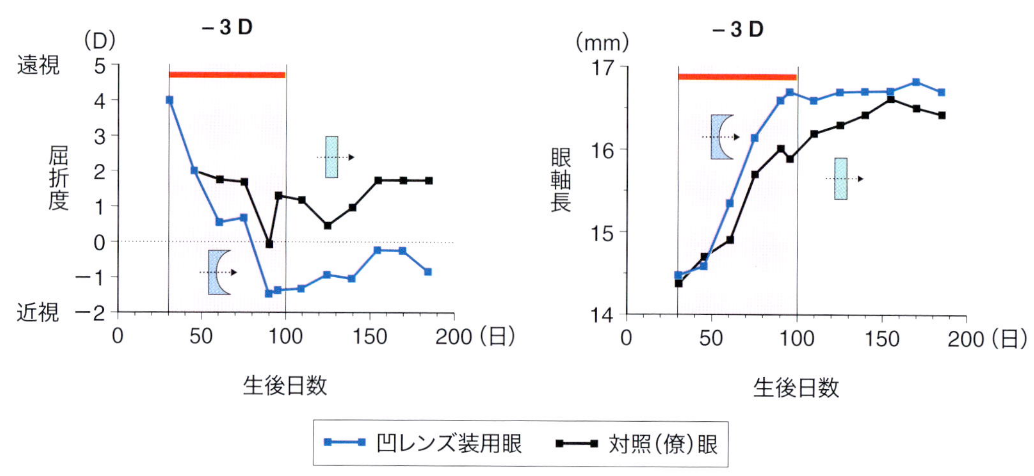

図9　凹レンズによる近視化実験

生後間もないサルに凹レンズ（−3 D）を装用すると，近視化と眼軸長の過伸展がみられる．
―：レンズ装着期間．
（文献31より引用改変）

軽減し，正視を通り越して近視が生じた(lens-induced myopia)．同時計測した眼軸長においては，凹レンズ装用眼で，より大きな伸長がみられた．一方凸レンズを装用させると，屈折は遠視のまま止まり眼軸長に変化はみられなかった．一連の実験結果から，成長段階にある眼球には，置かれた光学的環境に合わせて眼軸長の伸展を調節する能力(visual regulation of axial length：眼軸長の視覚制御機能)があると結論された．

網膜後方へのデフォーカスが持続すると眼軸長は過伸展を示し，鮮明な網膜像は眼軸長伸展の停止信号になると考えられており，網膜，脈絡膜，強膜においては，この作用を司る神経生化学的機転に関する研究が進んでいる．臨床的にも，乳児の屈折分布には大きな個体差がみられるが，成長とともに正視に収束していく現象(正視化)が知られており，正視は生まれつき与えられたものではなく，眼軸長の視覚制御機能の働きにより成長とともに獲得されるものだと解釈できる．

網膜後方へのデフォーカスが生じる原因

眼軸長の視覚制御のしくみが近視を進行させるとしてもなお，そのトリガーとなる「網膜後方へのデフォーカス」が，日常生活でなぜ生じるかという疑問が残る．

調節ラグ理論

最初の仮説はGwiazdaの調節ラグ理論である[32]．調節は眼のオートフォーカス機能であるが，これは視距離の変化という外乱に対して，網膜像をクリアに保つための一種のフィードバック制御系といえる．ところが実際に調節反応を測定してみると，一定の誤差がみられ，遠点に対して0.5～1.5 D近方に位置する調節安静位(tonic accommodation)を起点として，近業で視距離が短くなるに比例して調節反応が鈍り，フォーカスは網膜後方へずれる(**図10 B**)．この近業でみられる網膜後方へのデフォーカス，つまり調節ラグ(lag of accommodation)こそが，近視進行のトリガーであると考えた．この仮説を用いれば，近業と眼軸長の過伸展の因果関係を説明できる．

周辺部網膜におけるデフォーカス理論

第二の仮説は，周辺部網膜における後方へのデフォーカス理論である．Smithら[21]やSchaeffelらのグループ[33]は動物実験で，視野の一部に半透明膜や凹レンズを装用させたところ，これに対応する網膜だけに眼軸長の過伸展が生じ，眼球形状が変形した．この実験結果は，眼軸長の視覚制御は中心窩に限定された機能ではなく，広範な網膜で局所的に営まれていることを示している．正視眼であっても眼球形状には個人差があり，結像面(image shell)が網膜の曲率よりフラットである場合，中心窩で焦点が合えば，周辺部網膜には後方へのデフォーカスが起こる(**図10 C**)．さらに眼鏡(球面レンズ)装用下では，周辺視野から入る光線はレンズを斜めに通過するため，非点収差とともに凹レンズのパワー低下が起こり，やはりフォーカス(最小錯乱円)は網膜後方へずれる(**図10 D**)．

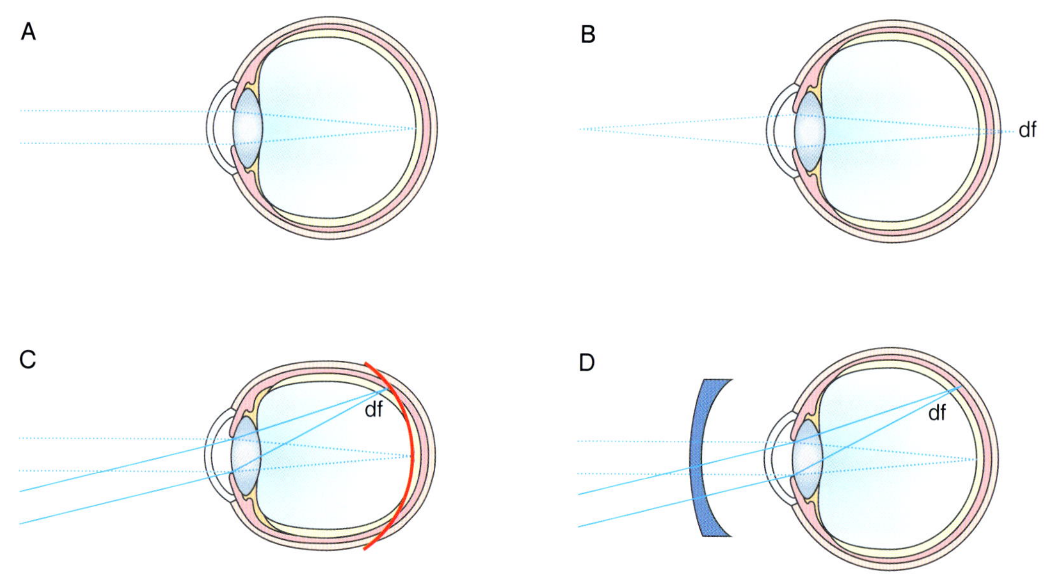

図 10　網膜後方へデフォーカスが起こる 3 つの理由

A：正視眼．B：調節ラグ（近業時にみられる生理的な調節不全）．C：前後に長い prolate な眼球形状における結像面（image shell）と網膜形状の不一致．D：周辺視野における凹レンズのパワー低下．
df：デフォーカス．

多焦点（multi−focus）レンズと近視進行抑制

累進屈折力眼鏡

学童に累進屈折力眼鏡（**図 11 A**）を装用させることで，加入度数だけ調節必要量が減るため，調節ラグを軽減できる．たとえば視距離 33 cm で作業をすると，調節必要量（＋3.0 D）は調節安静位を上回るため，調節ラグが生じる．しかし＋1.5～＋2.0 D の近用部を通して近業を行えば，調節必要量は調節安静位以下にとどまるため，調節ラグは起こらない．これまでに累進屈折力眼鏡を用いて実施された比較対照試験の成績を**表 1** にまとめた．

筆者らも 2002～2006 年に，近視進行抑制を目的とするわが国初のランダム化比較対照試験を実施した[34]．弱度～中等度の近視学童 92 人を 3 年間追跡調査し，期間の中間点で累進屈折力眼鏡と単焦点眼鏡を入れ替えるクロスオーバー試験であった（**図 12**）．分散分析で検討すると近視進行抑制効果は統計学的に有意（p＝0.0007）であったが，抑制率としては平均 15％にとどまった．

2011 年に Cochrane 共同計画が報告したシステマティックレビュー[35]によれば，累進屈折力眼鏡の近視進行抑制効果は統計学的に有意であるが，臨床的治療法としては効力が弱く（平均抑制率 11～33％），予防的治療として推奨することはできないと結論されている．

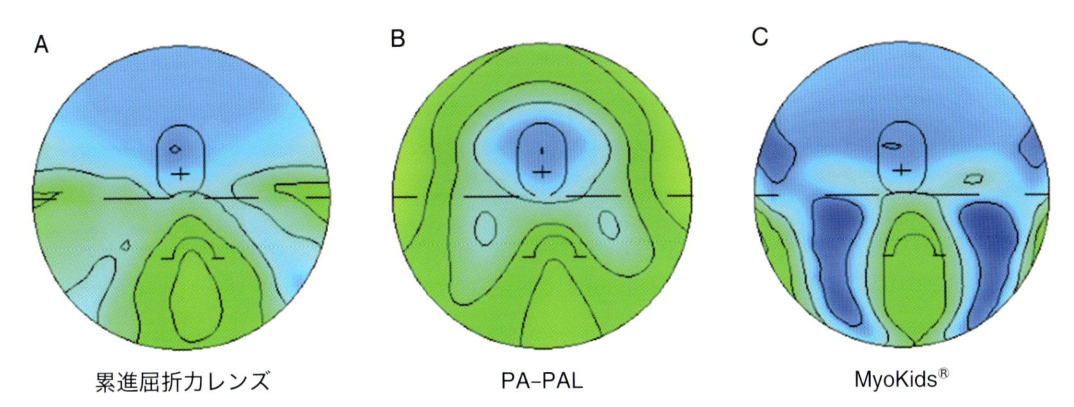

図11　調節ラグを抑制をするために設計された眼鏡レンズの平均屈折力分布（Carl Zeiss社）

累進屈折力レンズ（A）は近見時の調節ラグ抑制を，特殊非球面累進屈折力レンズ（positively-aspherized progressive addition lens：PA-PAL）（B）はこれに加えて周辺部網膜における後方へのデフォーカスを軽減させる．MyoKids®（C）は累進帯側方で加入度数を減らすことで，より強力に調節ラグを抑制させる．青色は加入なし，緑色は加入度数（最大＋1.50 D）を示す．レンズ径は60 mm．Rx＝－2.50 DS.

表1　累進屈折力眼鏡（No.1～8）と特殊非球面レンズ眼鏡（No.9～11）による比較対照試験の成績

No.	報告者	報告年	使用レンズ	研究デザイン	参加人数	近視進行抑制率	眼軸長伸展抑制率
1	Leung	1999	PAL	2年CT	46	46%	50%
2	Shih	2001	PAL	2年RCT	188	15% P<0.001	2%
3	Edwards	2002	PAL	1.5年RCT	298	11% N.S.	3% N.S.
4	COMET	2004	PAL	3年RCT	469	14% P<0.001	15% P<0.001
5	Hasebe	2008	PAL	3年RCT	92	15% P<0.001	—
6	Yang	2009	PAL	2年RCT	178	21% P=0.01	16% P=0.04
7	COMET-2	2011	PAL	3年T-RCT	118	24% P<0.05	—
8	Berntsen	2012	PAL	1年T-RCT	85	33% P=0.01	—
9	Sankaridurg	2010	RRG	1年CT	100	30% P<0.05	—
10	Hasebe	2014	PA-PAL	3年RCT	169	20% P<0.02	12% N.S.
11	Kanda	2018	RRG	2年T-RCT	207	N.S.	N.S.

PAL：累進屈折力眼鏡，RRG：refractive radial gradient design lens，PA-PAL：特殊非球面累進屈折力レンズ（positively-aspherized progressive addition lens），CT：比較対照試験，RCT：ランダム化比較対照試験，T-RCT：治療対象を限定したランダム化比較対照試験，N.S.：有意差なし．

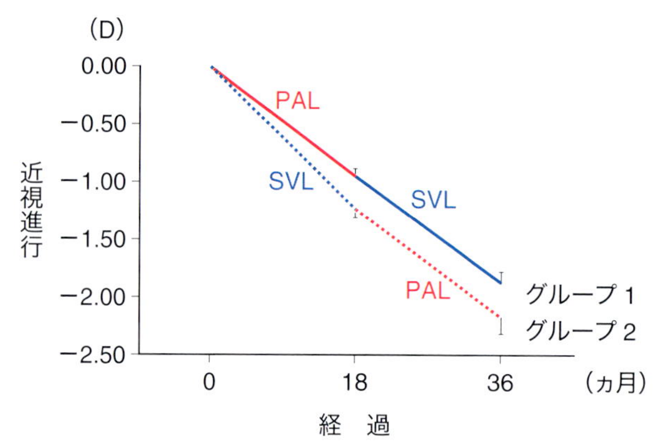

図 12 累進屈折力眼鏡による近視進行抑制

日本人学童を対象としたランダム化比較対照試験の結果．前半では PAL による近視進行抑制効果がみられたが，後半では対照群と比べて差はみられなかった．PAL：累進屈折力眼鏡，SVL：単焦点眼鏡．平均±SE，n＝92.

（文献 34 より引用改変）

特殊非球面レンズ

周辺部網膜における後方へのデフォーカスの対応策として登場したのは，Brien Holden 眼研究所の Radial Refractive Gradient（RRG）レンズであった[36]．これは，累進屈折力レンズが中心から下方へ徐々にプラスパワーが加入されるのに対し，同心円状に中心から遠ざかるにつれて徐々にプラスパワーが加入されたレンズである．少なくとも正面視では，周辺視野から入る光線は加入度数領域を通過するため，フォーカスが前方移動し，周辺部網膜における後方へのデフォーカスを取り除くことが期待できる．比較対照試験で使用された 3 種類の RRG レンズのうち，後に MyoVision®として市販されるレンズには，単焦点眼鏡に比べ平均 30％の近視進行抑制効果がみられた．しかし，これは年少かつ近視の家族歴がある学童に限定した，後付けのサブグループ分析で得られたものであった．

その後わが国において MyoVision®を用いて，近視の家族歴がある学童にターゲットを絞った多施設共同ランダム化比較対照試験が実施された[37]．しかし期待に反し，近視進行抑制効果は得られなかった．

これとは別に筆者らは，累進屈折力レンズと RRG レンズのハイブリッド型レンズ（positively-aspherized progressive addition lens）（**図 11 B**）を用いてランダム化比較対照試験を実施した[38]．レンズ下部の近用加入度数で調節ラグを軽減し，レンズ周囲のプラス加入部で周辺部網膜における後方へのデフォーカスを軽減する，2 つの作用の相乗効果を期待するものであった．しかし 2 年間の近視進行抑制率は平均 20％にとどまり，累進屈折力眼鏡の成績と大きな差はみられなかった．

累進屈折力眼鏡におけるブースター効果

2021年のメタ解析によれば，累進屈折力眼鏡の近視進行抑制効果は，平均抑制率で30%から19%へと，治療経過とともに徐々に低下する[39]．Vernasら[40]は，加入度数+1.50 D累進屈折力眼鏡(**図11 A**)の装用下で調節ラグを測定したところ，装用開始直後には有意に軽減するものの，12ヵ月後には単焦点眼鏡装用下で測定された調節ラグと差がみられなくなった．そこで，治療開始1年を目処に，加入度数を+0.50～+0.75 D増やすことで，当初の抑制効果を維持できるのではないかと考察している(ブースター効果)．今後，臨床試験で検証する必要がある．

多焦点コンタクトレンズと近視進行抑制

多焦点コンタクトレンズを用いた近視進行抑制治療が報告されるようになったのは，2008年頃である．使用されたのは中央遠用の累進屈折力レンズで，周辺視野から入る光線をレンズ周辺部の加入度数(+1.5～+2.5 D)だけ前方移動させることで，周辺部網膜における後方へのデフォーカスを軽減することが狙いであった(**図13**)．症例数や観察期間が限られており，コンタクトレンズ自体のデザインも異なるが，単焦点コンタクトレンズまたは単焦点眼鏡と比べて平均20～77%の近視進行抑制効果が報告されている(**表2**)．

わが国ではFujikadoらが，極低加入度数(+0.5 D)の累進屈折力ソフトコンタクトレンズ(メニコン社)を用いて比較対照試験を実施した[41]．10～16歳の小児24人に対して2年間追跡調査を行ったが，単焦点コンタクトレンズと比べて有意な近視進行抑制効果は得られなかった．

調節誤差マップと多焦点レンズの限界

多焦点レンズを用いる方法論では，十分な近視進行抑制効果を上げることは難しいようにみえる．その理由についてFlitcroftは，調節誤差マップ(**図14**)をもとに，次のように説明している[42]．周辺部網膜のデフォーカスは，眼球形状やレンズデザ

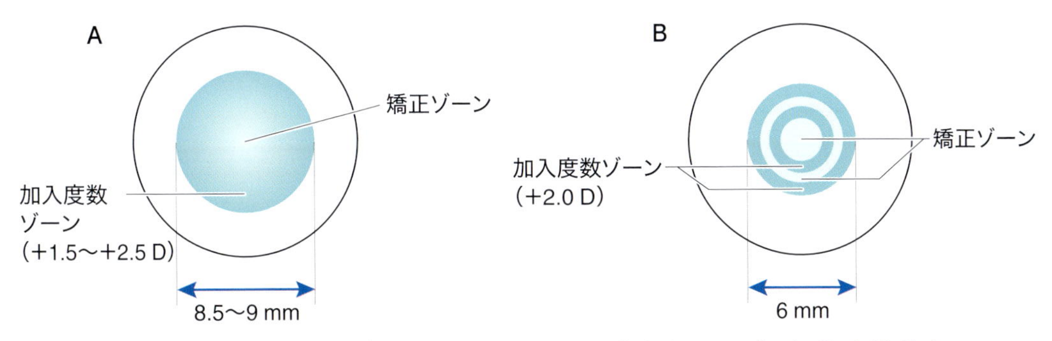

図13　近視進行抑制治療で使用されたソフトコンタクトレンズの加入度数分布
A：多焦点レンズ．B：多分割レンズ(MiSight®)．

表２　多焦点ソフトコンタクトレンズによる比較対照試験の成績

報告者	報告年	使用レンズ	対照	研究デザイン	参加人数	近視進行抑制率	眼軸伸展抑制率	ドロップアウト率
Anstice	2011	MSC	単焦点 SCL	10ヵ月 CT	70	36%	50%	13%
Sankaridurg	2013	MSC	単焦点眼鏡	1年間 CT	82	36%	39%	18%
Walline	2014	MSC	単焦点 SCL	2年間 RCT	54	50%	29%	19%
Fujikado	2014	MSC	単焦点 SCL	2年間 RCT	24	26%	25%	0%
Paune	2016	MSC	単焦点眼鏡	2年間 CT	40	43%	27%	43%
Aller	2016	MSC	単焦点 SCL	1年間 RCT	79	77%	79%	8%
Cheng	2018	MSC	単焦点 SCL	1～2年間 RCT	109	20%	39%	14%

MSC：多焦点ソフトコンタクトレンズ，SCL：ソフトコンタクトレンズ，RCT：ランダム化比較対照試験，CT：非ランダム化試験．

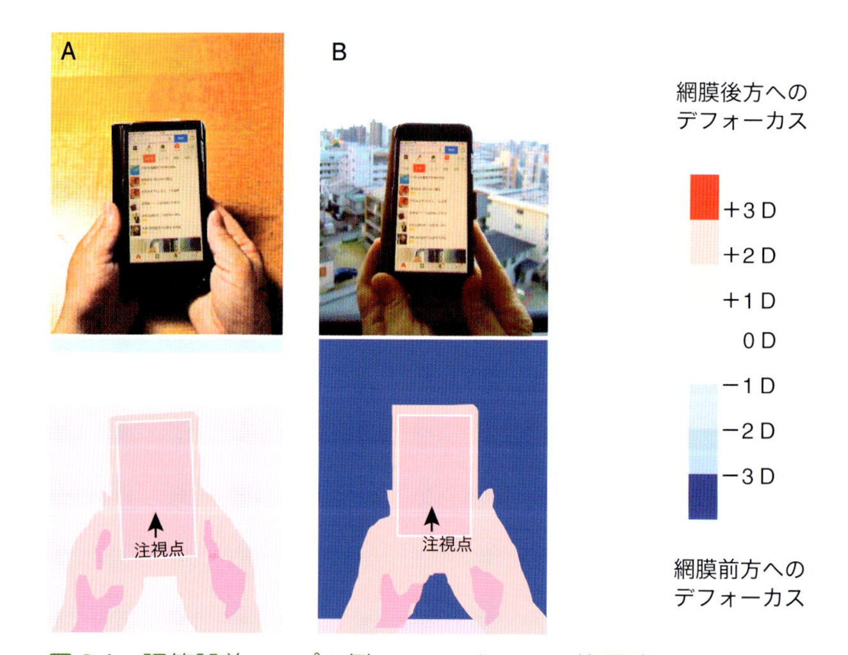

図 14　調節誤差マップの例：スマートフォン使用時

A：背景が近ければ，調節ラグにより，中心窩を含む広い範囲に後方への小さなデフォーカスが生じる．B：背景が遠いと，周辺部網膜には前方への強いデフォーカスが生じる．

インのみによって決まるわけではなく，視空間の三次元的構造・配置や視点の方向・距離（調節量）に応じて，日常生活ではダイナミックに変動している．たとえば教室で机に置いた教科書を読むとき，中心窩では鮮明な網膜像が得られるが，黒板は遠方にあるため，下方網膜は前方へのデフォーカスにさらされる．次に黒板に視線を移すと，調節は緩和され中心窩と下方網膜では鮮明な網膜像が持続するが，教科書や机はより近方にあるため，上方網膜は後方へのデフォーカスにさらされる．周辺部網膜におけるデフォーカスの変動は，近業時には数ジオプトリに達するため，レンズ周辺部に設けたわずかな加入度数だけでは，予防効果が限定的であっても不思議はない．

多分割（multi-segment）レンズと近視進行抑制

デフォーカス組み込み理論

眼軸長の視覚制御機能がデフォーカスの極性（向き）をいかに判定しているのか，明らかではない．しかし複数の動物実験[43, 44]によれば，網膜前方への（近視性）デフォーカスを同時に与えることで，視覚制御が機能不全に陥る可能性がある．この理論（デフォーカス組み込み理論：defocus incorporated theory）をもとに，多分割レンズによる眼鏡やコンタクトレンズが登場し，ランダム化比較対照試験によって，いずれも強力な近視進行抑制効果が報告されている．

MiyoSmart®

香港理工大学とわが国のHOYA社の共同研究による近視進行抑制用眼鏡である．中央部のクリアゾーンを除き，直径1 mmの屈折力＋3.5 Dの微小レンズ約400個が，ハニカム状に隙間なく配置されている（**図15 A**）．微小レンズ（lenslet）によって，レンズ本体（carrier）がもつ焦点とは別に，近視性デフォーカスを組み込むことができる．多焦点レンズでは，加入度数を増やすと非点収差や視野の歪みが強くなる欠点があったが，多分割レンズではこうした問題を持ち込むことなく，強い加入度数を提供できる．また視線が移動しても常時，瞳孔領には複数個の微小レンズが含まれるため，注視方向が変わっても光学作用が安定して持続し，第2・3眼位では軸上（中心窩）にも近視性デフォーカスが生じる（**図16**）．一方，微小レンズの焦点は複数個発生するため，微小レンズを利用して明視することはできない．このため近見時の調

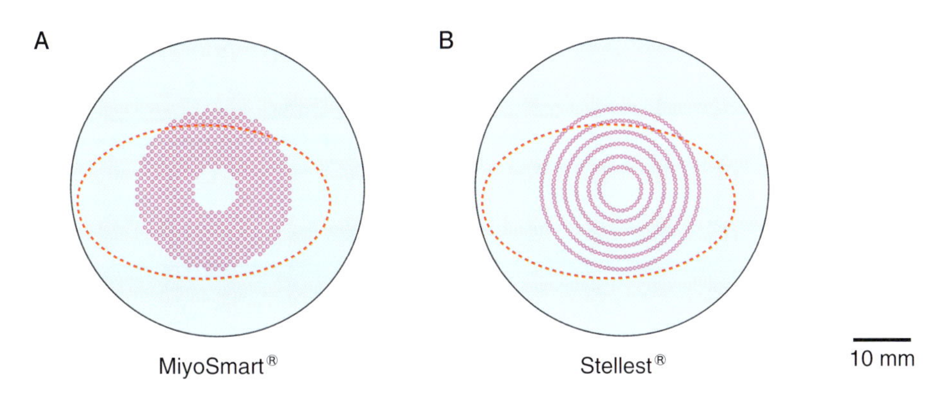

図15　多分割レンズ（眼鏡）のデザイン

MiyoSmart®（A）では微小レンズがハニカム状に隙間なく配列されているのに対し，Stellest®（B）では同心円状に配置されて，さらに非球面化されている．破線（---）は一般的な眼鏡フレームサイズを示す．

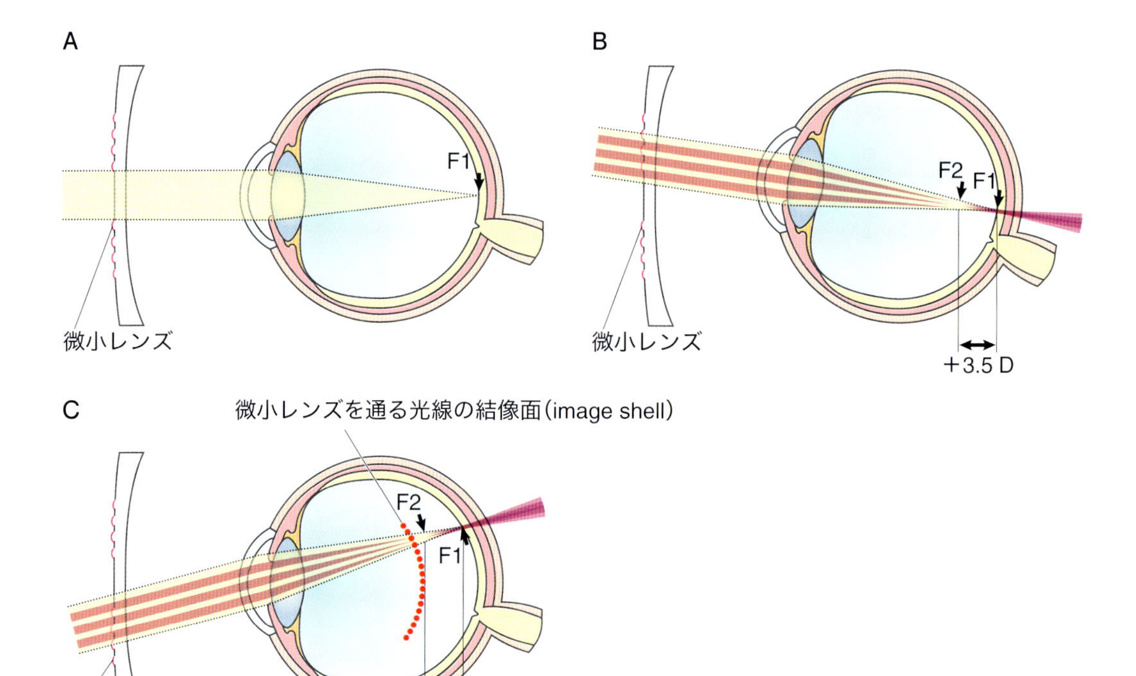

図 16　多分割レンズ(眼鏡)の光学作用

A：正面視では，中心窩における網膜像にはクリアゾーンを通過するため，単焦点レンズと比べて網膜像は劣化しない．B：眼球運動が生じても，瞳孔領には常に複数の微小レンズが含まれるため光学作用が安定して持続する．さらに中心窩にも，網膜前方へのデフォーカスが加わる．C：周辺視野から来る光線の一部は微小レンズを通過するため，周辺網膜に対して前方へのデフォーカスが与えられる．

節反応は正常に保たれる．

2020 年に報告されたランダム化比較対照試験(n=183)では，2 年間の平均抑制率は，等価球面度数で 52%，眼軸長で 62% であった(**図 17**)[45]．多焦点レンズと比較して 2～3 倍強力といえる．また，近視進行と眼軸長の伸長のいずれにおいても，3 年目も持続しているようにみえる[46]．興味深いことに，MiyoSmart® は軸外収差(relative peripheral refraction)のパターンにも影響を与えており[47]，治療機転の信憑性を裏付ける証拠と考えられている．香港を含む中国では，市販開始されている．

Stellest®

次いで登場した眼鏡用多分割レンズは Stellest® (Essilor 社)であり，レンズデザインに若干の差がみられる．中央に設けたクリアゾーン周囲に，微小レンズ(lenslet)が 6 本の同心円状に配置されている(**図 15 B**)．微小レンズは非球面化されており，屈折力は +3.1～+5.6 D である．網膜前方へのフォーカスは焦点面ではなく，前後に長い立体として与えられるため，より強力な治療効果が得られるとされる．眼鏡装用下の視機能の検討によれば，周辺視においては，MiyoSmart® に比べて Stellest® のほうが高周波数領域におけるコントラスト感度低下が小さいと報告されている[48]．

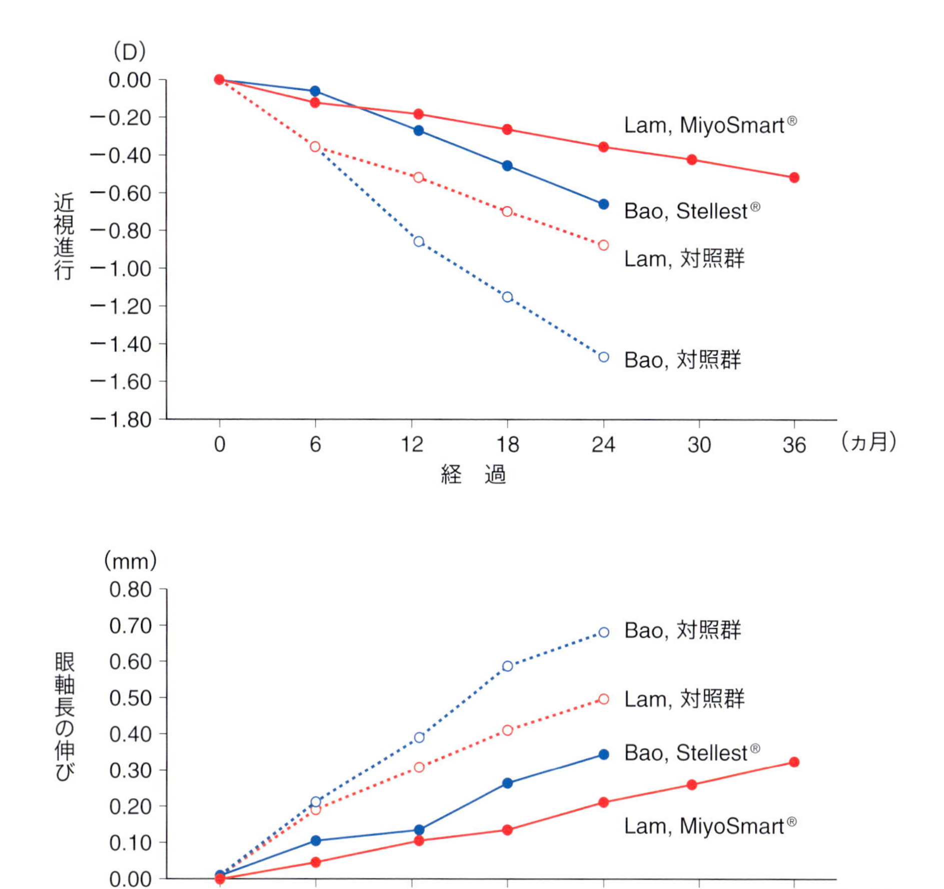

図 17　多分割レンズ(眼鏡)によるランダム比較対照試験の比較

赤線は MiyoSmart®，青線は Stellest®(spectacle lenses with highly aspherical lenslets)の経過を示す．近視進行と眼軸の伸びがともに 50％を超える抑制効果が報告されている．
(文献 45，46，49，50 を参照して作成)

2022 年に報告されたランダム化比較対照試験(n=157)では，2 年間の平均抑制率は，等価球面度数で 55％，眼軸長で 51％であった(図 17)[49, 50]．抑制率としては MiyoSmart®と同等と思われるが，MiyoSmart®は香港，Stellest®は中国温州で試験が実施されており，対照群における近視進行・眼軸長進行速度には差がみられることから，治療効果を単純に比較するのは難しい．Stellest®はすでに，中国，ロシア，シンガポール，ヨーロッパ，カナダなどで市販されている．

低光線拡散レンズ

神経学者 Neitz は，遺伝性強度近視の遺伝子変異が遺伝子座 MYP1 にマッピングされたことをきっかけとして，コントラストを評価する ON 型双極細胞の持続的な興奮が眼軸を過伸展させる原因であり，コントラストを弱める眼鏡を装用させることで近視進行を抑制できると考え，これを理論根拠として SightGlass Vision 社より新しい近視進行抑制用眼鏡レンズが登場した．レンズ中心のクリアゾーンを囲むように刻まれた微小ドットによって光線を拡散することで，コントラストのみを低下させる効果が得られる（diffusion optics technology）．微小レンズによってコントラストを低下させる点ではMiyoSmart®やStellest®も同様であり，多分割レンズに分類できる．

米国とカナダで実施されているランダム化比較対照試験（n=256）の中間報告（2年目）によれば，眼鏡を常用した場合に平均抑制率は等価球面度数で59%，眼軸長で40%であった[51]．

MiSight®

MiSight®（CooperVision社）は，近視進行抑制のための1Dayソフトコンタクトレンズである．レンズ中心を含む矯正ゾーンと，これを2重に取り巻く+2.0 Dの加入度数ゾーンからなる．従来の多焦点コンタクトレンズとは異なり，強い加入度数ゾーンを瞳孔領内にもつことから，多分割レンズに分類される（**図13 B**）．この設計により，周辺部網膜だけでなく，中心窩（軸上）にも網膜前方へのデフォーカスを組み込むことができる．

世界の異なる地域で実施されたランダム化比較対照試験は一貫して好成績を示しており[52〜55]，米国での多施設研究（BLINK study，n=294）[55]によると，3年間の平均抑制率は等価球面度数で44%，眼軸長で35%であった．研究成果を受けて，米国食品医薬品局（FDA）は2019年，MiSight®を初の近視進行予防治療として承認した．米国，英国，カナダ，スペイン，オーストラリアなどでは，すでに市販されている．

低濃度アトロピン

近年，近視の人口はアジアを中心に世界的に増加傾向であり，特にこの数十年で急増している[1]．近視は遺伝的要因と環境要因により発症・進行すると考えられているが，この短期間で近視の人口が急増している原因は，何らかの環境要因の変化による影響ではないかと考えられている．近年のライフスタイルで最も変化したと思われる環境要因は，テレビ，パソコン，スマートフォン，携帯用・家庭用ゲーム機の普及で，さらに東アジア諸国では教育に重点が置かれるようになり，子どもたちはより多くの時間を勉強に費やすようになっている．

現在までさまざまな近視進行予防法が報告されているが，国際近視研究所（International Myopia Institute：IMI）は有用な近視進行予防法として，0.01%〜0.05%の低濃度のアトロピン点眼を挙げている[56]．アトロピンは神経伝達物質アセチルコリンのムスカリン受容体拮抗薬であり，近視進行抑制の作用機序は調節麻痺作用によるものではなく，網膜や脈絡膜内のムスカリン受容体に直接作用して眼軸長の伸長を抑制するものと考えられている．しかしムスカリン受容体は，網膜色素上皮，脈絡膜，毛様体など眼内に広く分布しており，その作用機序については不明な点もある[57]．

アトロピンの近視進行抑制効果は数多く報告されているが（**表3**），なかでも

表3　アトロピンを用いた小児の近視進行予防に関する主な臨床比較試験の成績

年	研究者	症例数	地域	フォローアップ	割り当て	平均近視進行度数
1989	Yen, et al.[58]	247	台湾	1年	1%アトロピン 1%シクロペントラート プラセボ	−0.22±0.54 D/年 −0.58±0.49 D/年 −0.91±0.58 D/年
1999	Shih, et al.[59]	200	台湾	2年	0.5%アトロピン＋二重焦点眼鏡 0.25%アトロピン＋低矯正眼鏡 0.1%アトロピン＋完全矯正眼鏡 トロピカミド＋完全矯正眼鏡	−0.04±0.63 D/年 −0.45±0.55 D/年 −0.47±0.91 D/年 −1.06±0.61 D/年
2001	Shih, et al.[60]	227	台湾	18ヵ月	0.5%アトロピン＋多焦点眼鏡 多焦点眼鏡 単焦点眼鏡	−0.42±0.07 D/18ヵ月 −1.19±0.07 D/18ヵ月 −1.40±0.09 D/18ヵ月
2001	Syniuta, et al.[61]	30	米国	平均30ヵ月	1%アトロピン 単焦点眼鏡	−0.05±0.67 D/年 −0.84±0.26 D/年
2006	Chua, et al.[62]（ATOM1）	400	シンガポール	2年	1%アトロピン プラセボ	−0.28±0.92 D/2年 −1.20±0.69 D/2年
2009	Tong, et al.[63]（ATOM1）	400	シンガポール	投与中止後1年	1%アトロピン プラセボ	−1.14±0.80 D/年 −0.38±0.39 D/年
2012	Chia, et al.[64]（ATOM2）	400	シンガポール	2年	0.5%アトロピン 0.1%アトロピン 0.01%アトロピン	−0.30±0.60 D/2年 −0.38±0.60 D/2年 −0.49±0.63 D/2年
2014	Chia, et al.[65]（ATOM2）	400	シンガポール	投与中止後1年	0.5%アトロピン 0.1%アトロピン 0.01%アトロピン	−0.87±0.52 D/年 −0.68±0.45 D/年 −0.28±0.33 D/年
2019	Yam, et al.[66]（LAMP phase1）	438	香港	1年	0.05%アトロピン 0.025%アトロピン 0.01%アトロピン プラセボ	−0.27±0.61 D/年 −0.46±0.45 D/年 −0.59±0.61 D/年 −0.81±0.53 D/年
2020	Yam, et al.[67]（LAMP phase2）	438	香港	2年	0.05% アトロピン 0.025% アトロピン 0.01% アトロピン	−0.55±0.86 D/2年 −0.85±0.73 D/2年 −1.12±0.85 D/2年
2022	Yam, et al.[68]（LAMP phase3）	326	香港	投与中止後1年	0.05% アトロピン 0.025% アトロピン 0.01% アトロピン	−0.68±0.49 D/年 −0.57±0.38 D/年 −0.56±0.40 D/年
2021	Hieda, et al.[69]（ATOM-J）	168	日本	2年	0.01%アトロピン プラセボ	−1.26 D/2年 −1.48 D/2年

（文献58〜69を参照して作成）

ATOM2 study[64]の研究後，0.01％アトロピンの使用が急速に普及し，副作用が少なく手軽にできることからわが国でも脚光を浴びている．

ここでは，これまでに発表されたアトロピンの近視進行抑制効果に関する報告から，低濃度アトロピン点眼の現在と今後の展望について述べていきたい．

近視進行抑制効果

屈折度数

1989年にYenら[58]は，近視進行予防のためのアトロピン点眼のランダム化比較試験を初めて報告した．1年間でプラセボ群が－0.91±0.58 D進行したのに対し，1％アトロピン群は－0.22±0.54 Dで有意な近視進行抑制効果が報告された（$p<0.01$）．しかし，強い副作用のため247人中151人が研究から脱落した．

その後，Shihら[59, 60]はアトロピンの濃度を徐々に下げる研究を行った．眼鏡の矯正方法は異なるが，眼鏡矯正のみの対照群に比べてアトロピン群では有意な近視進行抑制効果がみられることを報告した．

2006年にATOM1 study[62]がシンガポールから報告された．この研究では400人を対象に，1％アトロピンとプラセボ点眼薬の無作為化試験を行った．2年間でプラセボ群が－1.20±0.69 D進行したのに対し，1％アトロピン群は－0.28±0.92 Dの進行で有意な近視進行抑制効果が報告された（$p<0.001$）（**表4**）．

その後Chiaら[64]は，低濃度アトロピンとATOM1 studyの過去のプラセボ群とを比較した第2の研究を開始した（ATOM2 study）．この研究では，400人を無作為に2：2：1の比率でアトロピン0.5％，0.1％，0.01％に割り当てた．2年間の近視進行は0.5％で－0.30±0.60 D，0.1％で－0.38±0.60 D，0.01％で－0.49±0.63 Dであった（$p=0.02$，0.01％ vs 0.5％：$p=0.05$，ほかの濃度間）．

さらにYamら[66]は，ATOM studyの過去のプラセボ群と低濃度アトロピンを比較するという問題点を解決したLAMP studyを報告した．この研究では，438人を無

表4　ATOM1・ATOM2 studyの点眼2年後と点眼中止1年後の近視進行

研究名	アトロピン濃度	屈折度数		眼軸長	
		点眼2年後	点眼中止1年後	点眼2年後	点眼中止1年後
ATOM1	プラセボ	－1.20±0.69 D[62]	－0.38±0.39 D[63]	0.38±0.38 mm[62]	0.52±0.45 mm[63]
	1％アトロピン	－0.28±0.92 D[62]	－1.14±0.80 D[63]	－0.02±0.35 mm[62]	0.29±0.37 mm[63]
ATOM2	0.5％アトロピン	－0.30±0.60 D[64]	－0.87±0.52 D[65]	0.27±0.25 mm[64]	0.35±0.20 mm[65]
	0.1％アトロピン	－0.38±0.60 D[64]	－0.68±0.45 D[65]	0.28±0.28 mm[64]	0.33±0.18 mm[65]
	0.01％アトロピン	－0.49±0.63 D[64]	－0.28±0.33 D[65]	0.41±0.32 mm[64]	0.19±0.13 mm[65]

（文献62～65を参照して作成）

作為に 1：1：1：1 の比率でアトロピン 0.05%，0.025%，0.01%，プラセボ点眼薬に割り当て，1 年間の近視進行を調べた(phase 1)．1 年間の近視進行は，アトロピン 0.05 % で−0.27±0.61 D，0.025 % で−0.46±0.45 D，0.01 % で−0.59±0.61 D，プラセボで−0.81±0.53 D と，プラセボ群と比べてアトロピン群は濃度依存的に近視進行抑制効果があることがわかった(p<0.001)(**表 5**)．2 年目になるとプラセボ群を全員 0.05%アトロピンに変更し，スイッチ群として 1 年間の近視進行を調べた(phase 2)[67]．プラセボ群では 1 年間で 0.82 D 進行したのに対し，0.05%アトロピンにスイッチした 2 年目では 0.18 D と近視の進行は有意に減少した(P<0.001)．

わが国では，0.01%アトロピンとプラセボ点眼薬を比較したランダム化比較試験の研究(ATOM-J study)が 2021 年に報告された[69]．低濃度アトロピンとプラセボ点眼薬の効果を調査する研究としては世界初の多施設共同研究で，日本国内の 7 つの大学病院が参加した．0.01%アトロピンには Myopin™ 0.01%を使用し，6〜12 歳の小児 168 人に 2 年間点眼し近視進行抑制効果を調べた．2 年間で近視進行は，0.01%アトロピンで−1.26 D，プラセボ群で−1.48 D と有意な抑制効果がみられた(P<0.001)(**表 6**)．屈折度数は 2 年間の経過観察でようやく有意差がついたので，平均の差は 0.22 D であり他の報告に比べると少なかった(**図 18**)．

ATOM2 study と LAMP study では，対象の年齢(ATOM2：6〜12 歳，LAMP：4〜12 歳)，屈折度数(ATOM2：−2.00 D 以上の近視，LAMP：−1.00 D 以上の近視)などの基準に違いがある．そのうえで，0.01%アトロピンの有効性は ATOM2 study と比較すると LAMP study では低く，また LAMP study の 0.05%アトロピンの有効性は ATOM2 study の 0.1%アトロピンに匹敵しており(**図 18**)，低濃度アトロピン点眼の有効性を決定するにはまだ多くの研究が必要であると思われる．

表 5　LAMP study(phase 1)における 1 年間の近視進行

	0.05%アトロピン	0.025%アトロピン	0.01%アトロピン	プラセボ
屈折度数	−0.27±0.61 D	−0.46±0.45 D	−0.59±0.61 D	−0.81±0.53 D
眼軸長	0.20±0.25 mm	0.29±0.20 mm	0.36±0.29 mm	0.41±0.22 mm

(文献 66 を参照して作成)

表 6　ATOM-J study における 2 年間の近視進行

	0.01%アトロピン	プラセボ
屈折度数	−1.26 D	−1.48 D
眼軸長	0.63 mm	0.77 mm

(文献 69 を参照して作成)

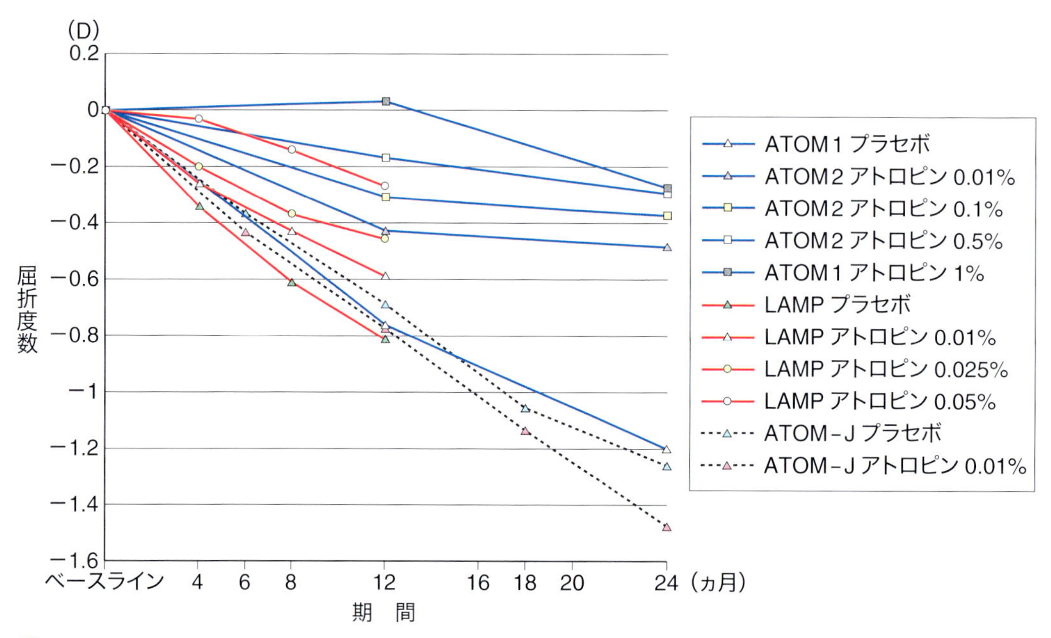

図 18　ATOM1・ATOM2 study，ATOM-J study，LAMP study の屈折度数進行

（文献 62，64，66，69 を参照して作成）

眼軸長

2001 年に Shih ら[60]は 0.5%アトロピン＋多焦点眼鏡，多焦点眼鏡，単焦点眼鏡で治療した小児の眼軸長，前房深度，水晶体厚を評価した．18ヵ月間の眼軸長の伸長は 0.5%アトロピン＋多焦点眼鏡が 0.22±0.03 mm で，多焦点眼鏡の 0.49±0.03 mm，単焦点眼鏡の 0.59±0.04 mm と比較して有意に少なく，また水晶体厚は有意に薄かった(p=0.0001)．

ATOM1 study[62]の点眼治療 2 年間の眼軸長の伸長は，プラセボ群が 0.38±0.38 mm，1%アトロピン群は−0.02±0.35 mm であった(p<0.001)(**表 4**)．

Kumaran ら[70]は，眼の成長にアトロピンがどのように影響するかを調べるために ATOM1 study を評価した．角膜曲率，前房深度，水晶体厚，硝子体腔，眼軸長の変化を測定し，アトロピンが硝子体腔の成長および眼軸長の伸長を減少させることによって近視進行を抑制していることを示唆した．

また ATOM2 study[64]では，点眼治療 2 年間の眼軸長の伸長はアトロピン 0.5%で 0.27±0.25 mm，0.1%で 0.28±0.28 mm，0.01%で 0.41±0.32 mm であった(p=0.01，0.01% vs 0.1%，0.01% vs 0.5%)．ATOM1 study と ATOM2 study を比べると，点眼治療 2 年間の眼軸長の伸長は 0.01%アトロピンで 0.41±0.32 mm，プラセボ群で 0.38±0.38 mm と，眼軸長伸長の抑制効果において低濃度アトロピンの効果の有無は不明であった[64](**表 4，図 19**)．

LAMP study の phase 1[66]では，0.05%，0.025%，0.01%アトロピンとプラセ

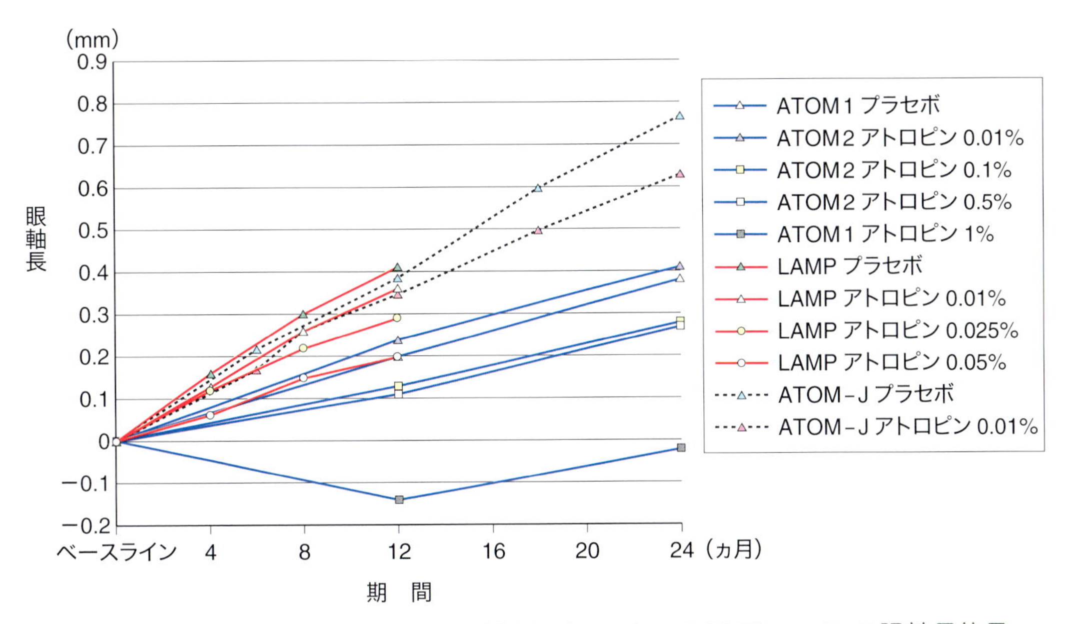

図 19　ATOM1・ATOM2 study，ATOM-J study，LAMP study の眼軸長伸長

（文献 62，64，66，69 を参照して作成）

ボを 1 年間点眼し，眼軸長の伸長はそれぞれ 0.20±0.25 mm，0.29±0.20 mm，0.36±0.29 mm，0.41±0.22 mm で，0.01％アトロピン群ではプラセボ群に比べて有意な抑制効果はみられなかった（**表 5**，**図 19**）．2 年目にプラセボ群を 0.05％アトロピンにスイッチした phase 2[67]では，眼軸長はプラセボ群で 1 年間で 0.43 mm 伸長したのに対し，0.05％アトロピンにスイッチした後では 0.15 mm と有意な抑制効果がみられた（$P<0.001$）．

ATOM-J study では，眼軸長の伸長はアトロピン群で 0.63 mm，プラセボ群は 0.77 mm で，2 年間で 0.14 mm の有意な抑制効果が認められた（$P<0.001$）（**表 6**，**図 19**）[69]．

点眼中止後のリバウンド

屈折度数

2009 年に Tong ら[63]は，ATOM1 study の点眼中止期間の近視進行を報告した．2 年間の点眼治療後，1 年間の点眼中止期間で 1％アトロピン群は−1.14±0.80 D，プラセボ群は−0.38±0.39 D 進行し，1％アトロピン群で近視度数のリバウンドが大きいことが報告された（$p<0.0001$）（**表 4**）．治療期間と点眼中止期間を合わせた 3 年間での近視進行を 1 年あたりに換算すると，1％アトロピン群で−0.46±0.26 D，プラセボ群で−0.52±0.30 D となり統計的には有意であったが，臨床的に有用であるとは思われなかった．

また，ATOM2 study の 2 年間の治療期間（phase 1）の後，1 年間の点眼中止期間（phase 2）の近視進行は，0.5％が−0.87±0.52 D，0.1％が−0.68±0.45 D，0.01％が−0.28±0.33 D で，0.5％アトロピン群で近視度数のリバウンドがより顕著にみられた（p<0.001）[65]（**表 4**）．3 年間通しての近視進行は，0.5％で−1.15±0.81 D，0.1％で−1.04±0.83 D，0.01％で−0.72±0.72 D と，0.5％アトロピン群が最も近視進行が大きかった（p<0.001）．phase 2 の点眼中止期間中，0.50 D 以上近視が進行した症例に 0.01％アトロピン点眼を再開して 2 年間観察したところ，phase 1 で点眼したアトロピンの濃度が低いほうが点眼中止後の 0.01％アトロピンの再開に最も効果的であることがわかった[65]．この臨床試験 5 年間の屈折度数の進行は，アトロピン 0.5％が−1.98±1.10 D，0.1％が−1.83±1.16 D，0.01％が−1.38±0.98 D であり，0.01％アトロピン群で有意に近視進行抑制効果がみられた[71]（p=0.003，0.01％ vs 0.1％：p<0.001，0.01％ vs 0.5％）．

以上のことから，ATOM study ではアトロピンの濃度が低いほど近視度数のリバウンドが少なく，点眼中止後の 0.01％アトロピンの再開に最も効果的であることが認められた．

LAMP study では 2 年間の治療期間（phase 1・2）[66, 67] の後にそれぞれの治療群の半数を点眼中止し，リバウンドについて調べた（phase 3）[68]．phase 3 の 1 年間の近視進行は 0.05％アトロピンで−0.28±0.42 D，中止群で−0.68±0.49D（P<0.001），0.025％アトロピンで−0.35±0.37 D，中止群で−0.57±0.38 D（P=0.004），0.01％アトロピンで−0.38±0.49 D，中止群で−0.56±0.40 D（P=0.04）と，すべての濃度で治療継続群の近視進行が少なかった．3 年間の近視進行はアトロピン 0.05％，0.025％，0.01％でそれぞれ治療継続群は−0.73±1.04 D，−1.31±0.92 D，−1.60±1.32 D（P=0.001），中止群はそれぞれ−1.15±1.13 D，−1.47±0.77 D，−1.81±1.10 D（P=0.03）であった．点眼中止後の近視度数のリバウンドは濃度依存的であったが，臨床的に有意な差はみられなかった（P=0.15）．点眼中止時の年齢が高く，アトロピン濃度が低いほど近視度数のリバウンドは少なかった（P<0.001）．

眼軸長

ATOM1 study の 1％アトロピンの眼軸長に対する伸長抑制効果は 1 年間の点眼中止期間中も持続し，1％アトロピン群は 0.29±0.37 mm，プラセボ群は 0.52±0.45 mm の眼軸長の伸長であった（p<0.0001）[63]（**表 4**）．

ATOM2 study の 1 年間の点眼中止期間（phase 2）では，0.01％アトロピンの 0.19±0.13 mm と比べて 0.5％アトロピンで 0.35±0.20 mm，0.1％アトロピンで 0.33±0.18 mm と，アトロピン濃度が高いほど有意に眼軸長が伸長した（p<0.001）（**表 4**）．点眼治療期間と点眼中止期間を合わせた 3 年間の眼軸長の変化は，3 群で有意差はなかった[65]．また，phase 2 の点眼中止期間中に近視進行した症例に 0.01％アトロピン点眼を再開し 2 年間観察したところ，眼軸長の伸長はアトロピン 0.5％，

0.1％，0.01％でそれぞれ 0.26±0.23 mm，0.24±0.21 mm，0.19±0.18 mm となり，点眼開始時のアトロピンの濃度が低いほうが再開後に，より緩やかな眼軸長の伸長がみられることがわかった(p=0.013, 0.5％ vs 0.01％：p=0.042, 0.1％ vs 0.01％)[71]．この臨床試験 5 年間の眼軸長の伸長は，3 つのアトロピン群で有意差はみられなかった(0.01％：0.75±0.48 mm，0.1％：0.85±0.83 mm，0.5％：0.87±0.49 mm)[71]．

LAMP study の phase 3[68] の 1 年間の眼軸長の伸長は，0.05％アトロピンで 0.17±0.14 mm，中止群で 0.33±0.17 mm(P<0.001)，0.025％アトロピンで 0.20±0.15 mm，中止群で 0.29±0.14 mm(P=0.001)，0.01％アトロピンで 0.24±0.18 mm，中止群で 0.29±0.15 mm(P=0.13)であった．3 年間のそれぞれの眼軸長の伸長は，アトロピン 0.05％，0.025％，0.01％それぞれの治療継続群で 0.50±0.40 mm, 0.74±0.41 mm, 0.89±0.53 mm(P<0.001)となり，点眼中止群で 0.70±0.47 mm，0.82±0.37 mm，および 0.98±0.48 mm(P=0.04)であった．屈折度数と同様に，点眼中止時の年齢が高くアトロピン濃度が低いほど，屈折度数のリバウンドは少なかった(P<0.001)．

副作用

アトロピン治療で最も多く報告された副作用は，羞明，アレルギー反応，近見時のボケである[35]．これらは短期間の点眼でもみられる副作用であったが，長期ではさらに水晶体と網膜の紫外線曝露の増加についての懸念もある．

Yen ら[58] の研究では，羞明が原因で 247 人中 151 人が脱落し，さらに 1％アトロピンで治療した全員が羞明を訴えた．Shih ら[59] は，3ヵ月以内に 0.5％アトロピンを点眼した小児の 22％が羞明を訴えたと報告した．

ATOM1 study[62] では，1％アトロピン群のうち 17％がアレルギー反応，羞明，近見時のボケなどを理由に研究から脱落した．ATOM2 study[64] では，0.5％と 0.1％アトロピン群で全体の 4.1％がアレルギー性結膜炎を示したが，0.01％アトロピン群では副作用はみられなかった．

LAMP study(phase 1)[66] では，アトロピン 0.05％，0.025％，0.01％いずれの濃度でも，羞明，調節力，近見時のボケなどは生活に支障のない程度であったと報告した．アレルギー反応はプラセボ群でも報告があり，それぞれのアトロピンの濃度と発症率に有意差はなかった．ATOM-J study[69] でも 168 人中 3 人に軽度のアレルギー反応がみられたが，0.01％アトロピン群とプラセボ群で発生率に有意差はなく，わが国の小児の近視進行を安全かつ効果的に抑制できるのは，0.01％アトロピンであると報告した．また，0.01％アトロピンを 2 週間点眼し短期の副作用について調べた筆者らの研究[72] でも，羞明，近見時のボケは生活に支障のない程度であった．

なお，アトロピンによる緑内障の誘発が報告されているが，発生率は 2 万人に 1 人(0.005％)と少ない[73]．アトロピンを 3 年間点眼した Wu らの研究では，高眼圧症は報告されていない[74]．

アトロピン治療における近視進行のリスクファクター

Wo ら[75]は 0.05%アトロピン群で全体の 20%が年間 0.50 D 以上の近視進行を示し，ベースライン時の近視がより強いとアトロピン治療にもかかわらず進行することを報告した．また，年齢と性別は重要な要因ではないとしている．

Loh ら[76]は 1%アトロピン群で全体の 12.1%が年間 0.50 D 以上の近視進行を示し，それらの症例はベースライン時の年齢がより若く，より強い近視を有し，両親が近視である可能性を示唆した．

また ATOM-J study[69]では，点眼前の暗所瞳孔径が全体の中央値より大きい症例では低濃度アトロピンを 2 年間点眼しても近視進行抑制効果がみられず，瞳孔径が大きい症例でアトロピン治療の効果が出にくい可能性が示唆された．

人種に関する研究

アジア人種と白色人種の小児におけるアトロピンの近視進行抑制効果に関するメタ解析が 2014 年に発表され[77]，アトロピンは白色人種よりもアジア人種の小児でより大きな効果をもたらすと報告された．しかし，アジア人種以外でのデータは少なく，無作為化試験も行われていなかった．2023 年には米国やヨーロッパを対象とした無作為化試験である CHAMP study[78]と MOSAIC study[79]が相次いで報告された．CHAMP study では 576 人をプラセボ点眼薬，0.01%，0.02%のアトロピンに割り当て 3 年間の近視進行を調べた．0.01%アトロピンは近視度数，眼軸長ともに近視進行抑制効果がみられ，0.02%アトロピンは眼軸長のみ抑制効果がみられたと報告した[78]．MOSAIC study では 250 人をプラセボ点眼薬と 0.01%アトロピンに割り当て，2 年間の近視進行を調べた．白人の小児では近視度数，眼軸長ともに近視進行抑制効果がみられたが，非白人ではみられなかった．治療効果は民族や眼の色によって異なる可能性が示され，今後，より多様な民族を対象とした研究を行うことが必要である[79]．

低濃度アトロピン治療の現在

低濃度アトロピン治療の課題は，治療の開始時期，至適濃度，治療期間，中止後のリバウンドなどである．近視の発症前にリスクのある症例を治療するべきかは，近視予防を進める際に重要な問題である．2019 年に IMI が発表した「臨床近視抑制法ガイドラインレポート」[80]には，近視のリスクファクターとして小児の年齢と屈折異常，両親の屈折異常の有無などが定められており，治療の開始時期の参考になると思われる．

2017 年の米国眼科学会のレビュー[81]では，アトロピンの点眼中止後のリバウンドが小さく持続的な効果があり，副作用も軽減されることから，0.01%アトロピンが小児の近視進行抑制治療に最適であるとする一方，LAMP study[68]では 0.05%アトロピンが最適であると報告している.

ほかにも，進行抑制効果はあるが濃度依存的な差異はなかったとする報告や[82]，効果は濃度に依存しないのに対し，副作用は濃度依存的であることを示唆する報告[83]などもあり，治療に最適なアトロピン濃度の決定には，さまざまなアトロピン濃度の近視進行抑制効果の研究報告がより多く必要である.

ほとんどの研究で1～2年間の治療期間が報告されているが，最適な治療期間はわかっていない. また, 近視の進行は思春期以降に減速することが知られているため，台湾の一部の病院では約15～18歳までの継続治療を採用している[84, 85].

LAMP study(phase 3)[68]では，3年間の治療でより良い効果が得られることが報告されている. Yamら[86]はLAMP studyを調査し，点眼中止時の年齢が高く，アトロピン濃度が低いほど近視度数のリバウンドが少ないことから，治療の中止時期は近視進行と年齢を考慮し，近視進行が減速する年齢にするべきだとしている. さらに，近視進行が減弱する年齢になってからアトロピン濃度を高濃度から低濃度へシフトして中止する方法を提案している.

近年，低濃度アトロピンとオルソケラトロジーの併用療法も注目されており，それぞれの単独治療よりも併用治療がより効果的であるという報告もある[87]. 2023年のレビューでは[29]，軽度の近視の小児に対してはオルソケラトロジーと0.01％アトロピン点眼を1～2年間組み合わせて治療するのが最も効果的であると報告している. 2020年にKinoshitaら[26]が報告したランダム化比較試験では，2年間の眼軸長伸長の抑制率はオルソケラトロジー＋0.01％アトロピン併用(59％)＞オルソケラトロジー単独(43％)＞0.01％アトロピン単独(18％)であった. 併用療法を検討した研究はまだ少ないが，低濃度アトロピンとオルソケラトロジーの併用療法が近視治療において効果的な選択肢になりうる可能性が考えられる.

日本における低濃度アトロピン治療

わが国では先に述べたように，ATOM-J study[69]によって0.01％アトロピンの有効性と安全性が報告され，近年はMyopin™ 0.01％とMyopin™ 0.025％を筆頭に低濃度アトロピンを使用して近視治療を行う施設が増えている. しかしわが国では2023年現在，低濃度アトロピンは未承認医薬品であり，その使用には慎重を期さなければいけない. 現在参天製薬が，日本国内での低濃度アトロピン点眼の承認申請取得に向けて治験を進行中であり，報告が待たれる.

今後，治療開始の最適な年齢および屈折度数を解明し，どのような症例を対象とするのか，治療効果とリスクファクターを評価しながらガイドラインを策定することが必要である.

レッドライト治療

近年，長波長の可視光線である赤色光が，高い近視進行抑制効果を有するとする研究結果が報告されている[88～91]．中国では，可視光線を用いる光治療装置が2008年から弱視治療用機器として認可を受けて，中国国内の病院で使用されていた．2012年に本機器が弱視治療に有効であると初めて報告されたが[92]，2014年に本機器で用いられる赤色光に，近視眼での過剰な眼軸伸展を抑制する効果が偶発的に発見された．

2019年以降，世界最大級の臨床試験登録・公開サイトであるClinicalTraials.govには，レッドライト治療の，①近視進行抑制効果，②近視発症予防効果，③網脈絡膜循環や網膜機能へ与える影響，④オルソケラトロジーや特殊眼鏡との併用効果，⑤成人の近視に対する効果，などを検証する大規模な無作為化比較試験が，中国から次々と登録されるようになった．中国国内ではレッドライト治療に対する近視進行抑制効果の知見が集積したことから，この光治療装置は，弱視治療用だけでなく近視治療用としても中国の国家食品薬品監督管理局（China Food and Drug Administration：CFDA）に承認された（**図20**）．またその後，EU連合を代表する，医療機器の適合性評価を行う機関であるBSIノーティファイド・ボディにおいてISO13485を取得した．2023年9月現在，本機器は，30ヵ国以上で医療機器として許可されており（**表7**），全世界ですでに15万人以上の小児に使用されている．

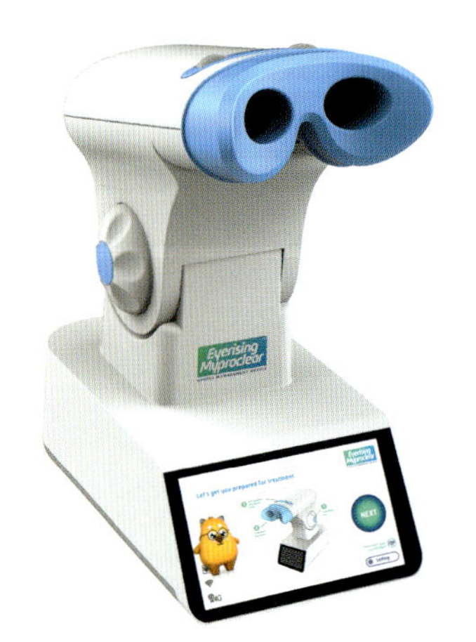

図20　Eyerising（アイライジング）近視治療用機器と使用説明動画のQRコード

レッドライト治療装置は中国国内ではさまざまな機器が流通している．Eyerising International社（オーストラリア）のEyerising近視治療用機器は，中国，オーストラリア，英国，ヨーロッパCE，ニュージーランド，トルコの世界6地域ですでに医療機器として認可されISO13485認証を取得している．文献89～91において有効性と安全性が詳細に評価されている．また，動画サイト（https://www.youtube.com/watch?v=CM9SdaOxuNA）に日本語での説明動画が公開されている．

表 7　承認状況および使用状況

地　域	承認状況	安全基準 (IEC60825-1：2014)
ヨーロッパ	CE マーク	クラスⅡa
英国	MHRA（医薬品・衣料製品規制庁）	クラスⅡa
ニュージーランド	Medsafe（医薬品医療機器安全当局）	クラスⅡa
オーストラリア	TGA（保健省薬品・医薬品行政局）	クラスⅡa
中国	CFDA（中国食品薬品監督管理総局）	クラスⅡ

レッドライト治療の近視進行抑制効果と副作用

レッドライト治療の初年度の成績

2021 年以降，レッドライト治療の近視進行抑制効果に関する研究結果が報告されるようになり[88〜91]，中山眼科センターの He らのグループが，レッドライト治療に対する大規模な多施設共同無作為化比較試験での非常に良好な 12ヵ月の中間成績を報告し話題となった[89]．この研究は，8〜13 歳の近視（−1.00〜−5.00 D）の中国人小児 264 人を，レッドライト治療群（1,600 ルクス /650 nm/2 mW/1 日 2 回 3 分 / 週 5 日）と，単焦点眼鏡（single-vision spectacles：SVS）群に割り当てた比較試験である．1 年後，SVS 群の眼軸伸展量は 0.38 mm であったのに対し，レッドライト治療群では 0.13 mm の伸展であった．また，SVS 群の近視進行量は−0.79 D であったのに対し，レッドライト治療群では−0.18 D であった．レッドライト治療の近視進行抑制効果は SVS 群と比較して，眼軸長で 69.4%，近視度数で 76.6% もの高い効果であった．75% 以上のコンプライアンス良好群のみを抽出した場合，近視進行抑制効果は眼軸長で 76.8%，近視度数で 87.7% であった．一般的に，近視の進行は不可逆性と考えられる眼軸伸展を特徴とするが，レッドライト治療群では SVS 群と比較して有意な眼軸伸展抑制が得られるだけでなく，12ヵ月間の治療後に 0.05 mm 以上の眼軸長の短縮が 21.6% の患児で観察された．

レッドライト治療の 2 年目の成績とリバウンド

2 年目フォローアップスタディでの比較とリバウンド

さらに He らのグループは，1 年間の比較試験の続報として，2 年目のフォローアップスタディを 2022 年に報告した[90]．2 年目フォローアップスタディでは，1 年目のレッドライト治療群と SVS 群はそれぞれ，レッドライト 2 年継続群，レッドライト−SVS 変更群，SVS 2 年継続群，SVS−レッドライト変更群に，無作為に振り分けられた．この結果，レッドライト 2 年継続群の 2 年間での眼軸伸展量は 0.16±0.37 mm，近視進行量は−0.31±0.79 D であり，SVS 2 年継続群（2 年間；眼軸伸展量 0.64±0.29 mm，近視進行量−1.24±0.63 D）と比較して，近視進行抑制効果は，

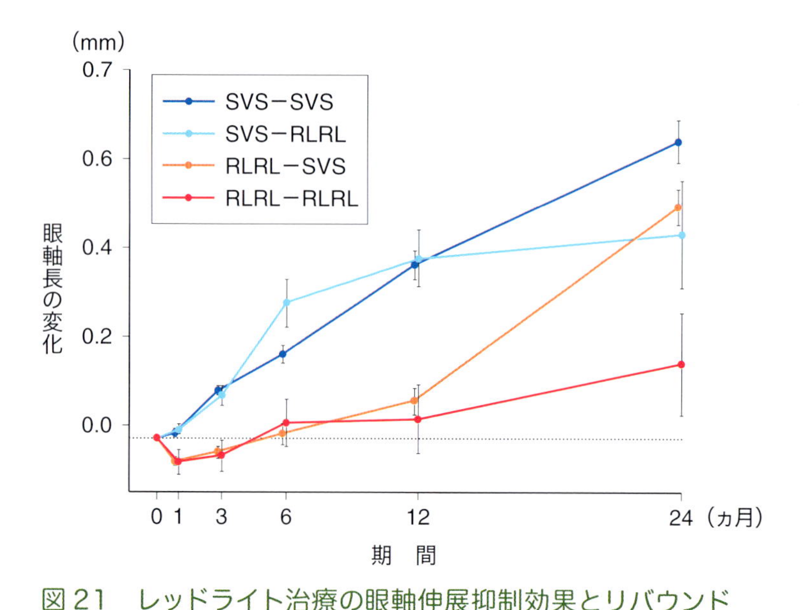

図 21　レッドライト治療の眼軸伸展抑制効果とリバウンド

レッドライト（Repeated Low-Level Red-Light Therapy：RLRL）2 年継続群（RLRL-RLRL）の眼軸伸展抑制効果は，単焦点眼鏡（single-vision spectacles：SVS）2 年継続群（SVS-SVS）と比較して 75％であった．1 年目でレッドライト治療を中断した群（RLRL-SVS）では，中断後に 2 年継続群よりも速い眼軸伸展が観察された．リバウンドの程度は，SVS 2 年継続群の 2 年目の進行速度より速いものの同群の 1 年目の進行速度と同程度であることから，中程度と判断された．なお 2 年目に単焦点眼鏡からレッドライト治療に切り替えた群（SVS-RLRL）では，最終的に 2 番目に高い 22.6％の眼軸伸展抑制を得ることができた．（文献 90 より引用改変）

眼軸長で 75％，近視度数で 75％であった（**図 21**）．レッドライトのみの治療における眼軸伸展抑制率は，1 年目が 84.5％であるのに対して，2 年目が 63.0％であったことから，レッドライト治療はオルソケラトロジーなどのほかの近視抑制治療と同様に，初年度のほうが抑制効果が高いと考えられた．リバウンドに関しては，1 年目でレッドライト治療を中断した群では，2 年継続群よりも速い眼軸伸展が中断後に観察された（0.42 mm/年 vs 0.12 mm/年）．リバウンドの程度は，SVS 2 年継続群の 2 年目の進行速度（0.28 mm/年）より速いものの，SVS 群の 1 年目の進行速度（0.38 mm/年）と同程度であることから，中程度と判断された．

○ 二重盲検ランダム化シャム比較試験

その後，He らのグループはよりエビデンスレベルの高い比較試験を実施するために，7～12 歳の近視小児 112 人を対象に，本機器（レッドライト治療群）と 10％出力のシャム機器（シャムコントロール群）を用いて 6 ヵ月の二重盲検ランダム化試験を行った[91]．ベースラインと 6 ヵ月後の変化量を比較した結果，レッドライト治療群はシャムコントロール群に比べ，有意に近視の進行を抑制し（0.06±0.30 D vs −0.11±0.33 D，P＝0.003），眼軸長に関しても有意な伸展抑制効果を示した（0.02±0.11 mm vs 0.13±0.10 mm，P＜0.001）．また，有害事象は報告されなかった．

副作用

前述した試験においてレッドライト治療の副作用調査を行った結果，最高矯正視力の低下や，OCT 画像で眼内部構造の傷害は認められなかった[89, 90, 93]．レッドライト治療を実施した直後にみられる副作用には，短期羞明，閃光盲，残像などがある．He らの研究では，レッドライトがまぶしすぎるという理由で初年度に 2 人が治療を継続できなかったが，一般的にこれらの副作用は数分間の閉眼後に消失するため，アンケートによる副作用報告書ではこれらの副作用の申告は認められなかった．また 2 年間レッドライト治療を継続しても副作用報告がなく，眼内部への構造的な悪影響も観察されなかったことから，レッドライト治療は短期的に評価すると，1 年間で中止するよりは 2 年目も継続したほうが良い結果が得られると考えられた．

しかしながら実臨床において，レッドライト治療によって網膜障害と視力低下をきたした 1 症例の報告がある[94]．

当該報告を受け，製造業者である Eyerising International 社が追加調査を行った結果，中国国内で計 5 例（報告のあった 1 例を含む）において同様の副作用が報告されていた．中国での Eyerising International 社製レッドライト治療機器の 1 日使用者数は約 7 万～8 万人であり，まれな副作用（約 0.0067%）と考えられる．いずれの症例においても，羞明や残像の遷延などの自覚症状や視力低下，網膜障害といった症状が認められており，治療の中断によって視力低下と網膜障害は回復したことが確認されている．光治療に対する過敏症がある場合に起こるまれな有害事象と推察されている．5 症例を検討した結果，治療中に異常な羞明の訴えがあり，治療後も閃光盲・残像などの自覚症状が遷延している患児に継続して治療を行った場合にこれらの副作用が発生していることから，治療実施中にこのような自覚症状を訴える患児においては，治療を中止する必要がある．治療の開始にあたっては，被治療者・保護者に対して，注意事項を記載した使用説明書を用いて医師が使用方法の説明を十分に行うだけでなく，自覚症状として「治療後に 5 分以上持続する羞明や残像」の訴えがある場合や，治療後に同様の症状が 3 回以上確認された場合は，治療を中止し，主治医に相談するように指導する必要がある．

脈絡膜厚の変化と治療効果の予測

低濃度アトロピン点眼などのほかの近視進行抑制治療では，治療開始初期の脈絡膜厚の肥厚が，治療効果を予測するために有用であることが報告されている．He らのグループも，レッドライト治療を 1 年間行った症例の脈絡膜厚変化を詳細に解析し，1 年後の治療効果の予測を試みている[91]．一般的に，小児の近視眼の黄斑部平均脈絡膜厚は，**図 22** の SVS 群の経過で示すように徐々に薄くなる．レッドライト治療を実施すると，治療開始 1ヵ月目で最も強い脈絡膜厚の増加が認められ（Δ14.76±2.20 μm），それ以後は，緩やかに厚みの増加を維持する症例と減少していく症例に分かれる．全体としては，治療開始 6ヵ月まで初期に増加した厚みの減少変

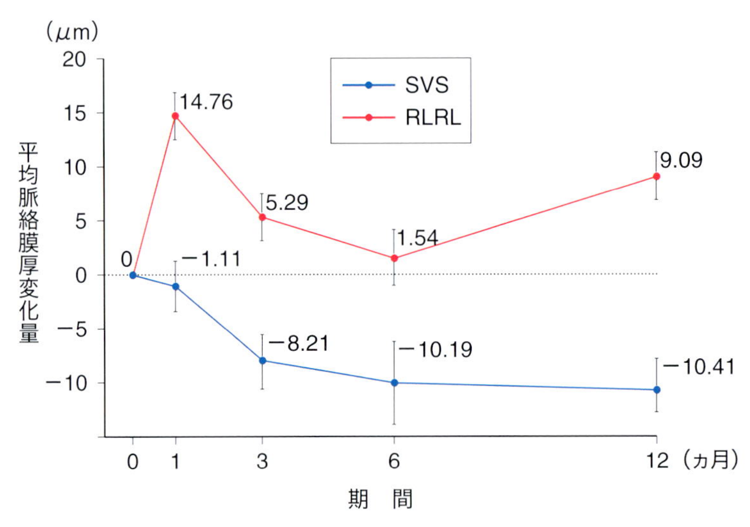

図 22　レッドライト治療開始後の脈絡膜厚の変化（文献 91 より引用改変）

化が続き, 6 ヵ月目の黄斑部平均脈絡膜厚の増加量は Δ1.54±2.56 μm まで減少する. しかし 6 ヵ月以降は再度, 全体的に厚みは緩やかに増加し, 最終的に 1 年目でも脈絡膜の厚みの増加は維持された状態となる（Δ9.09±2.24 μm). レッドライト治療の 1 年後の眼軸伸展抑制効果は, 脈絡膜厚の 3 ヵ月目の変化量と関連しており, 3 ヵ月目の絡膜厚の増加が大きいほど, 1 年後の眼軸伸展抑制効果も高いことが示されている.

また, レッドライト治療の 1 ヵ月後に平均 16.1 μm の脈絡膜厚の増加が観察されたが, 眼軸長変化は平均 −40 μm の短縮があり, 眼軸短縮量は脈絡膜の肥厚量を超えていた[89]. このため, レッドライト治療による眼軸短縮効果は, 脈絡膜の肥厚だけでは説明できず, 強膜リモデリングが改善した影響などが示唆された. なお, 2023 年現在までに報告されているレッドライト治療に関する研究では, レッドライト治療はより年齢が高い学童や, より進行した近視において, 眼軸短縮効果や眼軸伸展抑制効果がより高いことが示唆されている[88〜91].

レッドライト治療はなぜ効くのか？

チトクローム C オキシダーゼの活性化

レッドライト治療の近視進行抑制効果の作用機序は不明である. しかし, 波長 630〜1,000 nm の赤〜近赤外領域光のもつフォトバイオモジューレション（photo-biomodulation：PBM）作用によると推察されている[95]. つまり, 照射する光の熱的効果によるものではなく, 非熱的かつ無害で有益な治療効果のある生体反応を引き起こす光の作用によると考えられている. PBM の作用機序は照射する光の波長によって異なるが, 赤〜近赤外領域光は主に細胞増殖や成長促進が期待されるため, 創傷治癒促進や発毛促進などに使用されている. 一般に赤〜近赤外領域光の PBM の標

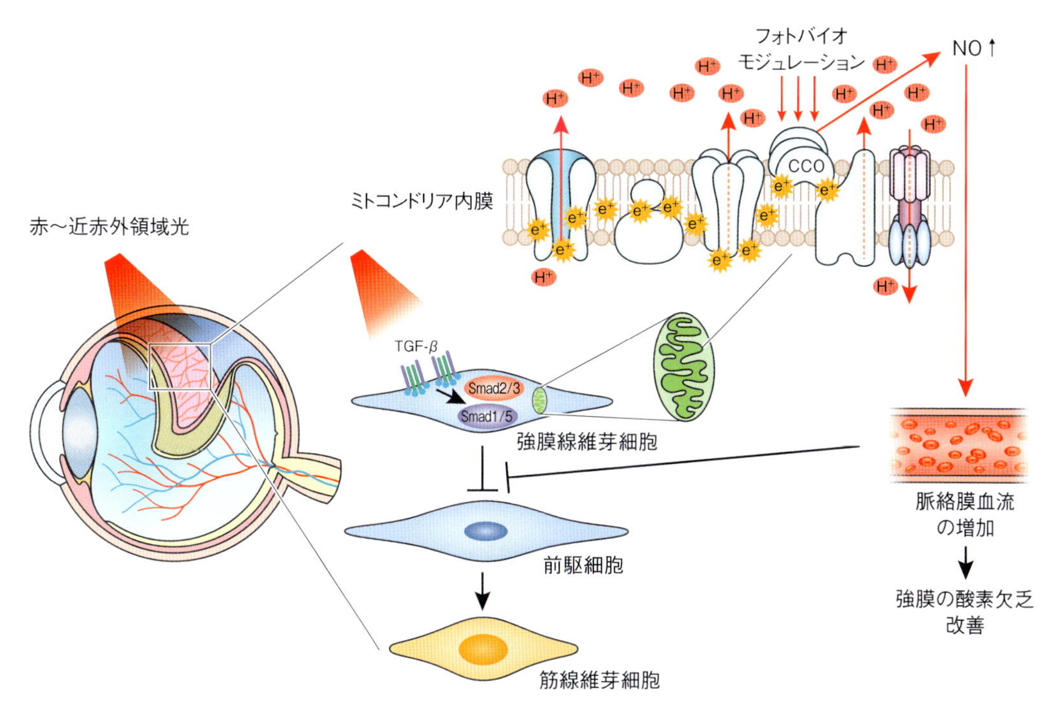

図 23　レッドライト治療が近視化を阻害する分子的および細胞的機序(仮説)

赤～近赤外領域光のもつフォトバイオモジューレション作用によって，CCO が遊離一酸化窒素(NO)の生成を増やし脈絡膜血流が増加することで強膜の酸素欠乏が改善する．また，赤～近赤外領域光が TGF β/Smad 経路を活性化することで強膜の酸素欠乏が改善する．これらによって強膜線維芽細胞の形質転換が阻害され，強膜のリモデリングが回復する，との仮説が立てられている．
CCO：チトクローム c オキシダーゼ　（文献 95 より引用改変）

的は細胞のミトコンドリア内膜に存在するチトクローム c オキシダーゼであり(**図 23**)，チトクローム c オキシダーゼは，細胞代謝を促進する電子伝達系の重要な因子である．生体内で血管拡張作用や神経伝達物質としての働きをもつ一酸化窒素は，チトクローム c オキシダーゼの CuB に結合することによって，ミトコンドリア呼吸鎖のプロセスを阻害すると考えられている．しかし，チトクローム c オキシダーゼが赤～近赤外領域光を吸収すると，この結合した一酸化窒素が解離し，結果的にミトコンドリア呼吸，およびアデノシン三リン酸(ATP)産生の速度が増大する．この結果，遊離一酸化窒素，活性酸素種，環状アデノシン一リン酸(AMP)が関係する細胞内反応の連鎖が引き起こされる．これらが，赤～近赤外領域光の PBM が細胞に対して有益な効果をもたらす機序とされている[96]．

一酸化窒素による強膜の酸素欠乏の改善

近視では，古くから一酸化窒素の近視予防効果が示唆されている．一酸化窒素は強力な血管拡張作用をもち，数多くの生理的プロセスに関与する重要な細胞シグナル伝達分子である．前述した PBM 作用によって一酸化窒素が放出され，脈絡膜血流の増加と脈絡膜厚の回復を促し，近視進行抑制に作用することが機序の一つとして推察される[95]．また赤～近赤外領域光のPBM作用には，一酸化窒素を介した細胞内酸素欠乏を改善する働きもある．このため近視化に関与することが知られている強膜の酸素欠乏が，脈絡膜血流の増加だけでなく一酸化窒素を介した強膜の酸素欠乏の回復によって改善した可能性もある．

TGFβ/Smad経路の活性化

最近の研究では，PBMが近視化の重要な経路の一つであるTGFβ/Smad経路に影響を与えることが報告されている．近視化の過程では強膜の酸素欠乏によって，強膜の線維芽細胞が，α平滑筋アクチンを発現する筋線維芽細胞に前駆細胞を経て形質転換し，α平滑筋アクチンの発現が増加する一方でヒトa1鎖Ⅰ型コラーゲンの産生が低下する[97]．PBMによりTGFβ/Smad経路が活性化されたことで，ヒトa1鎖Ⅰ型コラーゲン産生が増加して強膜リモデリングが改善した可能性や，PBMによる一酸化窒素の増加とTGFβ/Smad経路の活性化が強膜線維芽細胞の形質転換を阻止し，近視化を阻害した可能性も考えられる(**図23**)．

現時点ではいずれも推察の域を出ないが，今後レッドライト治療が近視化を阻害する分子的および細胞的機序が解明されることで，最適でより安全な照射パラメータが明確となるかもしれない．

レッドライト治療は自宅で簡便に実施できる治療であるが，禁忌事項を含むあらゆる注意事項を尊守し，眼科医の監督下で治療が行われる必要がある．またレッドライト治療は新しい治療であるため，より適した照射条件の検討，長期的な安全性の検証，メカニズムの解明が，今後の検討課題と考えられる．

その他の抑制方法

小児の近視の進行を抑制するとうたっている方法は数多く存在している．しかし，これらの治療には，いわゆる民間療法に近く明確なエビデンスがないものも多く，ごく限られた国や地域のみで行われているものも少なくない．ここでは，その他の抑制方法として世間一般に行われているものを簡単に紹介するにとどめたい．

薬物療法に関するもの

ムスカリン受容体拮抗薬

これまでの知見によるとムスカリン受容体拮抗薬(ピレンゼピン，トロピカミド，シクロペントラート)のうち，ピレンゼピンは近視進行抑制治療薬としての可能性は残るものの，ほかの点眼薬については近視進行抑制のエビデンスは明らかでない．

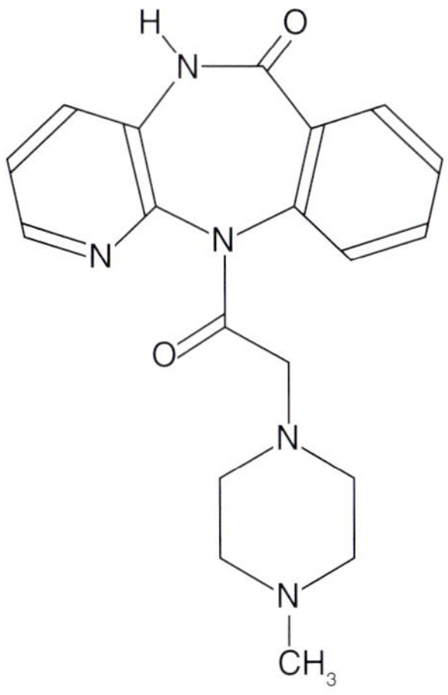

図 24　ピレンゼピン塩酸塩構造式

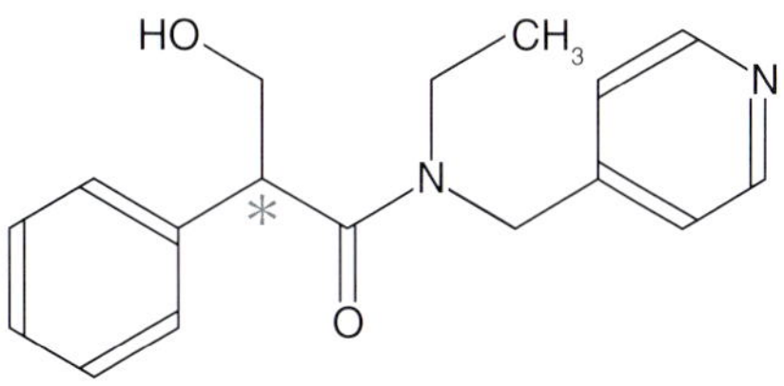

図 25　トロピカミド構造式

ピレンゼピン塩酸塩（**図 24**）は，M_1 選択的ムスカリン受容体拮抗薬である．作用機序はアトロピン硫酸塩と同様であるが，M_3 受容体への影響が小さいため，アトロピン硫酸塩と比べて散瞳や調節不全が起こりにくい．ピレンゼピン塩酸塩はメタ解析などにより，単焦点眼鏡に比較して有意な近視進行抑制効果が報告されている[82, 98, 99]．しかし，近視進行抑制効果は（低濃度）アトロピン点眼薬に比較して小さいこと，軟膏製剤であるため使用しづらいこと，また 2023 年時点ではわが国で眼軟膏として市販される予定がないことから，ピレンゼピン塩酸塩眼軟膏の臨床応用は難しく，低濃度アトロピンを超えるものになるのは難しい．

トロピカミド（ミドリン®M など）（**図 25**）は調節麻痺・散瞳点眼薬であり，散瞳検査に用いられるトロピカミド・フェニレフリン塩酸塩（ミドリン®P など）にも含まれているアトロピン様作用をもつ．点眼により副交感神経支配の毛様体筋（特に Müller 筋）を弛緩し，調節麻痺を起こす．眼疾患のない患者では，トロピカミドを 1 滴ずつ 3 分ごとに 3 回点眼すると 20～30 分で著明な調節麻痺が生じ，以後急速に回復し，2.5 時間では 90％回復する．トロピカミドは眼科検査で用いられてきた長い歴史があり，使いやすい薬剤である．低濃度アトロピンの近視進行抑制効果が近年注目されているため，近視進行抑制を目的に処方されている場合もあるが，メタ解析の結果ではシクロペントラート塩酸塩（サイプレジン®）やトロピカミドには有意な近視進行抑制効果は認められていない[100]．

調節機能改善点眼薬

ネオスチグミンメチル硫酸塩が主成分のミオピン®点眼液（**図 26**）は調節機能改善点眼薬として販売されており，コリンエステラーゼ阻害薬である．アセチルコリンエステラーゼを可逆的に阻害することにより，眼球に分布する末梢の副交感神経系を活性化させ，毛様体筋の収縮をサポートする働きがある．臨床成績では，0.005％

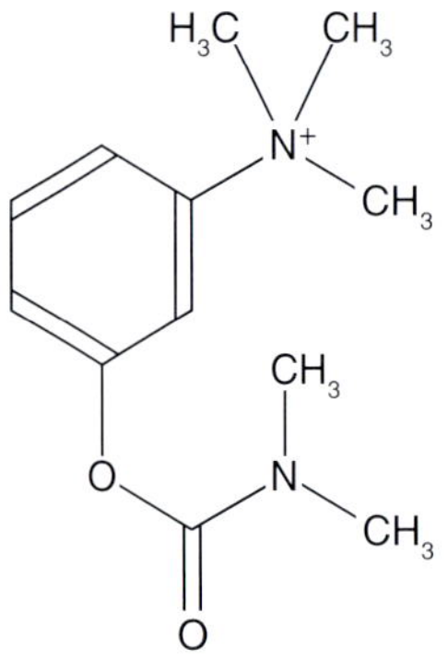

図 26　ネオスチグミンメチル硫酸塩構造式

以下の濃度で，視力，瞳孔径に影響を及ぼすことなく，調節機能解析装置(アコモドポリレコーダー)による調節緊張・弛緩時間の有意な短縮とパターンの改善を示した．

同様にネオスチグミンメチル硫酸塩を含むものとして市販されている点眼薬に，マイティア®ピントケア EX，ロート V®アクティブ，マイティア®フレッシュ 40 をはじめ多数の製品がある．多くは，眼精疲労時に調節機能を改善する目的で使用されており，近視進行抑制に対する有効性は明らかでない．

眼圧下降薬

眼圧下降薬が眼球内の圧を低下し眼軸延長を抑制するのではないかとの見解に基づき，デンマークで 0.25％チモロールマレイン酸塩と，単焦点眼鏡の効果を比較する試験が行われ，チモロールによる近視進行抑制作用はみられなかった[101]．

生活環境改善に関するもの

遠くを見て眼を休める

わが国では古来から，長時間近業をした場合には時々遠くを見て眼を休めることが推奨されてきた．その由来は明らかでないが，第二次世界大戦前後の徴兵制度と兵役に際し，近視者を減らす目的に伴い開始したようである．

また近年，米国眼科学会が「20-20-20 ルール」を提唱しており，20 分間継続してデジタル端末を見たあとは，20 秒間，20 フィート(約 6 m)離れたところを見て，近業作業を意識的に減じることを推奨している．この効果を検証した報告では，20-20-20 ルールはデジタル眼精疲労の症状を軽減するには効果的だとされている[102]．

屋外活動

オーストラリアで 12 歳児を対象に「屋外で過ごす時間」と「近業の時間」別に，近視になるリスクを比べた研究では，近業の時間が長くても屋外で過ごす時間が長ければ，近視のリスクが低くなる可能性があると報告されている[103]．また，近視には遺伝の影響が重要であるが，屋外活動時間が 1 日 1 時間未満の小児では，「両親

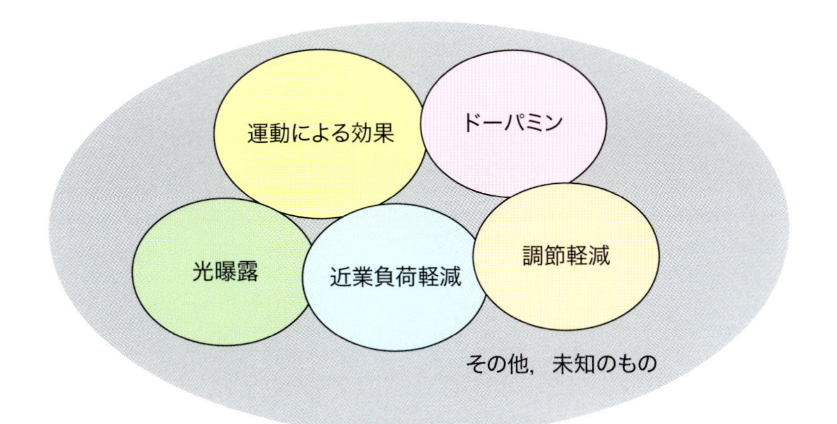

図 27　屋外活動の有効性の種々の原因

屋外活動の効果はさまざまな要因の複合的なものであり，1 つの要因だけで説明できるものではない．

ともに近視の小児」が「両親ともに近視でない小児」に比べて近視になる割合が約 2 倍という結果である一方で，屋外活動時間が 1 日 2 時間以上の小児を比較すると，「両親ともに近視の小児」でも近視の発症率は下がり，「片親が近視の小児」とほぼ同じ割合になることが報告されている[104]．

1 日 2 時間以上の屋外活動は現代の学校教育のなかではなかなか難しいが，体育の授業や課外活動などを通じて推奨される．ここで注意が必要であるのは，屋外活動にはさまざまな要因が複合的に働いていると考えられ（**図 27**），近視進行抑制は 1 つの因子だけで説明できるものではないことである．したがって，何か 1 つの方法により，屋外活動の効果を再現することはできない．

詳細については，「小児の近視の環境因子」（p.239）を参照されたい．

その他

最後に，その他の抑制方法として宣伝がなされているものを簡単に挙げる．いずれも，真にエビデンスがある治療であるかは慎重に判断する必要がある．

望遠訓練，機器によるトレーニング

視力回復訓練器は，双眼鏡のように覗くと遠景があり，それが遠ざかったり近づいたりする．訓練により毛様体筋が弛緩するために，近視の視力回復に効果的であるとし販売されているものである．

立体視訓練

両眼視をすることで３D（立体的）に見える画像を見ることによって，普段の日常生活では使われていない眼の潜在的な能力を呼び起こし，視力回復に役立つといううたい文句で販売されている．

超音波治療器・低周波治療器

超音波や低周波などを発生する機器を使い，調節緊張を緩和することによる視力回復効果をうたっている機器である．

アイマスク，ピンホールメガネ

紙でできた黒いメガネに多数のピンホールがあいており，装用すると焦点深度が深くなりピンホール効果でピントが合って見えるものである．これによる近視進行抑制効果はない．

中国式眼の体操

中国の学校で広く行われている近視進行抑制をうたった体操である．全身運動に加え，眼球を左右・上下に動かし，指を立てて遠くと近くを交互に見て，眼球周囲のさまざまなツボを押していくものである．

健康食品，サプリメント

眼に良い健康食品として，ブリーベリーに代表されるアントシアニン配糖体を含む食品，魚介類など DHA，EPA（IPA）といった不飽和脂肪酸を多く含有する食品，各種のビタミン剤，緑黄色野菜に多く含まれるルテイン・ゼアキサンチン・カロテンといったカロチノイドなどが広告されているが，これらと近視進行抑制の間にエビデンスはない．なお，クチナシ由来の色素成分クロセチンが小児の眼軸長伸長・屈折度数の近視化を有意に抑制するという報告がある[105]．

文献

1） Dolgin E：The myopia boom. Nature 519：276-278, 2015.
2） Holden BA, Fricke TR, Wilson DA, et al.：Global Prevalence of Myopia and High Myopia and Temporal Trends from 2000 through 2050. Ophthalmology 123：1036-1042, 2016.
3） Cheung SW, Cho P, Fan D：Asymmetrical increase in axial length in the two eyes of a monocular orthokeratology patient. Optom Vis Sci 81：653-656, 2004.
4） Cho P, Cheung SW, Edwards M：The longitudinal orthokeratology research in children（LORIC）in Hong Kong：a pilot study on refractive changes and myopic control. Curr Eye Res 30：71-80, 2005.
5） Walline JJ, Jones LA, Sinnott LT：Corneal reshaping and myopia progression. Br J Ophthalmol 93：1181-1185, 2009.
6） Kakita T, Hiraoka T, Oshika T：Influence of overnight orthokeratology on axial length elongation in childhood myopia. Invest Ophthalmol Vis Sci 52：2170-2174, 2011.
7） Santodomingo-Rubido J, Villa-Collar C, Gilmartin B, et al.：Myopia control with orthokeratology contact lenses in Spain：refractive and biometric changes. Invest Ophthalmol Vis Sci 53：5060-5065, 2012.
8） Cho P, Cheung SW：Retardation of myopia in Orthokeratology（ROMIO）study：a 2-year randomized clinical trial. Invest Ophthalmol Vis Sci 53：7077-7085, 2012.
9） Charm J, Cho P：High myopia-partial reduction ortho-k：a 2-year randomized study. Optom Vis Sci

90 : 530-539, 2013.
10) Chen C, Cheung SW, Cho P : Myopia control using toric orthokeratology (TO-SEE study). Invest Ophthalmol Vis Sci 54 : 6510-6517, 2013.
11) Li SM, Kang MT, Wu SS, et al. : Efficacy, Safety and Acceptability of Orthokeratology on Slowing Axial Elongation in Myopic Children by Meta-Analysis. Curr Eye Res 41 : 600-608, 2016.
12) Sun Y, Xu F, Zhang T, et al. : Orthokeratology to control myopia progression : a metaanalysis. PLoS One 10 : e0124535, 2015.
13) Si JK, Tang K, Bi HS, et al. : Orthokeratology for myopia control : a meta-analysis. Optom Vis Sci 92 : 252-257, 2015.
14) Wen D, Huang J, Chen H, et al. : Efficacy and Acceptability of Orthokeratology for Slowing Myopic Progression in Children : A Systematic Review and Meta-Analysis. J Ophthalmol 360806, 2015.
15) Chan KY, Cheung SW, Cho P : Orthokeratology for slowing myopic progression in a pair of identical twins. Cont Lens Anterior Eye 37 : 116-119, 2014.
16) Fu AC, Chen XL, Lv Y, et al. : Higher spherical equivalent refractive errors is associated with slower axial elongation wearing orthokeratology. Cont Lens Anterior Eye 39 : 62-66, 2016.
17) Hiraoka T, Kakita T, Okamoto F, et al. : Long-term effect of overnight orthokeratology on axial length elongation in childhood myopia : a 5-year follow-up study. Invest Ophthalmol Vis Sci 53 : 3913-3919, 2012.
18) Santodomingo-Rubido J, Villa-Collar C, Gilmartin B, et al. : Long-term Efficacy of Orthokeratology Contact Lens Wear in Controlling the Progression of Childhood Myopia. Curr Eye Res 42 : 713-720, 2017.
19) Hiraoka T, Sekine Y, Okamoto F, et al. : Safety and efficacy following 10-years of overnight orthokeratology for myopia control. Ophthalmic Physiol Opt 38 : 281-289, 2018.
20) Cho P, Cheung SW : Protective Role of Orthokeratology in Reducing Risk of Rapid Axial Elongation : A Reanalysis of Data From the ROMIO and TO-SEE Studies. Invest Ophthalmol Vis Sci 58 : 1411-1416, 2017.
21) Smith EL 3rd, Kee CS, Ramamirtham R, et al. : Peripheral vision can influence eye growth and refractive development in infant monkeys. Invest Ophthalmol Vis Sci 46 : 3965-3972, 2005.
22) Hiraoka T, Kakita T, Okamoto F, et al. : Influence of ocular wavefront aberrations on axial length elongation in myopic children treated with overnight orthokeratology. Ophthalmology 122 : 93-100, 2015.
23) Hiraoka T, Kotsuka J, Kakita T, et al. : Relationship between higher-order wavefront aberrations and natural progression of myopia in schoolchildren. Sci Rep 7 : 7876, 2017.
24) Xu Y, Deng J, Zhang B, et al. : Higher-order aberrations and their association with axial elongation in highly myopic children and adolescents. Br J Ophthalmol 107 : 862-868, 2023.
25) Kinoshita N, Konno Y, Hamada N, et al. : Additive effects of orthokeratology and atropine 0.01% ophthalmic solution in slowing axial elongation in children with myopia : first year results. Jpn J Ophthalmol 62 : 544-553, 2018.
26) Kinoshita N, Konno Y, Hamada N, et al. : Efficacy of combined orthokeratology and 0.01 % atropine solution for slowing axial elongation in children with myopia : a 2-year randomised trial. Sci Rep 10 : 12750, 2020.
27) Tan Q, Ng AL, Choy BN, et al. : One-year results of 0.01 % atropine with orthokeratology (AOK) study : a randomised clinical trial. Ophthalmic Physiol Opt 40 : 557-566, 2020.
28) Tan Q, Ng AL, Cheng GP, et al. : Combined 0.01% atropine with orthokeratology in childhood myopia control (AOK) study : A 2-year randomized clinical trial. Cont Lens Anterior Eye 46 : 101723, 2022.
29) Peralta PZ, Quito MO, Ortiz FG, et al. : Orthokeratology vs orthokeratology combined with atropine for the control of myopia in children : Systematic review. Arch Soc Esp Oftalmol (Engl Ed), 2023. doi : 10.1016/j.oftale.2023.08.001
30) Vincent SJ, Tan Q, Ng ALK, et al. : Higher order aberrations and axial elongation in combined 0.01% atropine with orthokeratology for myopia control. Ophthalmic Physiol Opt 40 : 728-737, 2020.

31) Smith ER 3rd : Environmentally induced refractive errors in animal. In "Myopia and Nearwork" Rosenfield M, Gilmartin B. Buttweworth Heinemenn, Oxford, 1998, pp57-90.
32) Gwiazda J, Thorn F, Bauer J, et al. : Myopic children show insufficient accommodative response to blur. Invest Ophthalmol Vis Sci 34 : 690-694, 1993.
33) Diether S, Schaeffel F : Local changes in eye growth induced by imposed local refractive error despite active accommodation. Vision Res 37 : 659-668, 1997.
34) Hasebe S, Ohtsuki H, Nonaka T, et al. : Effect of progressive addition lenses on myopia progression in Japanese children : a prospective, randomized, double-masked, crossover trial. Invest Ophthalmol Vis Sci 49 : 2781-2789, 2008.
35) Walline JJ, Lindsley K, Vedula SS, et al. : Interventions to slow progression of myopia in children. Cochrane Database Syst Rev 7 : CD004916, 2011.
36) Sankaridurg P, Donovan L, Varnas S, et al. : Spectacle lenses designed to reduce progression of myopia : 12-month results. Optom Vis Sci 87 : 631-641, 2010.
37) Kanda H, Oshika T, Hiraoka T, et al. : Effect of spectacle lenses designed to reduce relative peripheral hyperopia on myopia progression in Japanese children : a 2-year multicenter randomized controlled trial. Jpn J Ophthalmol 62 : 537-543, 2018.
38) Hasebe S, Jun J, Varnas SR : Myopia control with positively aspherized progressive addition lenses : a 2 -year, multicenter, randomized, controlled trial. Invest Ophthalmol Vis Sci 55 : 7177-7188, 2014.
39) Varnas S, Gu X, Metcalfe A : Bayesian meta-analysis of myopia control with multifocal lenses. J Clin Med 10 : 730, 2021.
40) Varnas SR, Kaphle D, Schmid KL, et al. : Effect of multifocal spectacle lenses on accommodative errors over time : Possible implications for myopia control. J Vis 23 : 1-14, 2023.
41) Fujikado T, Ninomiya S, Kobayashi T, et al. : Effect of low-addition soft contact lenses with decentered optical design on myopia progression in children : a pilot study. Clin Ophthalmol 23 : 1947-1956, 2014.
42) Flitcroft DI : The complex interactions of retinal, optical and environmental factors in myopia aetiology. Prog Retin Eye Res 31 : 622-660, 2012.
43) Liu Y, Wildsoet C : The effect of two-zone concentric bifocal spectacle lenses on refractive error development and eye growth in young chicks. Invest Ophthalmol Vis Sci 22 : 1078-1086, 2011.
44) Tse DY, To CH : Graded competing regional myopic and hyperopic defocus produce summated emmetropization set points in chick. Invest Ophthalmol Vis Sci 52 : 8056-8062, 2011.
45) Lam CSY, Tang WC, Tse DY, et al. : Defocus Incorporated Multiple Segments (DIMS) spectacle lenses slow myopia progression : a 2-year randomised clinical trial. Br J Ophthalmol 104 : 363-368, 2020.
46) Lam CS, Tang WC, Lee PH, et al. : Myopia control effect of defocus incorporated multiple segments (DIMS) spectacle lens in Chinese children : results of a 3-year follow-up study. Br J Ophthalmol 106 : 1110-1114, 2022.
47) Zhang HY, Lam CSY, Tang WC, et al. : Defocus incorporated multiple segments spectacle lenses changed the relative peripheral refraction : A 2-year randomized clinical trial. Invest Ophthalmol Vis Sci 61 : 53, 2020.
48) Li X, Ding C, Li Y, et al : Influence of Lenslet Configuration on Short-Term Visual Performance in Myopia Control Spectacle Lenses. Front Neurosci 15 : 667329, 2021.
49) Bao J, Yang A, Huang Y, et al. : One-year myopia control efficacy of spectacle lenses with aspherical lenslets. Br J Ophthalmol 106 : 1171-1176, 2022.
50) Bao J, Huang Y, Li X, et al. : Spectacle lenses with aspherical lenslets for myopia control vs single-vision spectacle lenses : A randomized clinical trial. JAMA Ophthalmol 140 : 472-478, 2022.
51) Rappon J, Neitz J, Neitz M, et al. : Two year effectiveness of a novel myopia management spectacle lens with full time wearers. Invest Ophthalmol Vis Sci 63 : 408 (ARVO abstract), 2022.
52) Lam CS, Tang WC, Tse DY, et al. : Defocus Incorporated Soft Contact (DISC) lens slows myopia progression in Hong Kong Chinese schoolchildren : a 2-year randomised clinical trial. Br J Ophthalmol

98：40-45, 2014.
53) Ruiz-Pomeda A, Perez-Sanchez B, Valls I, et al.：MiSight Assessment Study Spain（MASS）. A 2-year randomized clinical trial. Graefes Arch Clin Exp Ophthalmol 256：1011-1021, 2018.
54) Chamberlain P, Peixoto-de-Matos SC, Logan NS, et al.：A 3-year randomized clinical trial of MiSight lenses for myopia control. Optom Vis Sci 96：556-567, 2019.
55) Walline JJ, Walker MK, Mutti DO, et al.：Effect of high add power, medium add power, or single-vision contact lenses on myopia progression in children：The BLINK randomized clinical trial. JAMA 324：571-580, 2020.
56) Jonas JB, Ang M, Cho P, et al.：IMI Prevention of Myopia and Its Progression. Invest Ophthalmol Vis Sci 62：1-11, 2021.
57) 長谷部聡：近視進行予防の理論的背景．あたらしい眼科 33：1419-1426, 2016.
58) Yen MY, Liu JH, Kao SC, et al.：Comparison of the effect of atropine and cyclopentolate on myopia. Ann Ophthalmol 21：180-182, 187, 1989.
59) Shih YF, Chen CH, Chou AC, et al.：Effects of different concentrations of atropine on controlling myopia in myopic children. J Ocul Pharmacol Ther 15：85-90, 1999.
60) Shih YF, Hsiao CK, Chen CJ, et al.：An intervention trial on efficacy of atropine and multi-focal glasses in controlling myopic progression. Acta Ophthalmol Scand 79：233-236, 2001.
61) Syniuta LA, Isenberg SJ：Atropine and bifocals can slow the progression of myopia in children. Binocul Vis Strabismus Q 16：203-208, 2001.
62) Chua WH, Balakrishnan V, Chan YH, et al.：Atropine for the treatment of childhood myopia. Ophthalmology 113：2285-2291, 2006.
63) Tong L, Huang XL, Koh AL, et al.：Atropine for the treatment of childhood myopia：effect on myopia progression after cessation of atropine. Ophthalmology 116：572-579, 2009.
64) Chia A, Chua WH, Cheung YB, et al.：Atropine for the treatment of childhood myopia：safety and efficacy of 0.5%, 0.1%, and 0.01％ doses（Atropine for the Treatment of Myopia 2）. Ophthalmology 119：347-354, 2012.
65) Chia A, Chua WH, Wen L, et al.：Atropine for the treatment of childhood myopia：changes after stopping atropine 0.01%, 0.1% and 0.5%. Am J Ophthalmol 157：451-457, 2014.
66) Yam JC, Jiang Y, Tang SM, et al.：Low-Concentration Atropine for Myopia Progression（LAMP）Study：A Randomized, Double-Blinded, Placebo-Controlled Trial of 0.05%, 0.025%, and 0.01% Atropine Eye Drops in Myopia Control. Ophthalmology 126：113-124, 2019.
67) Yam JC, Li FF, Zhang X, et al.：Two-year clinical trial of the Low-Concentration Atropine for Myopia Progression（LAMP）study：phase 2 report. Ophthalmology 127：910-919, 2020.
68) Yam JC, Zhang XJ, Zhang Y, et al.：Three-Year Clinical Trial of Low-Concentration Atropine for Myopia Progression（LAMP）Study：Continued Versus Washout：Phase 3 Report. Ophthalmology 129：308-321, 2022.
69) Hieda O, Hiraoka T, Fujikado T, et al.：Efficacy and safety of 0.01% atropine for prevention of childhood myopia in a 2-year randomized placebo-controlled study. Jpn J Ophthalmol 65：315-325, 2021.
70) Kumaran A, Htoon HM, Tan D, et al.：Analysis of changes in refraction and biometry of atropine-and placebo-treated eyes. Invest Ophthalmol Vis Sci 56：5650-5655, 2015.
71) Chia A, Lu QS, Tan D：Five-year clinical trial on atropine for the treatment of myopia 2：myopia control with atropine 0.01% eyedrops. Ophthalmology 123：391-399, 2016.
72) 西山友貴，森山無価，深町雅子，他：臨床研究 低濃度アトロピン点眼の副作用について．日眼会誌 119：812-816, 2015.
73) Pandit RJ, Taylor R：Mydriasis and glaucoma：exploding the myth. A systematic review. Diabet Med 17：693-699, 2000.
74) Wu TE, Yang CC, Chen HS：Does atropine use increase intraocular pressure in myopic children? Optom Vis Sci 89：161-167, 2012.
75) Wu PC, Yang YH, Fang PC：The long-term results of using low-concentration atropine eye drops for

controlling myopia progression in schoolchildren. J Ocul Pharmacol Ther 27 : 461-466, 2011.
76) Loh KL, Lu Q, Tan D, et al. : Risk factors for progressive myopia in the atropine therapy for myopia study. Am J Ophthalmol 159 : 945-949, 2015.
77) Li SM, Wu SS, Kang MT, et al. : Atropine slows myopia progression more in Asian than white children by meta-analysis. Optom Vis Sci 91 : 342-350, 2014.
78) Zadnik K, Schulman E, Flitcroft I, et al. : Efficacy and Safety of 0.01 % and 0.02 % Atropine for the Treatment of Pediatric Myopia Progression Over 3 Years : A Randomized Clinical Trial. JAMA Ophthalmol, e232097, 2023. doi : 10.1001/jamaophthalmol.2023.2097
79) Loughman J, Kobia-Acquah E, Lingham G, et al. : Myopia outcome study of atropine in children : Two-year result of daily 0.01% atropine in a European population. Acta Ophthalmol, 2023. doi : 10.1111/aos.15761
80) Gifford KL, Richdale K, Kang P, et al. : IMI-Clinical Management Guidelines Report. Invest Ophthalmol Vis Sci 60 : M184-M203, 2019.
81) Pineles SL, Kraker RT, VanderVeen DK, et al. : Atropine for the Prevention of Myopia Progression in Children : A Report by the American Academy of Ophthalmology. Ophthalmology 124 : 1857-1866, 2017.
82) Huang J, Wen D, Wang Q, et al. : Efficacy comparison of 16 interventions for myopia control in children : a network meta-analysis. Ophthalmology 123 : 697-708, 2016.
83) Gong Q, Janowski M, Luo M, et al. : Efficacy and adverse effects of atropine in childhood myopia : a meta-analysis. JAMA Ophthalmol 135 : 624-630, 2017.
84) Xiang F, He M, Morgan IG : Annual changes in refractive errors and ocular components before and after the onset of myopia in Chinese children. Ophthalmology 119 : 1478-1484, 2012.
85) Donovan L, Sankaridurg P, Ho A, et al. : Myopia progression rates in urban children wearing single-vision spectacles. Optom Vis Sci 89 : 27-32, 2012.
86) Yam JC, Zhang XJ, Kam KW, et al. : Myopia control and prevention : From lifestyle to low-concentration atropine. The 2022 Josh Wallman Memorial Lecture. Ophthalmic Physiol Opt 43 : 299-310, 2023.
87) Tsai HR, Wang JH, Huang HK, et al. : Efficacy of atropine, orthokeratology, and combined atropine with orthokeratology for childhood myopia : A systematic review and network meta-analysis. J Formos Med Assoc 121 : 2490-2500, 2022.
88) Xiong F, Mao T, Liao H, et al. : Orthokeratology and Low-Intensity Laser Therapy for Slowing the Progression of Myopia in Children. Biomed Res Int 8915867, 2021.
89) Jiang Y, Zhu Z, Tan X, et al. : Effect of Repeated Low-Level Red-Light Therapy for Myopia Control in Children : A Multicenter Randomized Controlled Trial. Ophthalmology 129 : 509-519, 2022.
90) Xiong R, Zhu Z, Jiang Y, et al. : Sustained and rebound effect of repeated low-level red-light therapy on myopia control : A 2-year post-trial follow-up study. Clin Exp Ophthalmol 50 : 1013-1024, 2022.
91) Xiong R, Zhu Z, Jiang Y, et al. : Longitudinal Changes and Predictive Value of Choroidal Thickness for Myopia Control after Repeated Low-Level Red-Light Therapy. Ophthalmology 130 : 286-296, 2023.
92) Ivandic BT, Ivandic T : Low-level laser therapy improves visual acuity in adolescent and adult patients with amblyopia. Photomed Laser Surg 30 : 167-171, 2012.
93) Dong J, Zhu Z, Xu H, et al. : Myopia Control Effect of Repeated Low-Level Red-Light Therapy in Chinese Children : A Randomized, Double-Blind, Controlled Clinical Trial. Ophthalmology 130 : 198-204, 2023.
94) Liu H, Yang Y, Guo J, et al. : Retinal Damage After Repeated Low-level Red-Light Laser Exposure. JAMA Ophthalmol 141 : 693-695, 2023.
95) Zhang P, Zhu H : Light Signaling and Myopia Development : A Review. Ophthalmol Ther 11 : 939-957, 2022.
96) Avci P, Gupta A, Sadasivam M, et al. : Low-level laser (light) therapy (LLLT) in skin : stimulating, healing, restoring. Semin Cutan Med Surg 32 : 41-52, 2013.
97) Wu H, Chen W, Zhao F, et al. : Scleral hypoxia is a target for myopia control. Proc Natl Acad Sci U S

A 115 : E7091-E7100, 2018.
98) Siatkowski RM, Cotter SA, Crockett RS, et al. : Two-year multicenter, randomized, double-masked, placebo-controlled, parallel safety and efficacy study of 2 % pirenzepine ophthalmic gel in children with myopia. J AAPOS 12 : 332-339, 2008.
99) Tan DT, Lam DS, Chua WH, et al. : One-year multicenter, double-masked, placebocontrolled, parallel safety and efficacy study of 2 % pirenzepine ophthalmic gel in children with myopia. Ophthalmology 112 : 84-91, 2005.
100) Saw SM, Shih-Yen EC, Koh A, et al. : Interventions to retard myopia progression in children : an evidence-based update. Ophthalmology 109 : 415-421, 2002.
101) Goss DA : Attempts to reduce the rate of increase of myopia in young people — a critical literature review. Am J Optom Physiol Opt 59 : 828-841, 1982.
102) Talens-Estarelles C, Cerviño A, García-Lázaro S, et al. : The effects of breaks on digital eye strain, dry eye and binocular vision : Testing the 20-20-20 rule. Cont Lens Anterior Eye 46 : 101744, 2023.
103) Rose KA, Morgan IG, Ip J, et al. : Outdoor activity reduces the prevalence of myopia in children. Ophthalmology 115 : 1279-1285, 2008.
104) Jones LA, Sinnott LT, Mutti DO, et al. : Parental history of myopia, sports and outdoor activities, and future myopia. Invest Ophthalmol Vis Sci 48 : 3524-3532, 2007.
105) Mori K, Torii H, Fujimoto S, et al. : The Effect of Dietary Supplementation of Crocetin for Myopia Control in Children : A Randomized Clinical Trial. J Clin Med 8 : 1179, 2019.

早期診断と早期介入の可能性

はじめに

近視は，緑内障，網膜剝離，近視性黄斑症などの眼疾患のオッズ比（眼疾患を有する割合の高さ）を上昇させる（**表1**）[1]．大規模疫学調査の結果，眼軸長が26.5 mm以上の強度近視患者の25%が75歳以上で視覚障害に至り（**図1**），近視の度数が1D増加するごとに，視覚障害，近視性黄斑症，網膜剝離や緑内障のリスクは指数関数的に増加することが明らかとなった[2, 3]．その一方で，例え弱度近視であっても，近視の進行を1D抑制することで，近視性黄斑症の有病率が約40%減少し，視覚障害のリスクは約20%減少することが示された．しかもこの効果は，近視の程度によらず得られる．さらに，小児期に近視進行抑制治療を実施することで得られる利益（将来，視覚障害となるリスクの回避）は，治療を行って重篤な合併症（感染性角膜炎など）から被る不利益と比較しても，はるかに大きいことが試算された[3]．これらの根拠から，将来の視覚障害のリスクを回避するうえで，小児期に近視の進行を抑制することの重要性が認識され，時期を逸せずに治療を施行する体制が海外では整えられている．その一方で進行抑制治療が必要ではない小児に対し，高価でリスクを伴う治療を推奨しないことも重要である．適切に判断するためにも，近視の発症や進行リスクをエビデンスに基づいて評価する方法や，管理のためのガイドラインが，海外では作成されている．

表1　近視度数ごとに示す眼疾患に罹患するオッズ比

近視度数	後嚢下白内障	緑内障	網膜剝離	近視性黄斑症
弱度近視 （−0.5 D以上−3.0 D未満）	2倍	2倍	3倍	14倍
中等度近視 （−3.0 D以上−6.0 D未満）	3倍	3倍	9倍	73倍
強度近視 （−6.0 D以上）	5倍	3倍	13倍	845倍

（文献1を参照して作成）

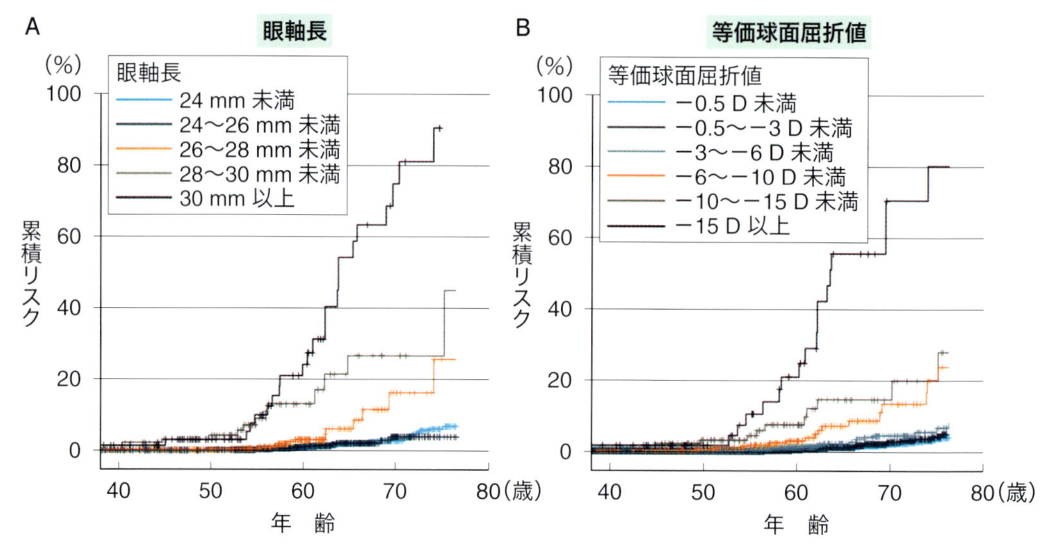

図 1　眼軸長と等価球面屈折値ごとの視覚障害の累積リスク

5 つの大規模疫学研究のデータから，近視における中高年期以降の視覚障害のリスクを解析したところ，眼軸がより長く，近視がより強いほど，年齢が上がるにつれて視覚障害の累積リスクが上昇していくことが明らかとなった．屈折値よりも眼軸長が，将来的なリスクと関連が高い．（文献 2 より引用改変）

近視の発症と進行のリスクを評価する

2018 年にオーストラリアの Brien Holden 眼研究所は，複数の研究報告の結果をもとにして，前近視の段階から早期管理を実施するためのリスク評価のガイドラインを提示した[4]．その後 2020 年に，北アイルランドの疫学研究 NICER study の調査結果に基づいてアルスター大学の研究者らが作成した PreMO（プレモ）と呼ばれるリスク指標も，リスク評価を行ううえで有用性が高い[5]．このようなリスク評価方法を用いることで，近視の発症や進行のリスクが高い小児をエビデンスに基づき同定し，早期介入に結びつけることが可能となる．

Brien Holden 眼研究所の「近視管理ガイドライン」

Brien Holden 眼研究所の「近視管理ガイドライン」（表 2）における評価項目の詳細を以下に示す．

近視リスクの評価項目

両親の近視の有無

近視の発症は遺伝的要因が大きいことが双生児研究によって示されている[6]．片親が近視の場合は近視の発症のリスクが 2～3 倍，両親ともに近視の場合は 6 倍まで上昇する[7]．また，両親の近視の有無による近視の進行量の違いを図 2 に示す．

表 2 「近視管理のガイドライン」における近視の発症と進行のリスクの評価項目

発症のリスク評価	
・両親の近視の有無： 　片親もしくは両親が近視 ・人種：アジア人 ・年齢：9 歳以下 ・屈折値： 　年齢相当より少ない遠視度数 　−0.75 D/年を超える近視化 ・長時間の近業 ・少ない屋外活動時間	近視発症の 低リスク：0〜2 項目 中等度リスク：3〜4 項目 高リスク：5〜6 項目
進行のリスク評価	
・両親の近視の有無： 　片親もしくは両親が近視 ・人種：アジア人 ・年齢：9 歳以下 ・屈折値：−0.75 D/年を超える近視化	近視進行の 低リスク：0 項目 中等度リスク：1〜2 項目 高リスク：3〜4 項目

（文献 4 より引用改変）

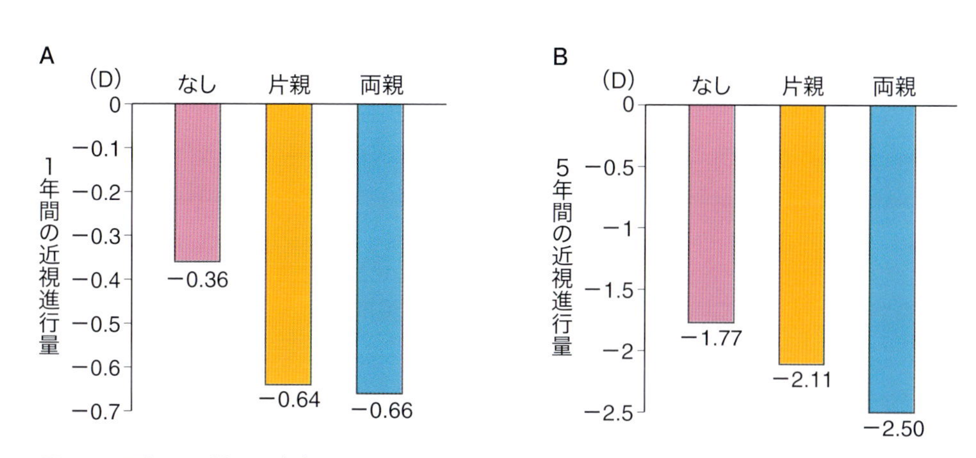

図 2　両親の近視の有無による，学童の近視の進行量の比較

A：両親の近視の有無と 1 年間の近視進行量の比較．B：両親の近視の有無と 5 年間の近視進行量の比較．
（文献 8，9 を参照して作成）

Saw ら[8]は 1 年間(**図 2 A**)，Kurtz ら[9]は 5 年間(**図 2 B**)までの近視の進行量の違いを報告している．両親の近視既往がない場合は進行が遅く，両親ともに近視の場合は，片親のみが近視の場合よりも近視の進行速度が速いことがわかる．

人　種

わが国を含む東アジア諸国の近視の有病率は，その他の地域と比較して高い(**図 3**)．たとえば若年者の近視の有病率は，台湾やシンガポールでは 70〜80％以上にまで達しており[10, 11]，韓国では 19 歳の兵役男子の 97％が近視を発症している[12]．また，Donovan らによって示された人種別の 3 年間の近視進行量の比較を**図 4** に示す[13]．アジア人はヨーロッパ人と比較し，近視の進行が速いことが示されている．

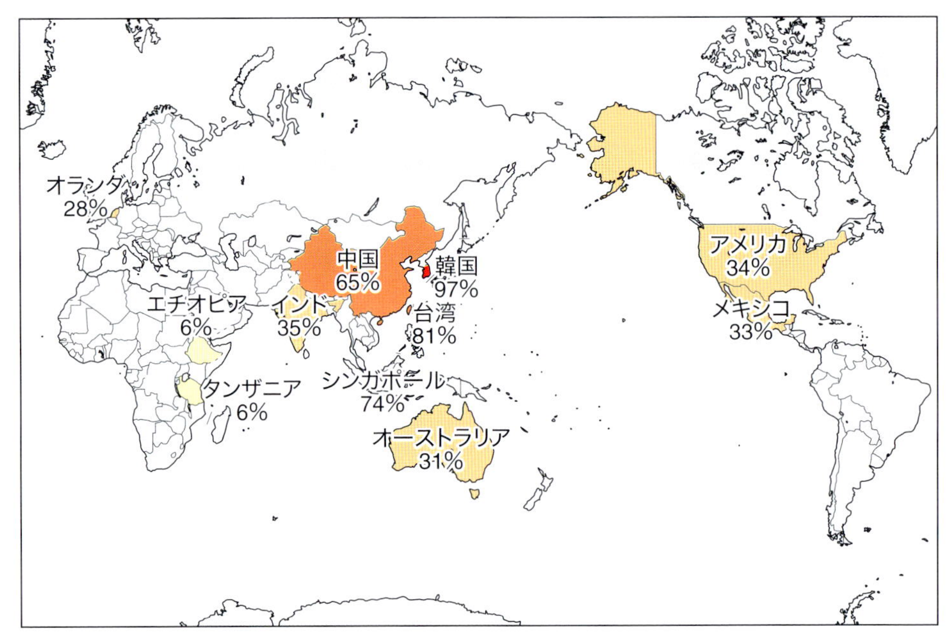

図3　近年の疫学研究における各国の若年者の近視の有病率の比較

東アジア諸国の近視の有病率はその他の地域と比較して高い.　（文献4より引用改変）

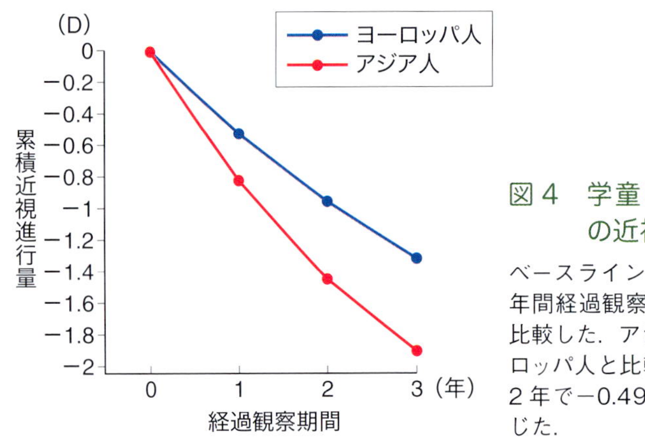

図4　学童における人種別の3年間の近視進行量の比較

ベースライン平均年齢が9.3歳の学童を3年間経過観察し，近視の進行量を人種別で比較した．アジア人の累積近視進行量はヨーロッパ人と比較して多く，1年で−0.31 D，2年で−0.49 D，3年で−0.58 Dの差が生じた.　（文献13より引用改変）

類似した複数の研究報告の結果から，アジア人であることが，近視の発症と進行のリスク因子であると考えられている.

○ 年齢と屈折値

● 近視発症を示唆する年齢別の遠視度数

通常，乳幼児の屈折値は遠視である．その後の正視化現象に異常をきたせば屈折異常が生じる．Ojaimi や Lan らは，6歳前後の小児の1%シクロペントラート塩酸塩調節麻痺下での正常屈折値は＋1.25 D程度の遠視であり，これよりも低い遠視度数の場合に，近視発症のリスクが高いと報告している[14, 15]．Zadnik らは，近視発症（1%シクロペントラート塩酸塩調節麻痺下屈折検査で等価球面屈折値が−0.75 Dを超える近視）を予測するためのcut off値を年齢別に定め，等価球面屈折値が6歳以下では

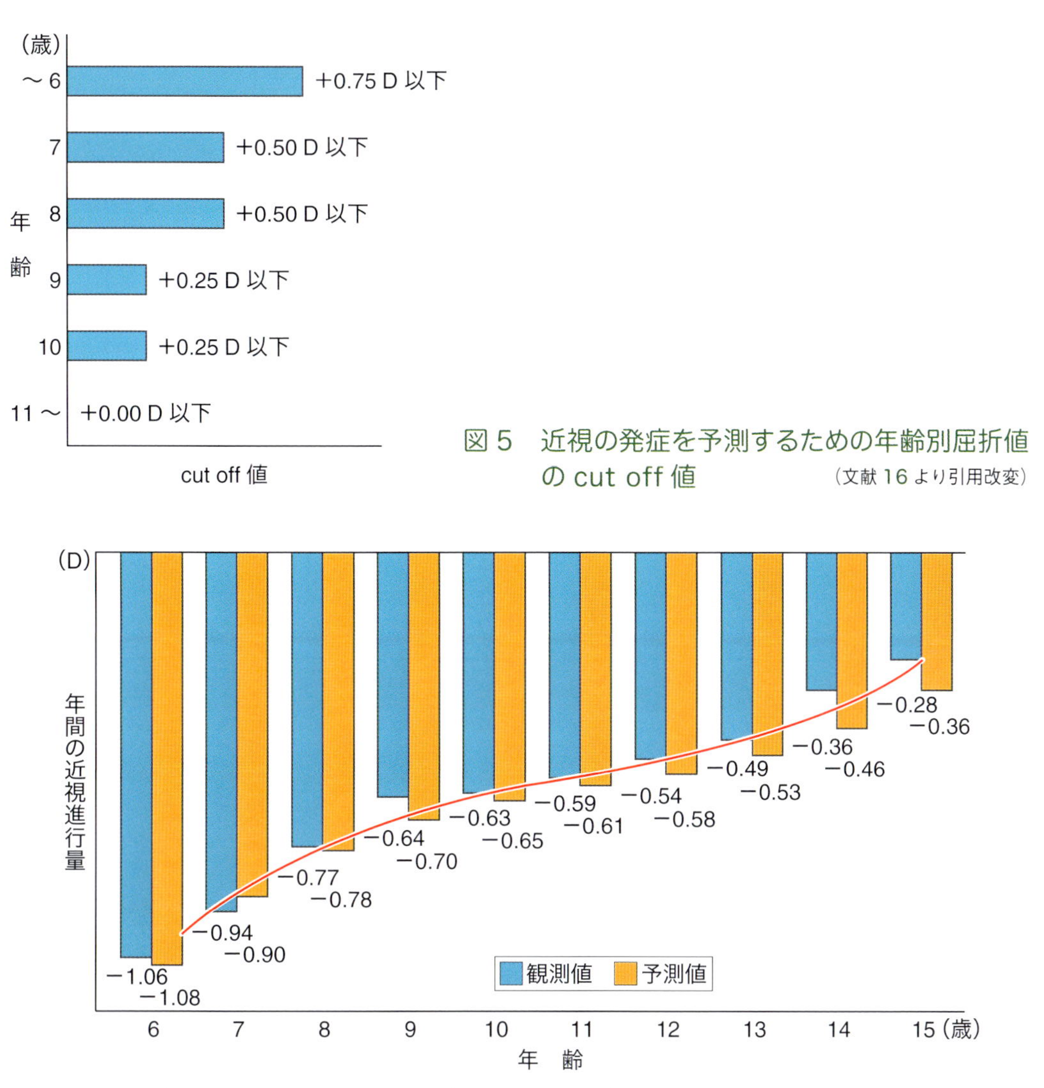

図 5　近視の発症を予測するための年齢別屈折値の cut off 値　（文献 16 より引用改変）

図 6　年齢別の年間近視進行量の観測値と予測値

8 歳以下では年間の近視進行量が多く，年間−0.75 D 以上の近視進行を認める．
$y=0.0022x^3-0.0403x^2+0.2859x-1.3244$　$R^2=0.9884$　（文献 17 より引用改変）

+0.75 D 以下，8 歳以下では+0.5 D 以下，10 歳以下では+0.25 D 以下，11 歳以上では 0 D 以下とした(**図 5**)[16]．

● 年齢と近視進行速度との相関

Sankaridurg らは，中国の広州，香港，シンガポールの眼鏡装用者 508 人のデータを用いて，年齢別の近視の進行速度モデルを作成した(**図 6**)[17]．これによると，平均的な近視の小児における年間近視進行量の予測値は 6 歳で−1.08 D，10 歳で−0.65 D，15 歳で−0.36 D であり，若年であるほど近視の進行速度が速いことがわかる．また学童期(6～12 歳)においては，年間あたりの近視進行量が概ね−0.75 D を超える場合は近視の進行速度が速いと推察され，年齢においては，8 歳以下では近視の進行速度が速いことがわかる．

以上の結果から，Brien Holden 眼研究所の「近視管理のガイドライン」では，近視の発症に関しては Zadnik らが示したように（**図 5**），年齢に応じた遠視度数よりも遠視が少ないか，もしくは年間－0.75 D を超える近視化がある場合に，近視の発症のリスクが高いと考えている．一方，すでに近視である場合の進行に関しては，年齢が 8 歳以下で，屈折値が年間－0.75 D を超えて近視化する場合に，強度近視に至るリスクが高いと考えている．

近業と屋外活動

詳細は他稿（p.239「小児の近視の環境因子」）に譲るが，長時間の近業と短い屋外活動時間は，近視発症の要因であることがさまざまな大規模研究で報告されている[18〜20]．代表的研究である Rose らの報告[20]から**図 7** を示す．黄色のグラフで示されているグループ（1 日 1.59 時間以下しか屋外活動を行わない学童）のうち学外で 1 日 3.1 時間以上に及ぶ近業を行う学童では，近視の発症リスクが 2.6 倍と最も高い．一方，**図 7** で最も注目すべきところは，青色のグラフで示されているグループ（屋外で 1 日 2.8 時間以上活動する学童）では，近業の長さと関連なく，近視の有病率が低い点である．この研究では，長時間の屋外活動は近視発症を 50％まで抑制すると報告されている．

近視の進行に対しては，屋外活動が近視の進行を抑制することを示すエビデンスが近年集積されつつある．一方で近業に関しては，30 cm 未満の短い視距離（対象物から眼までの距離）での近業や，30 分以上連続した近業が近視の発症と進行に関与することを示す研究結果が多い．今後，客観的な計測データを用いた研究が実施されることで，これらの因果関係が明確となることが期待されている[21]．

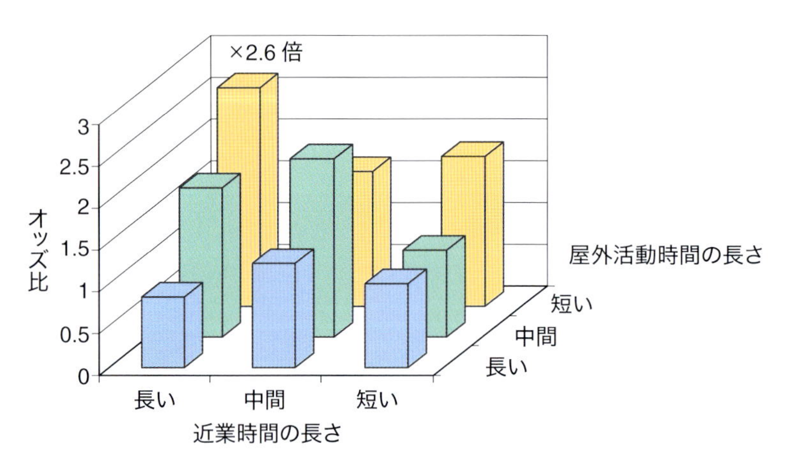

図 7　近視の発症リスクに対する近業と屋外活動時間の関連

1 日あたりの近業時間の長さを，短い（0～1.99 時間），中間（2～3 時間），長い（3.1 時間以上）に分類し，屋外活動時間を短い（0～1.59 時間），中間（1.6～2.7 時間），長い（2.8 時間以上）に分類した．1 日あたり 2.8 時間以上屋外活動をする学童では，近業時間の長さと関連なく，近視の発症が抑制されている．

（文献 20 より引用改変）

近視の発症と進行のリスクを評価する目安

Brien Holden眼研究所の「近視管理のガイドライン」では，近視の発症に関しては，①片親もしくは両親が近視，②人種(アジア人)，③年齢(9歳以下)，④屈折値(遠視度数が年齢に応じた値よりも少ないか，もしくは年間−0.75 Dを超える近視化)，⑤長時間の近業，⑥少ない屋外活動時間，のうち0〜2項目が該当する場合は近視発症の低リスク，3〜4項目が該当する場合は中等度リスク，5〜6項目が該当する場合は高リスクと評価している(**表2**)．近視の進行に関しては，①片親もしくは両親が近視，②人種(アジア人)，③年齢(9歳以下)，④屈折値(年間−0.75 Dを超える近視化)のうち0項目が該当する場合は近視進行の低リスク，1〜2項目が該当する場合は中等度リスク，3〜4項目が該当する場合は高リスクと評価している(**表2**)．発症や進行のリスクが高い小児に関しては，近視進行予防対策を講じる必要があると考えられる．

PreMOリスク指標を用いた近視管理

PreMO(Predicting Myopia Onset and progression)リスク指標は，北アイルランドの疫学研究NICER studyの調査結果に基づくため，英国やヨーロッパ在住の白人の学童に対して有用性が高い[5)]．現在，香港でアジア人の小児に対するPreMOリスク指標の妥当性の検証が進められており，2023年のARVO(視覚と眼の研究会議)で良好な結果が公表された段階である[22)]．東京医科歯科大学先端近視センターのホームページでは，アルスター大学の研究者らに許可を得て，日本語訳したPreMOリスク指標をダウンロード可能である[23)]．

PreMOリスク指標が，汎用性が高くさまざまな国で用いられる理由が，別表の存在にある．たとえば，一般的な眼科クリニックでは眼軸長の計測が難しい．PreMOリスク指標は，眼軸長の計測ができない場合に平均角膜曲率半径と調節麻痺下での等価球面屈折値を代用して，リスクスコアの計算が可能である．また，大規模スクリーニングでは，非調節麻痺下での屈折検査が実施されることが多く，近視の診断のゴールドスタンダードである調節麻痺下検査は副作用の観点から多くの地域で実施困難である．この場合，非調節麻痺下他覚的屈折検査の結果を代用して，リスクスコアの算出が可能である．

PreMOリスク指標パート1では，今後の近視発症のリスクが評価できる．リスクに応じた指導ができるよう，発症を遅らせるための対策がスコア別に一覧表にまとめられている．一方で，PreMOリスク指標パート2では，近視が発症した小児の進行リスクを評価する．リスクに応じて近視進行抑制管理を実施する判断ができるようになっている．PreMOリスク指標を用いた近視の管理の実際は，日本近視学会の会員専用ページ「第4回日本近視学会総会教育セミナー」の動画に収められている．

PreMO リスク指標パート 1（近視発症のリスク評価と指導）

PreMO リスク指標パート 1（**図 8**）は，6〜8 歳までの小児用と，9〜10 歳までの小児用の 2 つに分けられる．

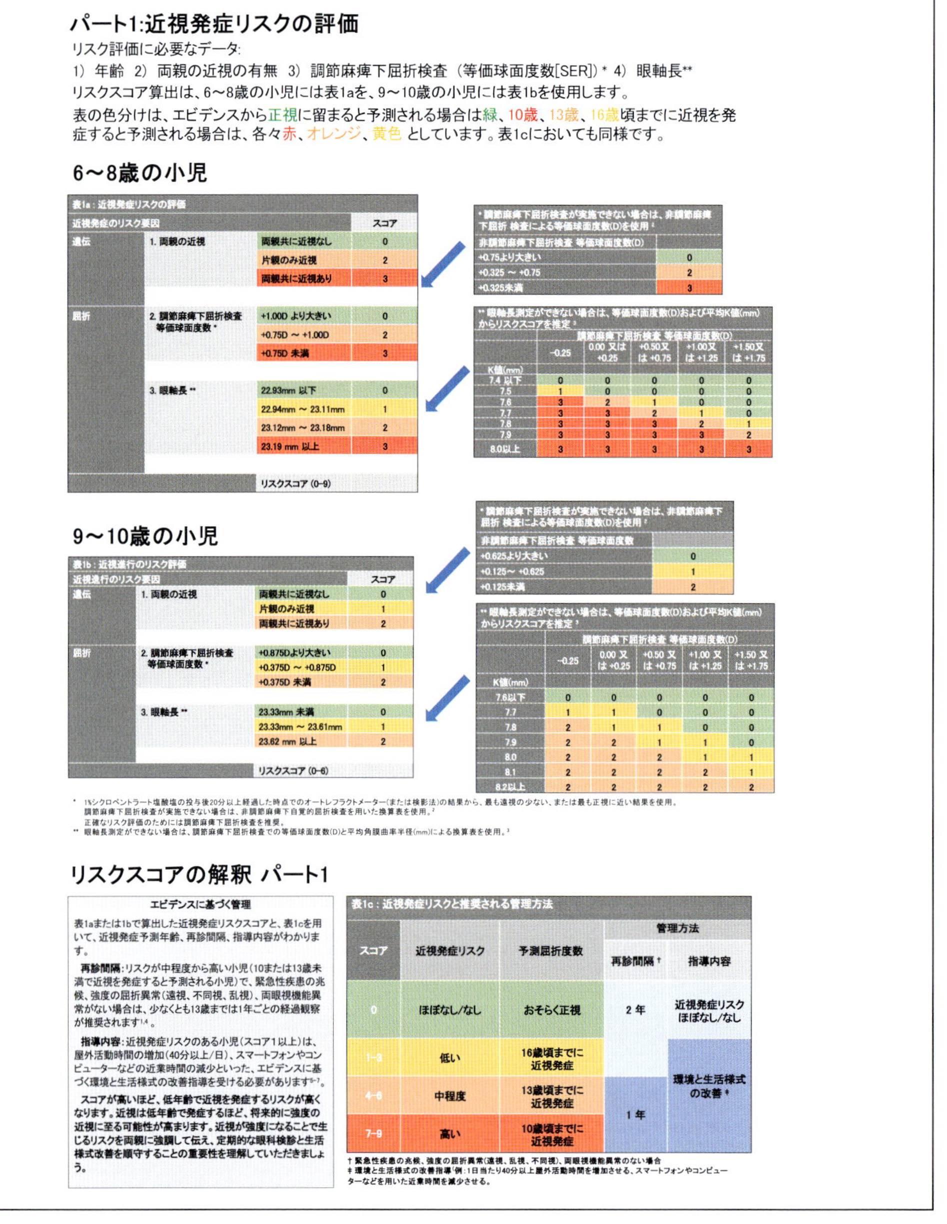

パート1:近視発症リスクの評価

リスク評価に必要なデータ:

1）年齢 2）両親の近視の有無 3）調節麻痺下屈折検査（等価球面度数[SER]）* 4）眼軸長**

リスクスコア算出は、6〜8歳の小児には表1aを、9〜10歳の小児には表1bを使用します。

表の色分けは、エビデンスから正視に留まると予測される場合は緑、10歳、13歳、16歳頃までに近視を発症すると予測される場合は、各々赤、オレンジ、黄色 としています。表1cにおいても同様です。

6〜8歳の小児

表1a：近視発症リスクの評価

近視発症のリスク要因			スコア
遺伝	1. 両親の近視	両親共に近視なし	0
		片親のみ近視	2
		両親共に近視あり	3
屈折	2. 調節麻痺下屈折検査 等価球面度数 *	+1.00D より大きい	0
		+0.75D 〜 +1.00D	2
		+0.75D 未満	3
	3. 眼軸長 **	22.93mm 以下	0
		22.94mm 〜 23.11mm	1
		23.12mm 〜 23.18mm	2
		23.19 mm 以上	3
		リスクスコア（0-9）	

* 調節麻痺下屈折検査が実施できない場合は、非調節麻痺下屈折 検査による等価球面度数(D)を使用 [2]

非調節麻痺下屈折検査 等価球面度数(D)	
+0.75より大きい	0
+0.325 〜 +0.75	2
+0.325未満	3

** 眼軸長測定ができない場合は、等価球面度数(D)および平均K値(mm)からリスクスコアを推定 [3]

	調節麻痺下屈折検査 等価球面度数(D)				
	−0.25	0.00 又は +0.25	+0.50又は +0.75	+1.00又は +1.25	+1.50又は +1.75
K値(mm)					
7.4 以下	0	0	0	0	0
7.5	1	0	0	0	0
7.6	3	2	1	0	0
7.7	3	3	2	1	0
7.8	3	3	3	2	1
7.9	3	3	3	3	2
8.0以上	3	3	3	3	3

9〜10歳の小児

表1b：近視進行のリスク評価

近視進行のリスク要因			スコア
遺伝	1. 両親の近視	両親共に近視なし	0
		片親のみ近視	1
		両親共に近視あり	2
屈折	2. 調節麻痺下屈折検査 等価球面度数 *	+0.875Dより大きい	0
		+0.375D 〜 +0.875D	1
		+0.375D 未満	2
	3. 眼軸長 **	23.33mm 未満	0
		23.33mm 〜 23.61mm	1
		23.62 mm 以上	2
		リスクスコア（0-6）	

* 調節麻痺下屈折検査が実施できない場合は、非調節麻痺下屈折 検査による等価球面度数(D)を使用 [2]

非調節麻痺下屈折検査 等価球面度数	
+0.625より大きい	0
+0.125〜 +0.625	1
+0.125未満	2

** 眼軸長測定ができない場合は、等価球面度数(D)および平均K値(mm)からリスクスコアを推定 [3]

	調節麻痺下屈折検査 等価球面度数(D)				
	−0.25	0.00 又は +0.25	+0.50 又は +0.75	+1.00 又は +1.25	+1.50 又は +1.75
K値(mm)					
7.6以下	0	0	0	0	0
7.7	1	1	0	0	0
7.8	2	1	1	0	0
7.9	2	2	1	1	0
8.0	2	2	2	1	1
8.1	2	2	2	2	1
8.2以上	2	2	2	2	2

* 1%シクロペントラート塩酸塩の投与後20分以上経過した時点でのオートレフラクトメーター（または検影法）の結果から、最も遠視の少ない、または最も正視に近い結果を使用。
調節麻痺下屈折検査が実施できない場合は、非調節麻痺下自覚的屈折検査を用いた換算表を使用。[2]
正確なリスク評価のためには調節麻痺下屈折検査を推奨。
** 眼軸長測定ができない場合は、調節麻痺下屈折検査での等価球面度数(D)と平均角膜曲率半径(mm)による換算表を使用。[3]

リスクスコアの解釈 パート1

エビデンスに基づく管理

表1aまたは1bで算出した近視発症リスクスコアと、表1cを用いて、近視発症予測年齢、再診間隔、指導内容がわかります。

再診間隔:リスクが中程度から高い小児（10または13歳未満で近視を発症すると予測される小児）で、緊急性疾患の兆候、強度の屈折異常（遠視、不同視、乱視）、両眼視機能異常がない場合は、少なくとも13歳までは1年ごとの経過観察が推奨されます[1,4]。

指導内容:近視発症リスクのある小児（スコア1以上）は、屋外活動時間の増加（40分以上/日）、スマートフォンやコンピューターなどの近業時間の減少といった、エビデンスに基づく環境と生活様式の改善指導を受ける必要があります[5-7]。

スコアが高いほど、低年齢で近視を発症するリスクが高くなります。近視は低年齢で発症するほど、将来的に強度の近視に至る可能性が高まります。近視が強度になることで生じるリスクを両親に強調して伝え、定期的な眼科検診と生活様式改善を順守することの重要性を理解していただきましょう。

表1c：近視発症リスクと推奨される管理方法

スコア	近視発症リスク	予測屈折度数	管理方法	
			再診間隔 †	指導内容
0	ほぼなし/なし	おそらく正視	2 年	近視発症リスク ほぼなし/なし
1−3	低い	16歳頃までに近視発症		環境と生活様式の改善 ‡
4−6	中程度	13歳頃までに近視発症	1 年	
7−9	高い	10歳頃までに近視発症		

† 緊急性疾患の兆候、強度の屈折異常（遠視、乱視、不同視）、両眼視機能異常のない場合
‡ 環境と生活様式の改善指導（例：1日当たり40分以上屋外活動時間を増加させる、スマートフォンやコンピューターなどを用いた近業時間を減少させる。

図 8 PreMO リスク指標パート 1

リスク評価に必要なデータは，①年齢，②両親の近視の有無，③調節麻痺下屈折検査での等価球面度数，④眼軸長である．しかし，調節麻痺下屈折検査が実施できない場合は非調節麻痺下自覚的屈折検査の度数を用いた換算表を使用し，眼軸長が測定できない場合は調節麻痺下屈折検査での度数（D）と平均角膜曲率半径（mm）による換算表を使用することが可能．リスクスコア算出は，6〜8 歳の小児と 9〜10 歳の小児では別の表を使用する．表の色分けは，エビデンスから正視にとどまると予測される場合は緑，10 歳・13 歳・16 歳頃までに近視を発症すると予測される場合は，それぞれ赤・オレンジ・黄色で表示される．

（文献 23 より転載）

NICER study の近視発症に関する重要な知見には①～③の 3 つあり，これらを柱に PreMO リスク指標パート 1 では発症リスクがスコア化される．

①近視の発症予測として両親の近視の有無は重要である．少なくとも片親が近視である場合，子どもが少なくとも 16 歳までに近視を発症するリスクは，両親ともに近視でない子どもと比較して 6 倍高い．

② 7 歳までに調節麻痺下他覚的等価球面屈折値が＋0.75 D 未満の小児は，10 歳以下での近視発症リスクが高い(感度 91%，特異性 77%)．

③ 7 歳までに眼軸長が 23.2 mm を超える小児は，10 歳以下での近視発症リスクが高く，眼軸が 1 mm 延長するごとにそのリスクは 2.5 倍高まる．

PreMO リスク指標パート 2（近視進行のリスク評価と指導）

近視に至った場合は，PreMO リスク指標パート 2（**図 9**）を用いた進行リスクの評価を行う．PreMO リスク指標パート 2 における進行の予測指標は，13 歳未満で発症した近視は 13 歳以降に発症した近視よりも 2 倍以上進行が速いという NICER study でのエビデンスに基づく（13 歳未満：年間近視進行量－0.41 D，眼軸長伸展量 0.30 mm vs 13 歳以上：年間近視進行量－0.16 D, 眼軸長伸展量 0.15 mm）．また，－0.5 D を超える年間近視進行量が，進行のリスクが高いと考えられている．

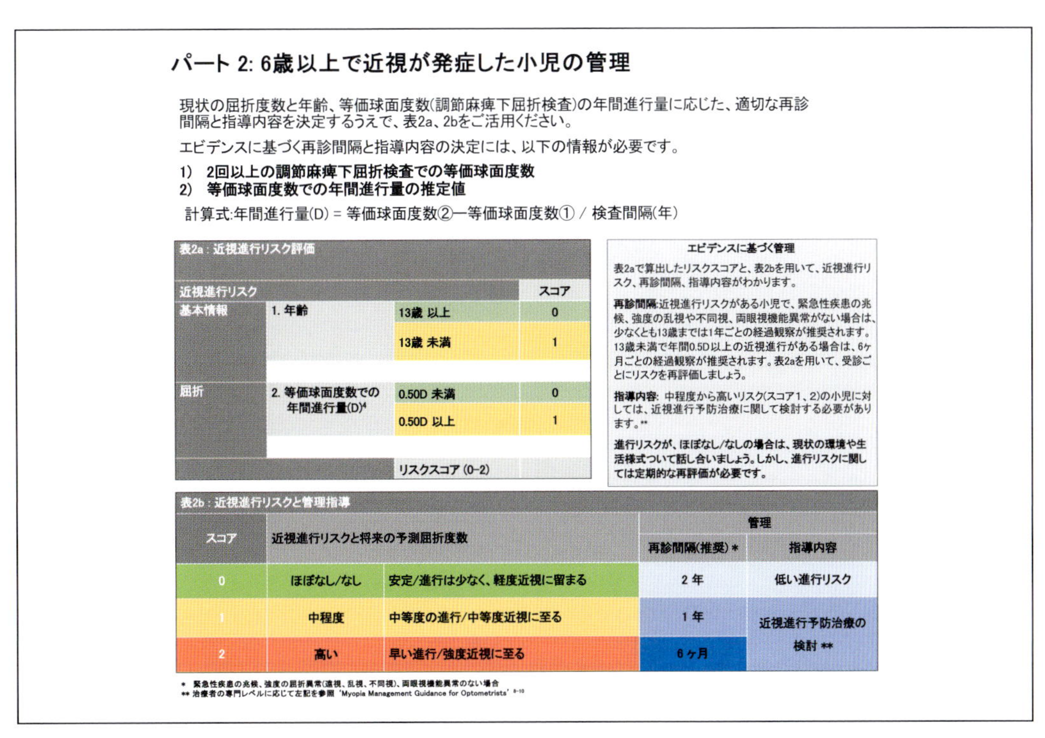

パート 2: 6歳以上で近視が発症した小児の管理

現状の屈折度数と年齢、等価球面度数(調節麻痺下屈折検査)の年間進行量に応じた、適切な再診間隔と指導内容を決定するうえで、表2a、2bをご活用ください。

エビデンスに基づく再診間隔と指導内容の決定には、以下の情報が必要です。

1) **2回以上の調節麻痺下屈折検査での等価球面度数**
2) **等価球面度数での年間進行量の推定値**

計算式:年間進行量(D) = 等価球面度数②ー等価球面度数① / 検査間隔(年)

表2a：近視進行リスク評価

近視進行リスク			スコア
基本情報	1. 年齢	13歳 以上	0
		13歳 未満	1
屈折	2. 等価球面度数での年間進行量(D)[4]	0.50D 未満	0
		0.50D 以上	1
		リスクスコア (0-2)	

エビデンスに基づく管理

表2aで算出したリスクスコアと、表2bを用いて、近視進行リスク、再診間隔、指導内容がわかります。

再診間隔:近視進行リスクがある小児で、緊急性疾患の兆候、強度の乱視や不同視、両眼視機能異常がない場合は、少なくとも13歳までは1年ごとの経過観察が推奨されます。13歳未満で年間0.5D以上の近視進行がある場合は、6ヶ月ごとの経過観察が推奨されます。表2aを用いて、受診ごとにリスクを再評価しましょう。

指導内容: 中程度から高いリスク(スコア1、2)の小児に対しては、近視進行予防治療に関して検討する必要があります。**

進行リスクが、ほぼなし/なしの場合は、現状の環境や生活様式ついて話し合いましょう。しかし、進行リスクに関しては定期的な再評価が必要です。

表2b：近視進行リスクと管理指導

スコア	近視進行リスクと将来の予測屈折度数		管理	
			再診間隔(推奨) *	指導内容
0	ほぼなし/なし	安定/進行は少なく、軽度近視に留まる	2 年	低い進行リスク
1	中程度	中等度の進行/中等度近視に至る	1 年	近視進行予防治療の検討 **
2	高い	早い進行/強度近視に至る	6 ヶ月	

* 緊急性疾患の兆候、強度の屈折異常(遠視、乱視、不同視)、両眼視機能異常のない場合
** 治療者の専門レベルに応じて左記を参照 'Myopia Management Guidance for Optometrists' [8-10]

図 9　PreMO リスク指標パート 2　　（文献 23 より転載）

近視の進行抑制治療と介入時期

近視の小児に対して進行抑制治療をいつから始めるかを考えた場合，16歳頃までは近視は進行することを考慮すると，「今すぐに」といえる．近視の専門家らが検討した結果，特に12歳以下の軸性近視の小児に対しては，できる限り早期に実施すべきだとの結論に至っている[24]．近視の発症早期から抑制治療を提供することで近視を強度に至らせないことは重要だが，近視の発生を防ぐことで治療の負担なく将来的な視覚障害のリスクを回避する意義は，はるかに大きい．そのような介入には，近視になる前，すなわち「前近視」の段階からの介入が不可欠である．前近視は“屈折値は正視に近いが，ベースラインの屈折値，年齢，およびその他の定量化可能な危険因子の組み合わせにより，近視へ移行するリスクが高い状態であり，予防的介入が適切と考えられる状態”である．近年は，前近視の段階での低濃度アトロピン点眼が近視発症を予防する効果を示唆するエビデンス[25]が蓄積しているものの，現状では Brien Holden 眼研究所の「近視管理ガイドライン」や，PreMO リスク指標を参考に，生活指導による管理を実施することが一般的である．診察の際に，日本眼科医会が無償提供している「近視啓発冊子ギガっこ デジたん！大百科」シリーズの動画サイトの“QR コード付きカード”（図 10）[26]を渡すことで，多忙な外来においてライフスタイル改善の指導時間が短縮可能である．

図 10　日本眼科医会が提供する近視啓発動画によるライフスタイル指導

（文献 26 より転載）

評価と経過観察の間隔

国際近視研究所（International Myopia Institute：IMI）が，「臨床近視抑制法ガイドラインレポート」を公開しており，日本語訳のダウンロードも可能である[27, 28]．評価と経過観察の間隔もまとめられており（**図11**），近視進行抑制治療を提供する場合には一読する必要がある．初診時もしくは治療前における小児の近視の診断は，1％シクロペントラート塩酸塩を用いた調節麻痺下屈折検査で実施する必要があるが，調節麻痺下屈折検査はその後のフォローアップにおいて，初診以降1年ごと，もしくは必要に応じての実施が推奨されている．詳細は他稿（p.63「眼軸長を近視の診断と管理に用いる方法」）に譲るが，半年ごとに眼軸長を計測することで，フォローアップは，より簡便・非侵襲的，正確に実施可能となる．

治療法別の開始時期

治療の介入時期に関しては，定説はないが治療戦略によって至適開始時期が異なる．詳細は他稿（p.165「小児の近視の進行抑制」）に譲るが，二重焦点眼鏡や累進屈折力眼鏡に関しては，近見時と遠見時でレンズの異なる特定部位を使用しなければ期待する近視進行抑制効果が得られない．装用の注意点を遵守した有効なコンプライアンスを得るには，7～8歳以上の小児が対象になると考えられる．一方で，眼鏡レンズの特定の部位を使い分ける必要がない特殊非球面レンズ（周辺部網膜に近視性デ

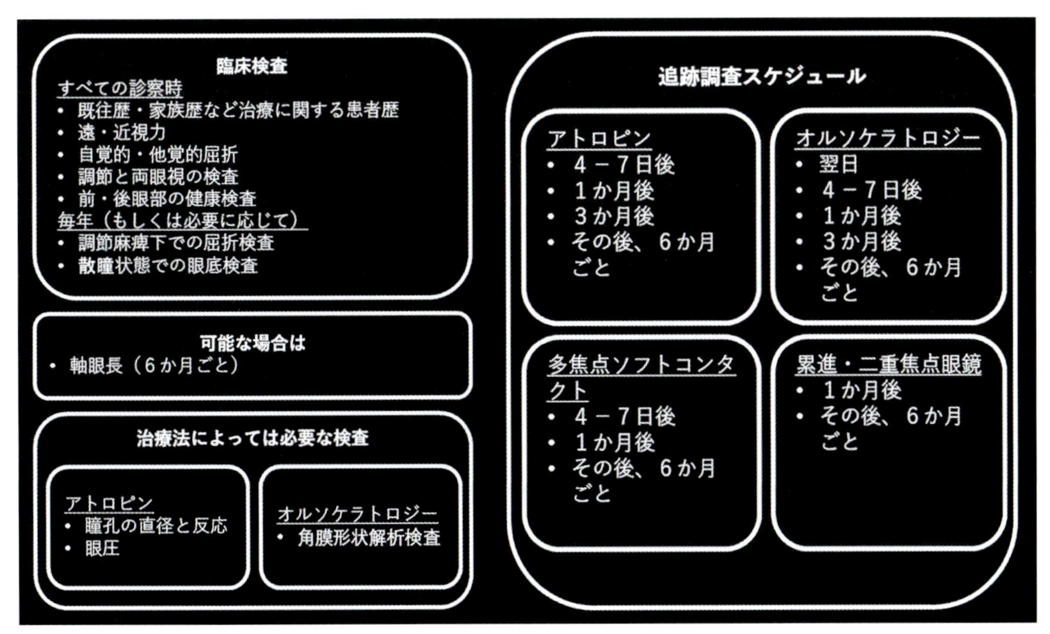

図11　国際近視研究所の「臨床近視抑制法ガイドラインレポート」が推奨する検査内容と経過観察の間隔

近視治療の診察時の臨床検査と治療タイプに基づいた近視管理のスケジュール．（文献27より転載）

フォーカスを負荷する，あるいはコントラストを低下させる）眼鏡に関しては，4～5 歳でも装用が可能である（しかし 2023 年現在，これらの特殊眼鏡はわが国では販売されていない）．コンタクトレンズ関連の近視進行抑制治療に関しては，学童期に施行する場合，保護者の注意深い管理が必須である．多焦点ソフトコンタクトレンズを処方する場合は，自分で着脱・管理が十分に可能と判断される年齢まで待つ必要がある．一方，低濃度アトロピンであれば，点眼を保護者が行うため未就学児であっても使用可能である．

長期的管理が必要な病的近視の早期診断と鑑別

学童期の近視の大部分は単純近視と考えられるが，近視の程度が強度である場合は，病的近視の可能性がある．病的近視は，後部ぶどう腫や，さまざまな種類の近視性黄斑症の形成から網膜や視神経が徐々に障害され，中年期以降に視覚障害をきたす．生涯にわたり良好な視機能を維持するためには，できるだけ早期に病的近視を鑑別し，適切な管理に結びつけることが重要である．病的近視は 5 歳までに強い

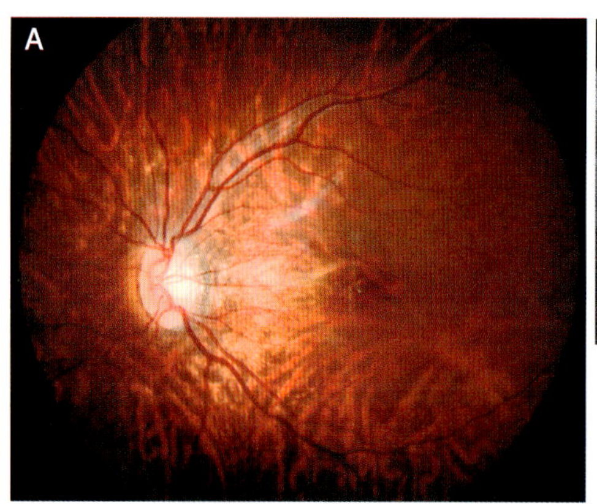

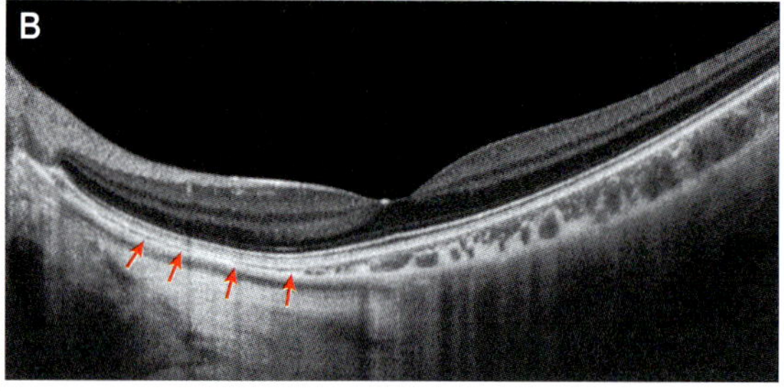

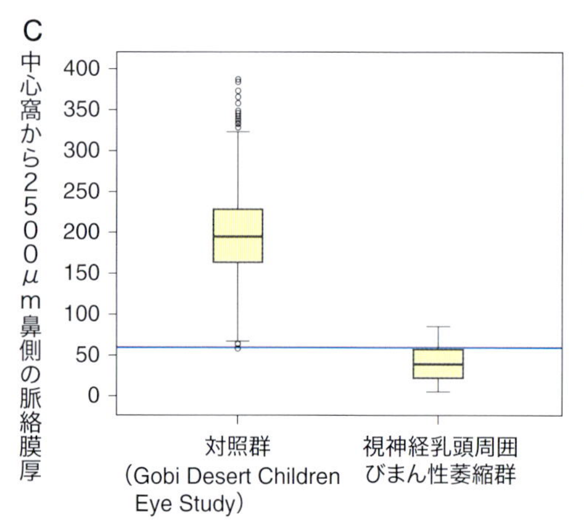

図 12　学童期の病的近視の眼底写真と swept-source OCT における脈絡膜厚の解析

A：視神経乳頭周囲びまん性萎縮を有する病的近視の学童の眼底写真（11 歳，女児）．B：A と同一症例の swept-source OCT．視神経乳頭周囲びまん性萎縮に一致して脈絡膜厚が著明に菲薄化している（➔）．C：視神経乳頭周囲びまん性萎縮を有する学童と Gobi Desert Children Eye Study に参加した中国の一般学童の，中心窩から 2,500 μm 鼻側の脈絡膜厚を比較したボックスプロット（文献 30 より許可を得て転載）．視神経乳頭周囲びまん性萎縮を有する学童のうち，脈絡膜厚が 60 μm 未満の症例は全体の 76％．一方で中国の一般学童対照群では，視神経乳頭周囲びまん性萎縮を有していた学童 1 人を除く全例が，中心窩から鼻側 2,500 μm の脈絡膜厚が 60 μm 以上であった．

軸性近視を生じる先天発症近視の場合が多く，それに幼児期と学童期の著明な眼軸長伸展が加わることで確立されている傾向がある．眼軸長は，生涯にわたり伸展し続ける．病的近視では学童期までに，約80％で視神経乳頭周囲にびまん性萎縮病変の形成が認められ，単純近視との鑑別の一助となる〔「小児の近視の定義・診断基準」**図2**(p.34)参照〕[29]．しかし眼底写真による視神経乳頭周囲のびまん性萎縮の判別は，検者の主観的判断に基づくものであり，人種や眼底色素の濃淡によっては観察が困難である．

病理組織学的には，びまん性萎縮病変の部位は，網膜色素上皮層の萎縮や，脈絡毛細血管板の部分閉塞から，脈絡毛細血管板－Bruch膜－網膜色素上皮複合体の高度な菲薄化を示す．びまん性萎縮の本態が病的な脈絡膜の菲薄化にあるとすれば，swept-source OCTを用いた脈絡膜厚計測はより客観的な指標となる．視神経乳頭周囲びまん性萎縮を有する学童の病的近視と中国の一般学童の脈絡膜厚のOCTデータを比較解析した報告では，中心窩から鼻側2,500 μmの脈絡膜厚のcut off値を60 μm未満にした場合，視神経乳頭周囲びまん性萎縮を有する学童の病的近視患者を感度76％，特異度100％で同定でき，学童期の病的近視の鑑別に脈絡膜厚計測が有用な指標であることが示されている(**図12**)[30]．

おわりに

海外では，早期管理のためのエビデンスに基づく，近視の発症と進行のリスク評価法が利用されている．このようなエビデンスに基づく管理指標が，わが国においても作成されて一般化すれば，近視の低年齢発症による重症化を阻止できるであろう．また管理指標の作成によって，近視進行抑制治療を実施する恩恵が十分にある児童が，早期に的確に鑑別され，早期治療に結びつけられることも期待される．

文献

1) Haarman AEG, Enthoven CA, Tideman WJL, et al.：The Complications of Myopia：A Review and Meta-Analysis. Invest Ophthalmol Vis Sci 61：49, 2020.
2) Tideman WJL, Snabel MCC, Tedja MS, et al.：Association of Axial Length With Risk of Uncorrectable Visual Impairment for Europeans With Myopia. JAMA Ophthalmol 134：1355-1363, 2016.
3) Bullimore MA, Ritchey ER, Shah S, et al.：The Risks and Benefits of Myopia Control. Ophthalmology 128：1561-1579, 2021.
4) BHVI MYOPIA EDUCATION PROGRAM：https://bhvi.org/myopia-education-program/
5) McCullough S, Adamson G, Breslin KMM, et al.：Axial growth and refractive change in white European children and young adults：predictive factors for myopia. Sci Rep 10：15189, 2020.
6) Hammond CJ, Snieder H, Gilbert CE, et al.：Genes and environment in refractive error：the twin eye study. Invest Ophthalmol Vis Sci 42：1232-1236, 2001.
7) Mutti DO, Mitchell GL, Moeschberger ML, et al.：Parental myopia, near work, school achievement, and children's refractive error. Invest Ophthalmol Vis Sci 43：3633-3640, 2002.
8) Saw SM, Hong CY, Chia KS, et al.：Nearwork and myopia in young children. Lancet 357：390, 2001.
9) Kurtz D, Hyman L, Gwiazda JE, et al.：Role of parental myopia in the progression of myopia and its

interaction with treatment in COMET children. Invest Ophthalmol Vis Sci 48：562-570, 2007.
10) Wu HM, Seet B, Yap EP, et al.：Does education explain ethnic differences in myopia prevalence? A population-based study of young adult males in Singapore. Optom Vis Sci 78：234-239, 2001.
11) Lee YY, Lo CT, Sheu SJ, et al.：What factors are associated with myopia in young adults? A survey study in Taiwan military conscripts. Invest Ophthalmol Vis Sci 54：1026-1033, 2013.
12) Jung SK, Lee JH, Kakizaki H, et al.：Prevalence of myopia and its association with body stature and educational level in 19-year-old male conscripts in Seoul, South Korea. Invest Ophthalmol Vis Sci 53：5579-5583, 2012.
13) Donovan L, Sankaridurg P, Ho A, et al.：Myopia progression rates in urban children wearing single vision spectacles. Optom Vis Sci 89：27-32, 2013.
14) Ojaimi E, Rose KA, Morgan IG, et al.：Distribution of ocular biometric parameters and refraction in a population-based study of Australian children. Invest Ophthalmol Vis Sci 46：2748-2754, 2005.
15) Lan W, Zhao F, Lin L, et al.：Refractive errors in 3-6 year-old chinese children：a very low prevalence of myopia? PLoS One 8：4-11, 2013.
16) Zadnik K, Sinnott LT, Cotter SA, et al.：Prediction of Juvenile-Onset Myopia. JAMA Ophthalmol 133：683-689, 2015.
17) Sankaridurg PR, Holden BA：Practical applications to modify and control the development of ametropia. Eye 28：134-141, 2014.
18) Wu P, Tsai C, Wu H, et al.：Outdoor activity during class recess reduces myopia onset and progression in school children. Ophthalmology 120：1080-1085, 2013.
19) He M, Xiang F, Zeng Y, et al.：Effect of Time Spent Outdoors at School on the Development of Myopia Among Children in China：A Randomized Clinical Trial. JAMA 314：1142-1148, 2015.
20) Rose KA, Morgan IG, Ip J, et al.：Outdoor activity reduces the prevalence of myopia in children. Ophthalmology 115：1279-1285, 2008.
21) Gajjar S, Ostrin LA：A systematic review of near work and myopia：measurement, relationships, mechanisms and clinical corollaries. Acta Ophthalmol 100：376-387, 2022.
22) Lam CSY：The PreMO（Predicting Myopia Onset and progression）risk indicator reliably predicts future myopia in East Asian and UK children. Poster session presented at Association for Research in Vision and Ophthalmology（ARVO）Annual Meeting 2023, New Orleans, United States.
23) 東京医科歯科大学先端近視センター：PreMO（Predicting Myopia Onset and progression）リスク指標～眼科医療従事者のためのエビデンスに基づくリスク評価表～
https://myopia-center.com/asset/pdf/PreMO.pdf
24) Brennan NA, Toubouti YM, Cheng X, et al.：Efficacy in myopia control. Prog Retin Eye Res 83：100923, 2021.
25) Yam JC, Zhang XJ, Zhang Y, et al.：Effect of Low-Concentration Atropine Eyedrops vs Placebo on Myopia Incidence in Children：The LAMP2 Randomized Clinical Trial. JAMA 329：472-481, 2023.
26) 日本眼科医会：子どもの目・啓発コンテンツについて 近視啓発冊子 ギガっこ デジたん！大百科
https://www.gankaikai.or.jp/info/detail/post_132.html
27) IMI Clinical Summary Myopia Guidelines Report
https://myopiainstitute.org/imi-whitepaper/clinical-management-myopia-guidelines-report/
28) IMI 臨床近視抑制法ガイドラインレポート
https://myopiainstitute.org/wp-content/uploads/2020/09/2023.02.12_IMI-Clinical-Myopia-Management-Guidelines_FINAL-Japanese.pdf
29) Yokoi T, Jonas JB, Shimada N, et al.：Peripapillary Diffuse Chorioretinal Atrophy in Children as a Sign of Eventual Pathologic Myopia in Adults. Ophthalmology 123：1783-1787, 2016.
30) Yokoi T, Zhu D, Bi HS, et al.：Parapapillary Diffuse Choroidal Atrophy in Children Is Associated With Extreme Thinning of Parapapillary Choroid. Invest Opthalmol Vis Sci 58：901-906, 2017.

学校保健における健康診断

学校保健の変遷と健康診断

国連(国際連合)の推計では，2007 年以降にわが国で生まれた子どもの約半数は 107 歳くらいまで生きるとされている[1)]．生涯にわたって眼の健康を保つためには，幼少期から視機能がしっかりと管理されることが大切である．

わが国では視覚の管理として，母子保健分野では生後から乳幼児健診(3～4 か月健診，1 歳 6 か月健診など)，そして 3 歳児健康診査(以下，3 歳児健診)が実施されており，その後学校保健の分野として就学時健診と続いている．もちろん並行して，幼稚園や保育所・認定こども園で視力検査や眼科健診が適切に実施されている地域もある．

学校保健のなかの健康診断については，学校教育法に「幼児，児童，生徒及び学生並びに職員の健康の保持増進を図る為，健康診断を行い，その他その保健に必要な措置を講じなければならない」と明記されている．学校での健康診断は明治初期に「活力検査」として開始され，明治 30 年代より「身体検査」と呼ばれ，全国の生徒の発育・健康状態を文部省によって把握される形となった．なお，明治 30 年代はトラコーマが流行した．昭和 33 年(1958 年)の学校保健法制定時，健康状態の評価を主目的とし「健康診断」と名称も改められ，その後，学校保健安全法および同施行規則に基づき実施され現在に至っている[2)]．学校保健の対象は幼稚園・就学時・小学校・中学校・高等学校そして大学を含む広い範囲となっている．

学校の健康診断の大きな目的は，文部科学省によると，

①学校生活を送るにあたり，支障があるかどうかの疾病をスクリーニングし，健康状態を把握する

②学校における健康課題を明らかにし健康教育に役立てる

という二本柱といわれている．

学校での健康診断については，文部科学省監修のもと日本学校保健会から『児童生徒等の健康診断マニュアル 平成 27 年度改訂』[3)](**図 1**)と『就学時の健康診断マニュアル 平成 29 年度改訂』[4)](**図 2**)が発行されており，それらに実施方法などの詳細な記述がある．これらのマニュアルは私立学校を含む全国の学校に配布されてお

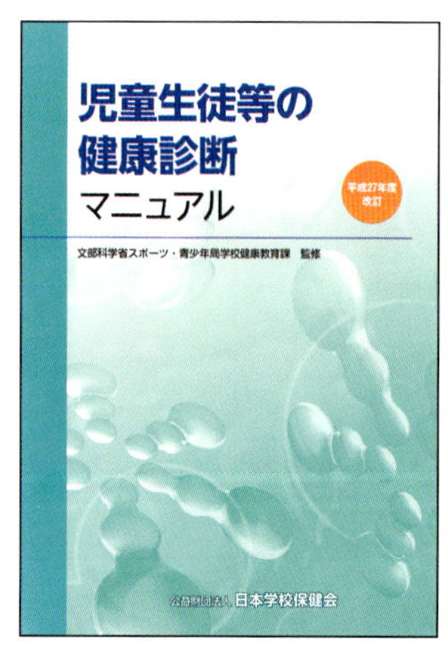

図１　児童生徒等の健康診断マニュアル（平成 27 年度改訂）

全国の学校に配布されている学校保健のバイブル．

図２　就学時の健康診断マニュアル（平成 29 年度改訂）

16 年ぶりに改訂され，全国の小学校に配布されている．

り，現在これらのマニュアルに沿って学校保健関連の健康診断は粛々と実施されている（日本学校保健会ホームページや日本眼科医会ホームページの乳幼児・学校保健関連情報にもマニュアルが掲載されおり，ダウンロード可能であるので参照いただきたい）．学校の健康診断における眼科関連の健診項目は，①視力検査，②眼の疾病および異常の有無，となっている．

3 歳児健康診査における視覚検査

弱視スクリーニングの難しさと見逃し

わが国の 3 歳児健診視覚検査は，小児科関連の 3 歳児健診が開始された昭和 35 年（1960 年）から約 30 年経た平成 3 年度（1991 年度）に，先人の眼科医の尽力で都道府県で開始された．そして平成 9 年度（1997 年度）から健診事業が全国の市町村に移管され今日に至っている．

開始にあたり，一次検査として家庭での視力検査（視標 0.5）が弱視のスクリーニング方法として導入された．しかし自宅で保護者が実施する視力検査のスクリーニング精度には限界があり，3 歳児健診で弱視が見逃され，就学時健診やさらに小学校入学後に弱視が発見される事例も多々あった．もちろん，3 歳児健診視覚検査の一番の目的は約 2% の頻度といわれている弱視の発見であり，そのためには屈折検査が有用であることは当初から指摘されていた．しかし保健所での 3 歳児健診に眼科医や視能訓練士の出務がほとんどなかったこと，屈折検査の手技や機器操作の難しさ，時間や経費の問題など，屈折検査を健診現場に導入することは現実的にはハードルが高かった．

ところが平成 27 年(2015 年)に，操作が大変簡便で検出精度も高い「フォトスクリーナー」が米国より輸入された．特に Spot™ Vision Screener は，弱視のリスクファクターとなる基準値が搭載されており，さらに斜視の有無も自動で判定できるため，その有用性や利便性が小児科医や眼科医に大きなインパクトを与えた．

屈折検査導入へ

そのような状況下，熱心な眼科医らが各地域の自治体での 3 歳児健診視覚検査にフォトスクリーナーなどを活用した屈折検査を導入した．その結果，弱視など要治療の眼疾患の検出率が飛躍的に増えたとの報告が相次いだ[5〜7](**図 3**)．また，知的発達症(知的障害)や神経発達症(発達障害)などで自覚的視力検査がうまく測定できず，「経過観察」という言葉のもと置き去りになっていた幼児らにも対応できるため，他覚的検査を活用することにより弱視の大きな要因である高度の屈折異常が検出され，弱視の取りこぼしが少なくなることも期待された．

そこで日本眼科医会では，3 歳児健診視覚検査に屈折検査を導入する重要性を周知するために，日本小児眼科学会，日本弱視斜視学会，日本視能訓練士協会の監修を得て令和 3 年(2021 年)に『3 歳児健診における視覚検査マニュアル〜屈折検査の導入に向けて』[8](**図 4A**)および『保健師等のための屈折検査導入マニュアル フォトスクリーナーの場合』[9](**図 4B**)を発行し，全国 1,741 の自治体に配布して理解を求めた．

一方，将来を担う小児の健やかな眼の成長を目指すため，屈折検査導入により弱視発見が飛躍的に向上した各地域のデータ[5〜7]，さらに日本眼科医会が実施した全国 3 歳児健診視覚検査の弱視スクリーニングの現状等を報告[10]し，成育基本法と関連付けて 3 歳児健診に屈折検査を導入するよう厚生労働省等関係者に強く要望してきた．その結果，令和 4 年度(2022 年度)に国の予算「厚生労働省 母子保健対策強

- 松江市における Spot™ Vision Screener 導入の成果

導入前 **0.6**% → 導入後 **3.6**%

- 群馬県全県下における Spot™ Vision Screener 導入の成果

導入前 **0.1**% → 導入後 **2.3**%

- 静岡市におけるプラスオプティクス導入の成果

導入前 **0.3**% → 導入後 **2.3**%

図 3　屈折検査導入による弱視などの要治療児検出率

(文献 5〜7 を参照して作成)

A

B

図４　屈折検査の導入を促すために日本眼科医会が作成したマニュアル

（文献 8, 9 より転載）

化事業 各種健診に必要な備品（屈折検査機器等）の整備」が創設され，上限はあるものの各市町村が屈折検査機器を購入する際に国から半額が補助されることになった．補助金の活用や自治体の理解，そして各都道府県眼科医会から自治体への強い働きかけもあり，市町村への屈折検査導入が順調に推進されている．具体的には，屈折検査導入率は令和３年度（2021 年度）には全国で 28.4% であったものが[10]，令和４年（2022 年）の日本眼科医会の調査[11]で全自治体のおおよそ 70%以上が令和４年度内に屈折検査を導入することがわかった．さらに厚生労働省母子保健課による令和４年秋の悉皆調査でもすでに 70%以上の自治体の３歳児健診で屈折検査機器が活用されていることが判明した．

これからの３歳児健診視覚検査が担うこと

今後，屈折検査が３歳児健診の標準項目として定着し，視覚検査の精度管理を担うことが求められている．そのため厚生労働省では 国庫補助事業 令和４年度子ども・子育て支援推進調査研究事業「３歳児健康診査における視覚検査の実施体制に関する実態調査研究」委員会を立ち上げ，「自治体向け３歳児健診視覚検査の手引き」や「保護者向け啓発リーフレット」を作成し，こども家庭庁から自治体などへ発信した．さらに令和５年度（2023 年度）には厚生労働省「母子保健対策強化事業」に「母子保健に関する都道府県広域支援強化事業」が補充され，市町村の事業である乳幼児健診等の精度管理を支援するために都道府県にも国から補助金が出されることになった．また，令和５年度からの新しい母子健康手帳の３歳児健診結果票に「屈折検査」に関する文言の掲載が決定した．

このように，３歳児健診視覚検査に関して屈折検査導入や精度管理を目指し国が補助金を始めとする前向きな姿勢を示していることは，わが国の乳幼児健診において画期的なことであり，世界に誇れる幼児の視覚スクリーニングが確立されようとしている．今後，精密検査のため眼科を受診する要精検の幼児数は増加すると思われる．眼科医はその幼児を確実に診断し，弱視の治療が必要な場合は適切な治療を迅速に開始することが求められる．さらに受診者のなかには，弱視のみならず3歳ですでに近視である幼児を経験することもある．最近では近視の低年齢化が危惧されており，近視予防に関しても幼少期からしっかりと対応すべきである．

学校での視力検査

視力検査の実施方法

現在学校での定期健康診断は，学校保健安全法にて毎年4～6月の間に実施されることが定められている．視力検査は医師による眼科健診の前に予備検査として，養護教諭や学校関係者によって実施されている．学校の視力検査はあくまでスクリーニングである．学校によって，特に小学校では，臨時健康診断として秋や冬にも視力検査を実施しているところがある．なお，就学時健康診断は原則就学の4ヵ月前までに，就学予定者に対し各教育委員会が実施することになっている．

学校での視力検査は，現在「370方式」と呼ばれているスクリーニング検査が行われていることが多い．これは視標「1.0」「0.7」「0.3」を使用しての視力検査である．前述の『児童生徒等の健康診断マニュアル』[3]に，視力検査の手順として**表1**のように掲載されている．「370方式」は平成7年（1995年）頃以降に学校保健現場で活用され始めた．学校での視力検査が効率よく実施されやすいよう，また学校生活で必要とされる視力の目安が学校関係者や保護者にも理解されやすいよう，**図5**のような説明がなされている（日本眼科医会学校保健資料集[12]参照）．

表1　視力判定表

	使用視標	判定の可否	判定結果	次の手順	備考（事後措置など）
視力の判定	0.3	判別できない	D	終了	視力C・Dの場合は眼科専門医の受診を勧奨する
		正しく判別	—	0.7で検査	
	0.7	判別できない	C	終了	
		正しく判別	—	1.0で検査	視力Bの場合，幼稚園の年中，年少児を除く児童生徒には受診を勧奨する．年中，年少児には受診の勧奨は不要
	1.0	判別できない	B	終了	
		正しく判別	A	終了	受診の勧奨は不要

「正しく判別」とは，上下左右4方向のうち，3方向以上正答した場合をいう．
「判別できない」とは，上下左右4方向のうち，2方向以下しか正答できない場合をいう．

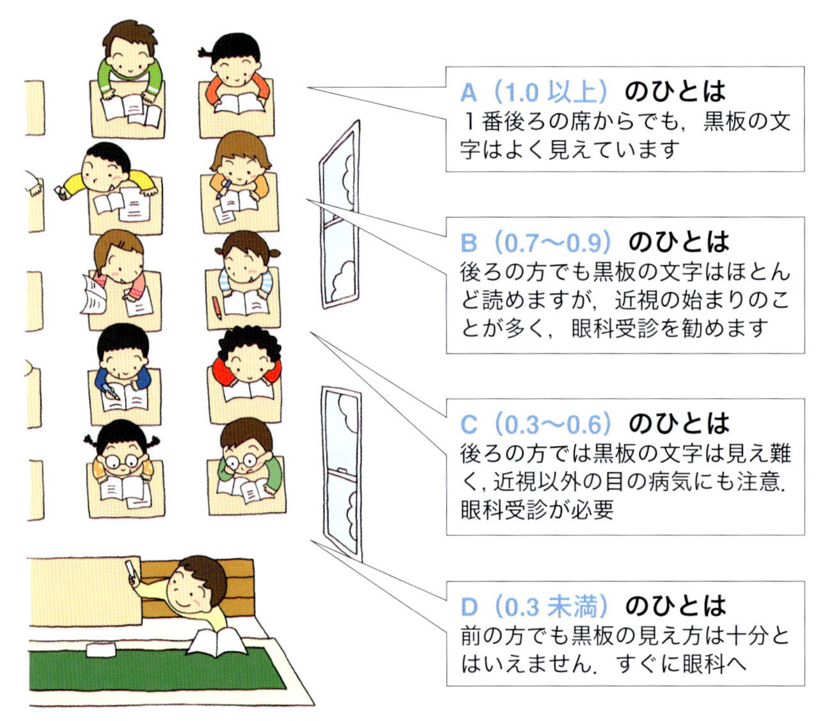

図 5　見え方の ABCD：370 方式視力検査法　（文献 12 より引用）

現在の学校現場での視力検査で特記すべき点は，次の 4 つである．

①「370 方式」での視力検査が，スクリーニングの方法として多くの学校で実施されている．
②幼児や就学時健診・小学校低学年では，読み分け困難を考慮し「字ひとつ視力表」を使用することが推奨されている．
③ランドルト環で上下左右 4 方向中 3 方向を正答できれば，正しい判別とする（小学校高学年では斜め方向も使用）．
④眼科での精密検査を勧める事後措置の視力の基準値は，年少児・年中児では C 以下（すなわち 0.7 未満），年長児・就学時健診・小学校以上では B 以下（すなわち 1.0 未満）である．

現在，小学校以上では学校での視力検査はほぼ 100％実施されていると考えられるが，幼稚園・保育所・認定こども園の視力検査実施率は日本眼科医会の調べ[13]では**図 6** のように低く，また地域差を認めている（**図 7**）．近視が若年化傾向にある現在では，幼稚園・保育所・認定こども園での視力検査は 3 歳児健診で見逃された弱視の早期発見とともに近視の早期発見の良い機会である．幼稚園・保育所・認定こども園の関係者や園医・医師会関係者などに理解を求め，実施率を高めることが大切である．

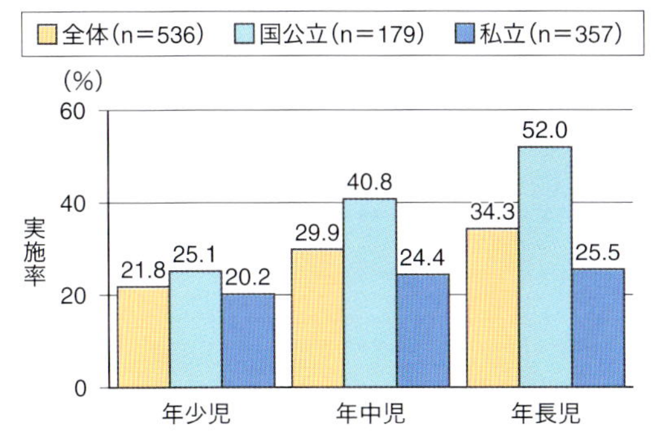

図 6　園児の健康診断で視力検査を実施している割合(設置者別：複数回答)

(文献 13 より引用改変)

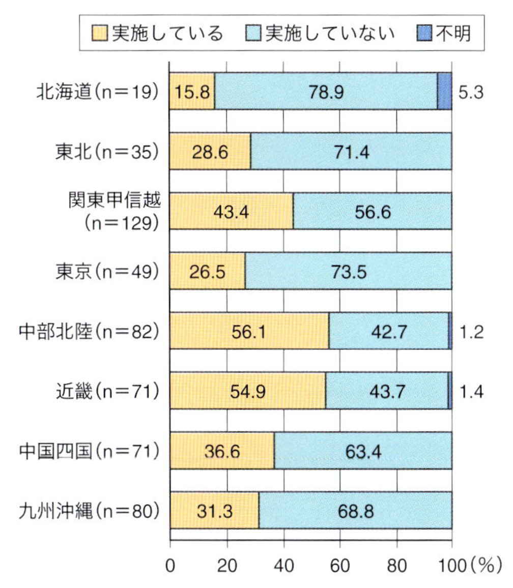

図 7　健康診断における視力検査の実施の有無(地域別)　(文献 13 より引用改変)

事後措置について

学校での健康診断による受診勧奨や事後措置は，法律で義務化されている．健診結果は原則健診後 21 日以内に本人・保護者に報告される．事後措置が必要な視力の場合，眼科医療機関の受診が勧奨される．この際，学校関係者による積極的な受診勧奨などの協力や理解が大切である(未受診の児童生徒等の把握や再度の受診勧奨など)．

事後措置として眼科医療機関を受診した者に対し，眼科医や視能訓練士は屈折検査や視力検査をはじめ標準的な眼科の検査を実施し，眼疾患の有無を確認する．屈折異常による視力低下の場合，学校生活や日常生活を考慮し，必要に応じ眼鏡やコンタクトレンズ等の処方などの対応となる．

幼稚園・保育所・認定こども園での健診や就学時健診，なかには小学校入学後にも屈折異常弱視や不同視弱視などが発見されることもあり，その場合は迅速に弱視治療を開始することが大切である．一方，小学生以上の児童生徒などが視力障害で受診する場合，近視の初期と思われる視力低下の症例が多いと考えられる．文部科学省の学校保健統計調査でも，裸眼視力 1.0 未満の者が年々増加傾向となっている(**図 8**)．令和 3 年(2021 年)では，高校生 64.4%，中学生 60.3%，小学生 36.9% と，中学生は過去最高となっている[14]．

眼科医療機関での屈折検査で近視化による裸眼視力低下を認めた場合，本人や保護者らには近視の話や現在近視傾向にあることの説明，さらに可能な限り近視の進行を遅らせるような生活指導を丁寧にすることも，眼科医として大切なことである．安全性が高く効果的な近視治療がいまだ確立されていない現在，近視の治療が積極

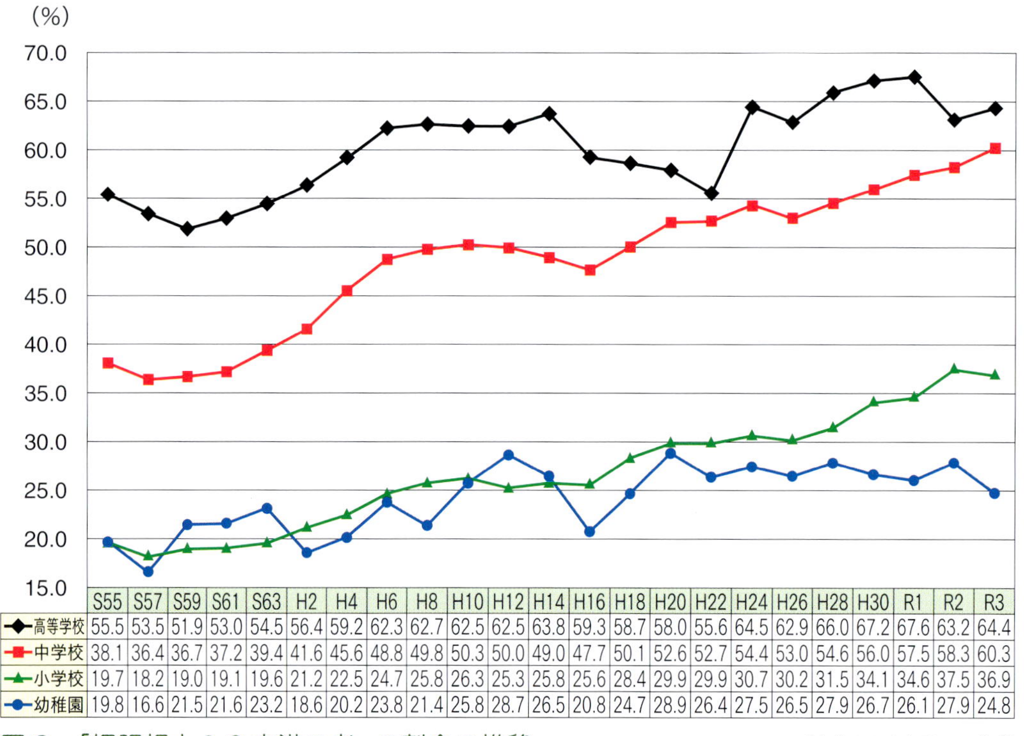

	S55	S57	S59	S61	S63	H2	H4	H6	H8	H10	H12	H14	H16	H18	H20	H22	H24	H26	H28	H30	R1	R2	R3
高等学校	55.5	53.5	51.9	53.0	54.5	56.4	59.2	62.3	62.7	62.5	62.5	63.8	59.3	58.7	58.0	55.6	64.5	62.9	66.0	67.2	67.6	63.2	64.4
中学校	38.1	36.4	36.7	37.2	39.4	41.6	45.6	48.8	49.8	50.3	50.0	49.0	47.7	50.1	52.6	52.7	54.4	53.0	54.6	56.0	57.5	58.3	60.3
小学校	19.7	18.2	19.0	19.1	19.6	21.2	22.5	24.7	25.8	26.3	25.3	25.8	25.6	28.4	29.9	29.9	30.7	30.2	31.5	34.1	34.6	37.5	36.9
幼稚園	19.8	16.6	21.5	21.6	23.2	18.6	20.2	23.8	21.4	25.8	28.7	26.5	20.8	24.7	28.9	26.4	27.5	26.5	27.9	26.7	26.1	27.9	24.8

図 8　「裸眼視力 1.0 未満の者」の割合の推移　（文献 14 を参照して作成）

的に実践できないことは眼科医療者としてもどかしいところがある．今後，安全性が高く効果的な治療法が確立された場合には，学校での視力検査によって早期に視力低下に気づき，近視進行予防などの対応や治療が良いタイミングで開始することができるであろう．

また就学時健診では，事後措置が徹底できていないことが散見される．保護者に視力検査の大切さや弱視・屈折異常の理解を促すために，『就学時の健康診断マニュアル』[4]には保護者に配布できる「視力検査結果の説明」文案も掲載している（**図 9**）．今後も，学校関係者の協力や保護者の理解を促すことが大切である．

学校保健での健診の活性化や啓発

文部科学省 GIGA スクール構想と近視実態調査

2019 年より，「すべての児童・生徒にグローバルで革新的な扉を」という願いを込めて，文部科学省が GIGA（Global and Innovation Gateway for All）スクール構想を開始した．さらに，わが国の全小中学生に 1 人 1 台の端末機器が配布され，学校や家庭でタブレットを使用した学習が本格的に開始された．また，文部科学省は令和 3

<視力検査結果の説明>（例）

幼児期は視力の発達を左右する大切な時期です。

視力検査結果が1.0未満（B、C、D）の場合は早期に眼科を受診されることをお勧めします。

はじめに：生まれたての赤ちゃんの視力は、目の前の動くものが分かる程度ですが、毎日ものを見続けることにより発達し、１歳で約0.1～0.2、２歳で約0.2～0.4、３歳になると0.5～1.0程度の視力になります。ただ３歳児の見え方はまだ不安定で、大人と同じように安定して見えるようになるのは就学を迎える頃といわれています。

弱視：何らかの理由で視力の発達が妨げられると、メガネをかけても十分な視力が得られない目になり、これを弱視とよびます。就学時健康診断では、左右どちらかの目の視力が不良な片眼弱視が時折見つかります。反対の目が良く見えているので、周りの者も気づき難いようです。遠視や乱視が原因のことが多く、網膜に映像がはっきり映るメガネを掛けさせたうえで、視力の良い方の目を隠し、悪いほうの目だけで見る訓練などを行います。この治療は視力の発達が完成する前、具体的には遅くても６歳～７歳頃までに始めることが望ましく、小学校入学後の健康診断で見つかっても、十分な視力が得られないことがあります。

近視：机周りなど近くは良く見えるけれど、遠くがぼやけてよく見えないのが近視です。教室の黒板の字が読めなければ凹レンズのメガネが必要になります。近視は眼球が後方にほんの少し伸びることによって起きる屈折異常ですので、治すことができません。

遠視：乳幼児の多くは軽度の遠視ですが、就学期を迎える頃には正視になります。軽度の遠視では問題はありませんが、強度の遠視では近くも遠くもぼやけて見えるため弱視になります。無理にピントを合わせようと調節すると両目が内による内斜視の状態になります。このような場合は凸レンズのメガネを掛け、網膜にピントを合わせてやることで視力の発達を促し、斜視を治療します。

斜視：両目の視線が合わず、物を立体的にみることができない状態をいいます。昼間は目立たず、夕方疲れてきたり、眠くなったりした時だけ、左右の視線がずれる軽い斜視もあります。両目で立体的に見る機能の発達に影響があるときは眼鏡や手術などの治療が必要です。

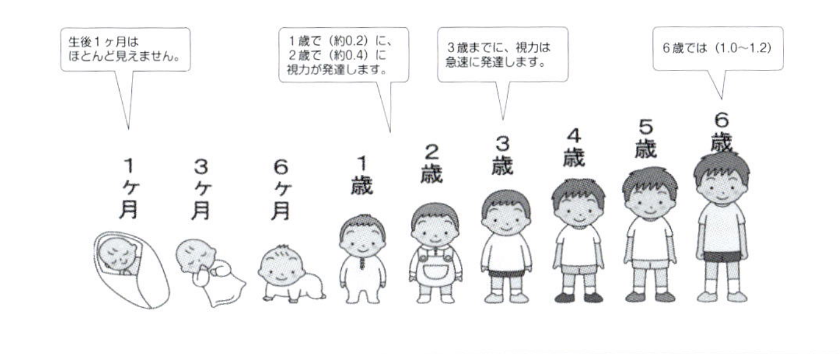

図９　視力検査結果の説明文案

（文献４より転載）

年度（2021年度）から３か年計画にて，近視実態調査を実施している．北は北海道から南は宮崎県までの小中学生約9,000人に対し裸眼視力，屈折と眼軸長の測定，そして日常生活の調査を行っており，GIGAスクール構想が開始された時点での児童生徒の視覚に関する貴重なデータである．

調査によると小学生から学年が上がるにつれて近視が進んでおり，裸眼視力1.0以上の中学３年生は約40％にとどまった．また眼軸長の平均は，小学１年生の男子が22.96 mm，女子が22.35 mmであったが，中学３年生では男子24.61 mm，女子24.18 mmに伸びており，学年が上がるつれて長くなっていた．「成人での眼軸長平均は24 mm弱」というデータもあり，中学３年生ですでに成人の域を超えていることは大変心配な状況である．

また，屋外活動の時間や自宅での読書・勉強時間に近視が関連していることも示唆されている．裸眼視力 1.0 未満の児童生徒が増加している状況で，また COVID-19 の感染拡大による学校臨時休業の視覚への影響も論じられるなか，GIGA スクール構想推進で今後デジタル機器を見る時間が加速度的に増えることが，児童生徒の視覚にどのような影響を与えるのか非常に危惧されている．

日本眼科医会は，児童生徒の眼の健康リテラシーを育てるために「近視の話」「端末との視距離を 30 cm 以上保つ」「30 分タブレットを見たら，20 秒以上遠くを見る」などの正しいタブレット端末の使用方法，さらに「屋外活動を増やし近視を予防する方法」などについて興味を引くようにマンガ形式の啓発資料「ギガっこ デジたん！」[15]（**図 10 A**）を作成して，文部科学省と連携し各方面に周知している．さらに啓発マンガ動画「近視マン」[15]（**図 10 B**）やデジタル図書を作成し，全国の児童生徒への啓発に力を注いでいる．

A

B

図 10　日本眼科医会が作成した啓発資料「ギガっこ デジたん！」と動画「近視マン」
（文献 15 より転載）

眼科学校医や眼科医の役割

現在，日本眼科医会(以下，日眼医)では，都道府県眼科医会と日眼医A会員(主に診療所管理者)6,500人の10%を任意抽出し実施した平成29年度眼科学校保健に関する全国調査[16]で，全国の公立の小学校・中学校・高等学校に70～80%程度眼科学校医が設置されていることを把握している(**図11**)．一方，同調査で約80%の眼科医(日眼医A会員)が学校医であることが推定され，全国の多くの学校で眼科学校医が学校健診をはじめとする学校保健活動に従事していることを把握している．なお，地域によっては眼科学校医が不足しており，診療所の眼科医だけではなく病院の勤務医も眼科学校保健活動への協力が不可欠となってきている．眼科医が学校保健活動を地域医療の大きな柱の一つとしてとらえ，真摯に取り組むべきと考える．

毎年実施されている眼科医による眼科健診は，眼の疾病および異常の有無を検査することになっている．各眼科学校医により健診方法はさまざまであるが，おおよそ前眼部の眼疾患や眼位の異常の有無を検出する健診内容である．なお，前述の日眼医の全国調査[16]では，眼科健診時に携帯用屈折検査機器(フォトスクリーナーなどを含む)を使用した眼科医はわずか3.4%，スキアスコープ使用も3.4%であった．しかし最近では多くの自治体で3歳児健診に屈折検査機器が導入されてきており，そのなかで比較的小さな自治体では就学時健診や学校健診の一部でその屈折検査機器を活用しているとの報告もあり，縦割り行政の垣根を越えた良い取り組みであると考える．

冒頭で述べたように生涯にわたって眼の健康を保つためには，幼少期から自身の眼の健康を考え，保健活動を実践していくことが大切である．各学校での眼科健診では，眼科医が直接個々の児童生徒らに健康教育を実践できる絶好の機会である．また，健診前後に児童生徒らに眼の健康などに関連したミニ講演をすることも有効であろう．眼科医や眼科学校医は，学校でのICT化に伴う「眼の健康への影響」をしっかりと検証することが求められている．端末機器の使用時間や使用方法をはじめ，適切な指導や助言が必要である．また，各学校で開催されている学校保健委員会は，学校関係者や保護者などに視機能の大切さや近視について，さらには生活上の注意などの指導や啓発をするには大切な機会である．日本眼科医会作成の啓発資

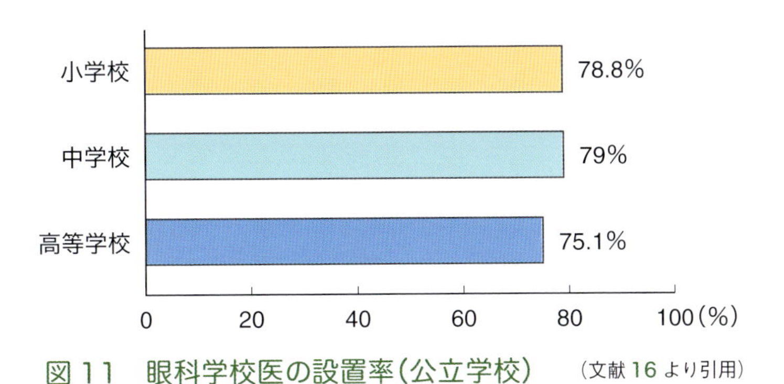

図11　眼科学校医の設置率(公立学校)　(文献16より引用)

料などをぜひとも活用していただきたい．

もちろん集団健診と個別健診では各々長所短所はあるものの，多く諸外国のように幼少時期の視機能の管理を各個人が個別で対応するのではなく，どこに住んでいてもすべての児童生徒が在籍している学校などで眼の健康管理を受けることができるわが国の学校保健は素晴らしいシステムであると考える．

小児科医の役割

3歳児健診では眼科医の出務はほとんどなく，視力や屈折検査をはじめスクリーニングの判定は小児科医の担当である．3歳児健診は弱視発見の貴重な機会であることを念頭に置き，対応するのが望ましい．また現在ほとんどの幼稚園や保育所・認定こども園で，小児科医（または内科医）が内科系園医として幼児の健康管理に従事している．しかし**図6**のように，幼稚園や保育所・認定こども園での視力検査実施率は低迷している現状である．視機能の発達時期である幼少期での視力検査の重要性を園関係者に啓発し，幼稚園・保育所・認定こども園での視力検査を積極的に進めることが望ましい．一方，現在全国の公立の小学校・中学校・高等学校には，おおよそ80％の眼科学校医が設置されているが，20％は眼科学校医が不在である．保健調査票の確認や視力検査を含む学校健診（就学時健診も含む）の事後措置の徹底を学校医として尽力することが求められている．

また日本小児科医会を中心に，メディア機器接触時間と親子コミュニケーションの問題が指摘され，社会への発信や「かかりつけ医」として「スマホに子守をさせないで」と保護者らへの啓発に力が注がれている．子どもたちと一番関わりの多い小児科医は，眼球運動や両眼視機能などが著しく発達する幼少期からスマートフォンのような小さな画面を長時間にわたり凝視することによる弊害や近視予防の啓発，幼少期では身体を使い思う存分活動させることの大切さなどを伝えることも重要である．

視能訓練士の役割

学校での視力検査は養護教諭を中心とする学校関係者で実施されているが，幼稚園や保育所・認定こども園では園の看護師や保育士，幼稚園教諭などにより実施されることが多い．いまだ園での視力検査が十分に実施されていない現状下，視力検査を積極的に推進するにあたり「視力検査の方法」の指導や実際の検査などに視能訓練士の尽力が期待されている．また現在，眼科園医の設置率はかなり低いため，視能訓練士が視機能の重要性や近視予防等の啓発など，幼少期から眼の健康を管理する大切さを園関係者へ発信することも重要である．

加えて，学校での眼科健診をよりいっそう活性化するために，眼科学校医のサポート役として積極的に学校保健活動に従事することも今後求められてくるであろう．また3歳児健診視覚検査においても，屈折検査の実施や保健師などへの指導，弱視の啓発などで視能訓練士の役割は大きいと考える．

おわりに

わが国の学校保健における健康診断は大変優れたシステムである．学校健診において学校側は健診を確実に実施し事後措置を徹底すること，一方，眼科医は事後措置で受診する者に対して適切に診断し治療や健康教育をすることが大切である．今後は弱視や眼疾患の発見のみならず，近視の予防や近視進行抑制治療への早期対応が可能になることを含め，学校健診の意義がさらに増すであろう．

学校保健において小児の視機能を管理できる眼科医の役割はますます重要になってくると考える．また，3歳児健診視覚検査において屈折検査導入が推進されているため，学校保健のみならず乳幼児健診において小児科医や視能訓練士とのさらなる連携も大変大切なことである．

文献

1) Human Mortality Database, University of California, Berkeley（USA）and Max Planck Institute for Demographic Research（Germany). Available at www.mortality.org
2) 弓倉　整：学校健康診断の歴史的変遷と特色．日医師誌 146：1147-1150，2017.
3) 文部科学省スポーツ・青少年局学校健康教育課 監修：児童生徒等の健康診断マニュアル 平成27年度改訂．日本学校保健会，2016.
4) 就学時の健康診断マニュアル 平成29年度改訂．日本学校保健会，2018.
5) 野田佐知子，奥　舞，赤山志穂，他：松江市3歳児眼科健診の過去11年間の結果報告．眼臨紀 13：357-360，2020.
6) 板倉麻里子，板倉宏高：群馬県乳幼児健診における視覚発達の啓発と屈折検査導入への取り組み．臨眼 72：1313-1317，2018.
7) 岩崎佳奈枝，篠野公二，小野田有華，他：静岡市三歳児健康診査の資格検査―他覚的屈折検査の導入．眼臨紀 11：444-451，2018.
8) 日本眼科医会："3歳児健診における視覚検査マニュアル～屈折検査の導入に向けて" 3歳児健康診査のあり方検討委員会 編，2021.
https://www.gankaikai.or.jp/school-health/2021_sansaijimanual.pdf
9) 日本眼科医会："保健師等のための屈折検査導入マニュアル フォトスクリーナーの場合―2021年度版―"（3歳児健診における視覚検査マニュアル付録)，2021.
https://www.gankaikai.or.jp/school-health/2021_sansaijimanual_screener.pdf
10) 柏井真理子：「3歳児健診における視覚検査マニュアル～屈折検査の導入に向けて～」の発刊，および「3歳児健診における屈折検査導入に関する緊急調査」報告．日本の眼科 92：816-820，2021.
11) 柏井真理子，近藤永子，髙梨泰至，他：令和4年度「3歳児眼科健康診査の現状に関するアンケート調査」報告．日本の眼科 94：328-340，2023.
12) 高野　繁，山岸直矢，柏井真理子，他：眼科学校保健資料集．日本眼科医会，2016.
13) 西村和久，柏井真理子，大藪由布子，他：令和2年度全国の幼稚園・保育所・認定こども園の健康診断における「目の保健に関わるアンケート調査」報告．日本の眼科 92：1400-1408，2021.
14) 文部科学省総合教育政策局調査企画課：令和3年度学校保健統計調査，調査結果の概要．
https://www.mext.go.jp/content/20221125-mxt_chousa01-000023558_2.pdf
15) 日本眼科医会：子どもの目・啓発コンテンツについて
https://www.gankaikai.or.jp/info/detail/post_132.html
16) 柏井真理子，宮浦　徹，大藪由布子，他：眼科学校保健に関する全国調査の報告（平成29年度調査)．日本の眼科 89：1274-1290，2018.

小児の近視の環境因子

はじめに

近年，近視の有病率が世界的に増加しており，特に東アジアと東南アジアで急増している．この地域では，中学校卒業後の小児の近視有病率は80％を超え，そのうち約20％が強度近視である．このような急増は遺伝子の変化だけでは説明できず，環境因子が近視の増加に大きな影響を及ぼしていると考えられる．ここでは，近視の発症と進行に関連する環境因子について紹介する．

教　育

教育水準との関連

教育と近視との関連は，古くは1世紀以上前にCohnによって，ヨーロッパと北米で現代的な教育システムの普及につれて近視の有病率が増加したという報告がなされた[1)]．教育が近視発症に関連するというCohnの仮説は，その後の多くの研究[2〜5)]によっても支持されている．たとえば，ドイツの一般住民を対象とした横断的研究[5)]では，近視の有病率や近視度数が，学校の教育水準および卒業後の職業訓練と関連していると報告された．また，15〜25歳のシンガポール人男性110,236人を対象とした一般住民コホート研究[2)]でも，若年男性における近視の有病率・近視度数と教育水準との関連が示されている（**図1**）[6)]．

特に東アジア・東南アジアの先進国では，包括的な集団教育システムが盛んであり，それに伴い近視の増加がみられる．一方，集団的高等教育がほとんど行われていない地域では，近視の有病率は現在も低い．歴史的には，ガボンの非識字アフリカ成人の大規模調査ではわずか0.4％[7)]，カナダのイヌイットでは1.2％[8)]に過ぎない．近年の小児の調査でも，インド農村部（6.72％）[9, 10)]，南アフリカのダーバン（9.0〜9.6％）[11)]，インド都市部（10.8％）[12)]で，小児の近視の有病率が低いことが報告されている．**図2**は，学校制度の発達に伴い，若年成人における近視の有病率が増加していることを示す．

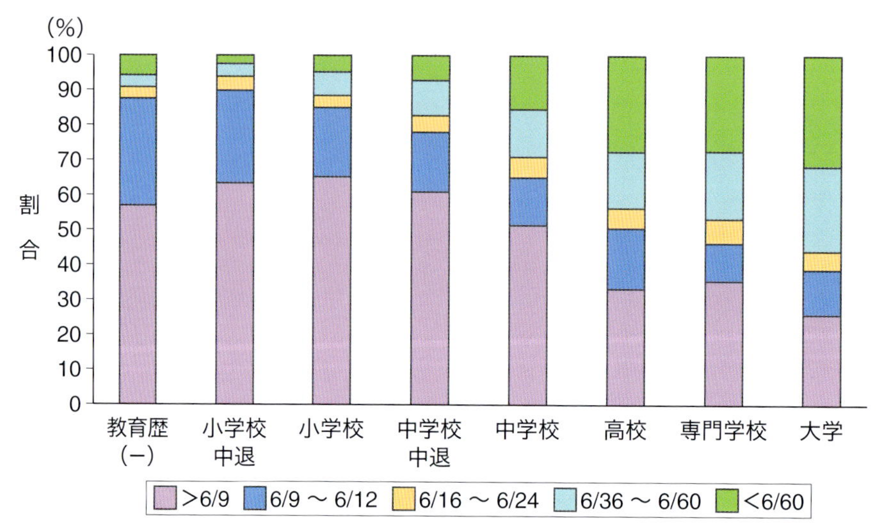

図 1　シンガポール徴用兵における裸眼視力に対する教育水準の影響

シンガポール若年男性において，最終学歴が高い人ほど裸眼視力が低い．

（文献 6 より引用改変）

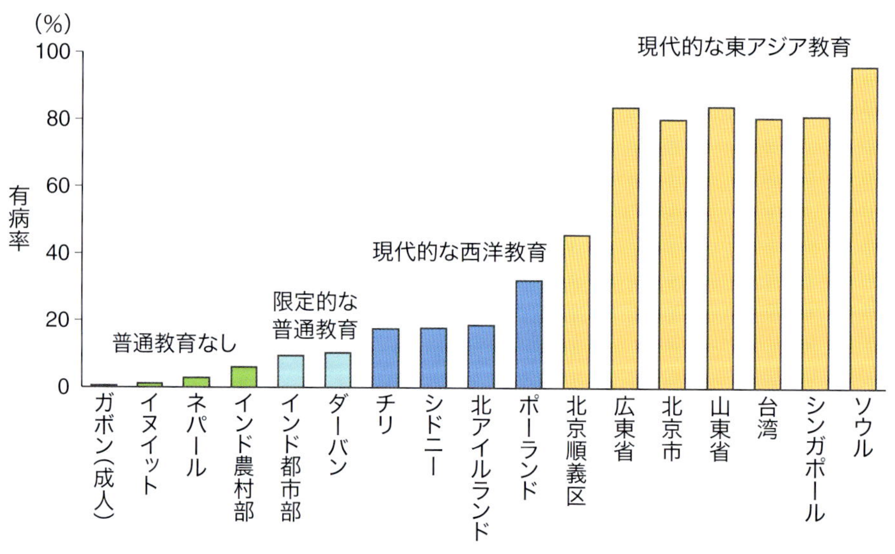

図 2　異なる地域および教育システムでの成人近視の有病率の比較

（文献 13 より引用改変）

正統派ユダヤ人学校に通っているイスラエルの男児では，近視の有病率が非常に高いが，その姉妹や，より宗教色の薄い学校に通っているイスラエルの男児では，近視の有病率がはるかに低い[14]．これらの知見からも，近視発症は教育の影響を強く受けていることが示唆される．

しかし，教育による影響は，単に学習時間や修学年数だけでなく，集中度も関係する複雑な変数である．教育を受けた年数が長い成人は近視になる傾向が強いことは事実であるが，学童の場合，近視は知能指数（IQ）や学力とも相関する[15, 16]．学校外で，さらに個別指導クラスに参加する小児も近視になりやすい[17]．教育のこうした面をすべて捕捉する単純な測定基準は現在ない．

近業との関連

教育と近視発症の関連を説明する一つの因子として，近業が注目され研究されてきたが，近視発症に対する近業の影響は明確ではないと報告されている[18, 19]．しかしながら，近業との関連性はしばしば報告されており，シンガポールのグループは，15～19 歳の若年者において，読み書きの時間が週 20.5 時間を超えると近視を発症しやすくなると報告している[20]．Huang ら[21]が発表した 2015 年のシステマティックレビューとメタ解析では，12 のコホート研究と 15 の横断的研究を対象とし，その結果，近業活動時間が長くなるほど近視発症のオッズ比が高くなっており（オッズ比＝1.14，95％信頼区間＝1.08～1.20），近業時間が毎週 1 時間長くなるごとに近視のオッズが 2％増加した（オッズ比＝1.02，95％信頼区間＝1.01～1.03）と報告している．以上から，小児が長時間の近業をする際には，頻繁に休憩を入れることを推奨している．

パソコンやスマートフォンとの関連

パソコンやスマートフォンなどのデジタル機器の使用は日常生活の一部となり，数多くの国で学校教育に組み込まれている．

Dirani らは，デジタル機器の使用時間（スクリーンタイム）の増加が現時点で近視における修正可能な単一の危険因子ということを示唆し，近業の増加と屋外活動の減少につながると示した[22]．しかし，スクリーンタイムと近視に関する報告は関連性が一貫しない．香港の報告では，デジタル機器の使用率が確実に増加しているにもかかわらず，6～8 歳の小児の近視有病率が 2004 年に実施された調査と比較してわずかに減少していた[23]．その要因は，香港などで近視率の増加が限界に達しているためであろう．

興味深いことに，近視とスクリーンタイムの関連性が証明できなかった研究においても，近視のない小児と比較し，近視である小児はスクリーンタイムがより長いと認められている[24, 25]．Mutti らの研究によると，近視の小児はゲーム時間が週平均 2.7 時間であったが，正視の小児は週平均 2.2 時間，遠視の小児は週平均 1.4 時間だった[24]．スクリーンタイムの影響は近視の有病率が低い地域でより重要だろう．

屋外活動

屋外活動時間との関連

Rose らによって行われたシドニーの 51 の学校における 6 歳児 1,765 人と 12 歳児 2,367 人に対する地域住民対象研究（Sydney Myopia Study：SMS）[26] では，屋外活動時間の近視発症防止効果について強いエビデンスが得られている．12 歳児群における近視発症のオッズ比に対する屋外活動と近業の複合効果を**図 3** に示す．12 歳児群では，屋外活動時間が少なく近業が多い小児は，屋外活動時間が長く近業が少ない対照群よりも近視発症のオッズ比が 2～3 倍高かった（オッズ比＝2.6，95％信頼区間＝1.2～6.0，p＝0.02）．その結果から，1 日約 2 時間の屋外活動を行うと，近業の増加に関連する近視発症リスクの増大が抑制できるとした．

その後 French らは，**図 3** と同様の解析を 5～6 年間の追跡調査後に行い[27]，6 歳（A 群）と 12 歳（B 群）に分けて年齢別に比較解析した（**図 4**）．**図 4 A** は，6 歳時の屋外活動および近業への曝露時間が 12 歳時の近視発症のオッズ比に与える影響を示す．一方で**図 4 B** は，12 歳時の屋外活動および近業への曝露時間が 17 歳時の近視発症のオッズ比に与える影響を示す．屋外活動時間が少なく近業が多い小児の近視発症オッズ比は，屋外活動時間が長く近業が少ない対照群と比較して，A 群では 12 歳の時点で約 16 倍，B 群では 17 歳の時点で約 5 倍高い結果であった．このことから，6 歳前後の若年期に屋外で過ごした時間の長さが，近視発症予防により重要であることが示唆された．

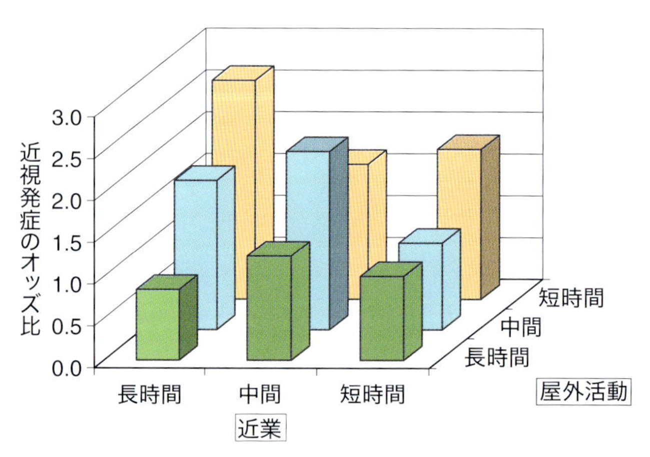

図 3　12 歳児の近業と屋外活動の 1 日平均時間数の自己報告値別，多変量調整後の近視のオッズ比

性別，人種，親の近視，親の職業従事，教育について調整後．屋外活動および近業は長時間，中間，短時間の三分位数に分けた．長時間の屋外活動・短時間の近業の群が対照群（オッズ比 1.0）である．

（文献 26 より引用改変）

米国における別の集団コホート研究では，両親のどちらかが近視か両親とも近視である小児でも，屋外活動時間が長いほど近視になりにくい予防的な効果が認められている[28].

東アジア諸国における研究でも，屋外活動が近視発症を予防する効果が報告されている．平均年齢 14 歳，10 代の若年者 1,249 人を対象としたシンガポール近視コホート研究〔Singapore Cohort Study of Myopia（SCORM）[29]〕では，屋外活動時間が長いこと（平日と週末を含め 1 日 3.6 時間）と近視度数の有意な減少（回帰係数＝0.17，信頼区間＝0.10～0.25，p＝0.001）および眼軸長が短いこと（回帰係数＝20.06，信頼区間＝20.1～20.03，p＝0.001）との間に有意な相関があった．

また，中国北京の農村部出身の小児と都市部出身の小児に関する別の研究[30]でも，屋外活動時間が長い小児は近視になる割合が低いことが示された（オッズ比＝0.32，95％信頼区間＝0.21～0.48，p＜0.001）．都市部に住む小児は近視の有病率が高く，農村部に住む小児よりも屋外活動時間が有意に少なかった（1 日あたり 1.1 時間 vs 2.2 時間，p＜0.001）．農村部の小学 4 年生の近視有病率は男児 18.8％，女児 15.6％であったが，都市部ではそれぞれ 53.2％，76.2％であった．

これらのデータはすべて，屋外活動時間が近視の発症予防に大きな効果を有していることを示している．そして多くの研究から，屋外で過ごす時間が長い小児は近視の有病率や発症率が低いことが明らかになっている（**表 1**）．

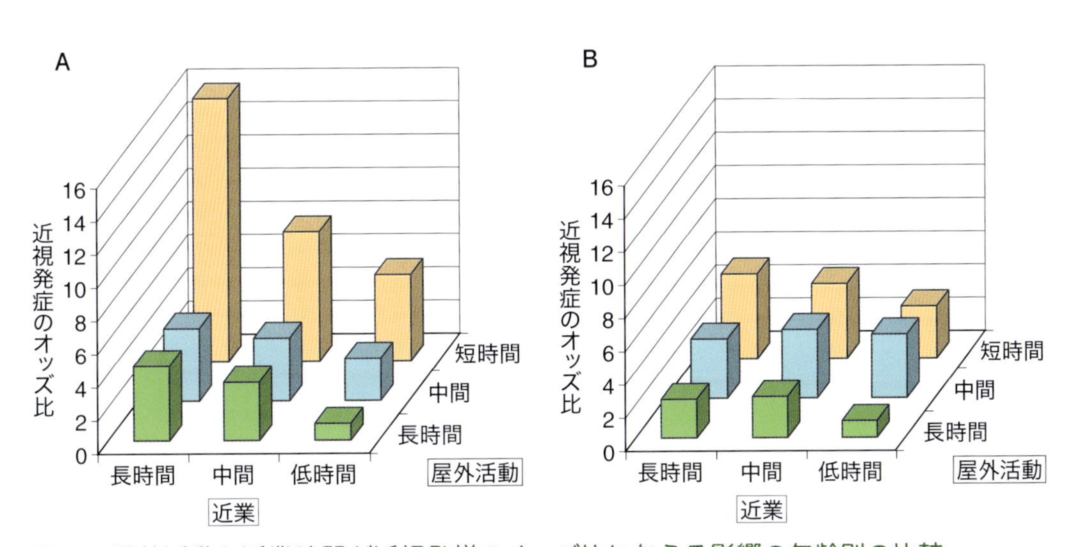

図 4　屋外活動と近業時間が近視発祥のオッズ比に与える影響の年齢別の比較

A：6 歳時の屋外活動と近業が，6 年後（12 歳）の近視有病率に与える影響．B：12 歳時の屋外活動と近業が，5 年後（17 歳）の近視有病率に与える影響．
（文献 27 より引用改変）

表 1　屋外活動と近視の発生・進行との関連を調べた報告

著　者	国	症例数	参加者	研究デザイン	主な結果
Jones, et al.[28] (2007 年)	米国 (OSLM)	514	平均年齢 9 歳の一般集団	5 年間縦断研究	経過中に近視を発症した学童は，発症しなかった学童に比べて，有意に屋外活動が少なかった（1 週間あたり 8 時間 vs 1 週間あたり 11.7 時間）．屋外活動時間が長いことにより，学童が近視になるオッズ比が有意に減少した（OR＝0.91，95% CI＝0.87～0.94）．少なくとも片方の親が近視である学童でも，多くの時間を屋外活動にあてた場合に近視発症の抑制効果があった．
Rose, et al.[26] (2008 年)	オーストラリア(SMS)	4,088	6 歳および 12 歳の一般集団	横断研究	屋外活動の多さは，12 歳の学童における遠視および弱度近視の頻度と相関していた．12 歳の集団では，屋外活動時間が短くかつ近業が多かった群で最も近視発症のオッズ比が高かった（OR＝2.6，p＝0.02）．近業が多くても屋外活動時間が長い学童では近視抑制効果があった．
Dirani, et al.[29] (2009 年)	シンガポール (SCORM)	1,249	平均年齢 14 歳（11～20 歳）の若年者	横断研究	屋外活動時間が長い若年者では近視のオッズ比が有意に低かった（OR＝0.90，p＝0.004）．長い屋外活動時間（1 日 3.6 時間，平日および週末）はより少ない近視度数（回帰係数＝0.17；p<0.001）および短い眼軸長（回帰係数＝20.06；p<0.001）と相関があった．
Jones-Jordan, et al.[31] (2012 年)	米国 (CLEERE)	835	6～14 歳の学童	縦断研究	屋外活動時間と近業は年間あたりの近視進行率と相関がなかった．
French, et al.[27] (2013 年)	オーストラリア(SMS and SAVES)	2,103	6 歳および 12 歳の学童	5～6 年の縦断研究	近視を発症した学童は，そうでなかった学童に比べて屋外活動時間が有意に短かった（6 歳集団：16.3 時間 vs 21.0 時間，p<0.0001，12 歳集団：17.2 時間 vs 19.6 時間，p＝0.001）．6 歳の集団では，屋外活動時間が短く近業程度が高かった学童で 12 歳時に近視発症のオッズ比が高かった（OR＝15.9）．12 歳の集団でもオッズ比はやや低いものの，5 年間の近視発症と屋外活動時間および近業との相関が同様にみられた．
Wu, et al.[32] (2013 年)	台湾	571	7～11 歳の学童	1 年以上のランダム化前向き試験（ROC program） 介入群；週 1日 間80分以上の屋外活動	介入群では，近視発症が対照群に比べて有意に少なかった（8.41 % vs 17.65%，p<0.001）．さらに，介入群では対照群に比べて近視進行も少なかった（−0.25 D/年 vs −0.38 D/年，p＝0.029）．

OR：オッズ比，CI：信頼区間．

著　者	国	症例数	参加者	研究デザイン	主な結果
Guo, et al.[30] (2013年)	中国(都市部および農村部)	681	平均年齢6.3歳と9.4歳の2つの年齢集団	横断研究	屋外活動時間が長い小児は近視発症のオッズ比が低かった(OR=0.32, 95% CI=0.21～0.48, p<0.001). 都市部在住の学童は農村部在住の学童に比べて近視の割合が高く，屋外活動時間は短かった(1.1時間 vs 2.2時間，p<0.001).
He, et al.[33] (2015年)	中国	1,903	小学1年生	3年以上のランダム化試験 介入群；週5日間1日40分以上の屋外活動	近視の累積発症率は介入群で30.4%と，対照群の39.5%に比較し有意に低かった(p<0.001). また，3年間の屈折度の変化は介入群で−1.42 Dと，対照群の−1.59 Dに比べて有意に低かった(p=0.04). しかし眼軸長の伸長は介入群と対照群で有意差はなかった.
Shah, et al.[34] (2017年)	英国	2,833	1991～1992年に生まれた一般小児集団	2～15歳の長期研究	3～9歳までに屋外活動時間が増えると10～15歳までの近視発生率が減少した. 9歳に近いほど関連性が強くなる. 近視のハザード比は，屋外活動時間が増えるごとに3歳0.90(95% CI=0.83～0.98, P=0.012)，9歳0.86(95 % CI=0.78～0.93, P=0.001)まで徐々に変化した.
Wu, et al.[35] (2018年)	台湾	693	小学1年生	学校ベースのランダム化試験(ROCT711 program) 介入群；週11時間以上の屋外活動	介入群は，対照群に比較し，近視進行や眼軸延長が有意に抑制された(0.35 D vs 0.47 D, 0.28 mm vs 0.33 mm, p=0.002 and p=0.003). 近視抑制効果は初診時に近視であった学童および近視でなかった学童の両方にみられた. 初診時に近視でなかった学童で屋外活動が長かった者(200分以上)は，近視への進行が有意に少なかった(照度計を用いた計測；≧1,000ルクス：0.18 D；≧3,000ルクス：0.16 D；≧5,000ルクス：0.24 D). 平日に125～199分屋外活動を行った学童で，初診時に近視がなく，かつ10,000ルクス以上の光曝露があった者は，より有意に近視への進行が抑制された.
Philipp, et al.[36] (2022年)	ドイツ	1,437	3～18歳の一般集団	横断研究	屋外活動の増加と近業時間の減少は眼の病的な成長を予防する.
Gopalakrishnan, et al.[37] (2023年)	インド	3,429	平均年齢14歳の一般集団	横断研究	屋外活動時間が短いほど近視の屈折度が高くなった(P=0.01). 近業と屋外活動時間の比率が増加すると近視が増加した(P=0.005). 集合住宅に住む小児は他タイプの住宅に比べて近視の有病率が高かった(P<0.001). 屋外活動時間の増加は近視に対する保護因子だった(OR=0.79, 95% CI=0.63～0.99, P=0.04).

(文献26～37を参照して作成)

介入研究：屋外活動の増加による近視の予防

わが国では，環境因子と近視の予防に関する臨床試験はまだ行われていない．しかし，中国広州で実施された小学校12校の1年生を対象とした無作為化臨床試験[33]では，毎日40分の屋外活動を行った介入群(952人)では，対照群(951人)と比較して近視の進行が有意に抑制された(それぞれ平均−1.42 D vs −1.59 D，差=0.17 D，p=0.04)．屋外活動の増加によって，介入群における近視発症率が相対的に23%低下した．同様の研究は台湾でも行われており[32]，台湾の7〜11歳の小児571人を対象とした研究で，屋外活動が多い群(週11.2時間)では1年後の近視発症率が8.4%で，対照群(週7.6時間)に比べて低いことが実証された(8.41% vs 17.65%，p<0.001)．

環境因子を定量的に測定する試み

屋外で過ごす時間に関するデータ収集は，これまでは主に質問票を用いて行われてきたが，近年，HOBO®照度計(Onset社)やActiwatchシリーズ(Philips社)などの装置を用いて，露光量の他覚的計測が行われている[35, 38〜40]．さらに露光量と近業曝露量を同時に測定できる，眼鏡型装置CLOUCLIP(云夹社)も開発された(**図5**)．Dharaniら[39]は，日記と光センサーから評価した屋外活動時間には比較同等性は乏しいと報告しており，これらは近視発症における異なるパラメータをとらえている可能性がある．

なぜ屋外活動は近視の発症を抑制するのか？

それでは，屋外活動はどのようなメカニズムで近視発症の予防に有効だろうか．活動時間には，光量，光のスペクトラム構成，遠方視による影響，瞳孔径の変化による焦点深度の変化など，さまざまな因子が含まれる．

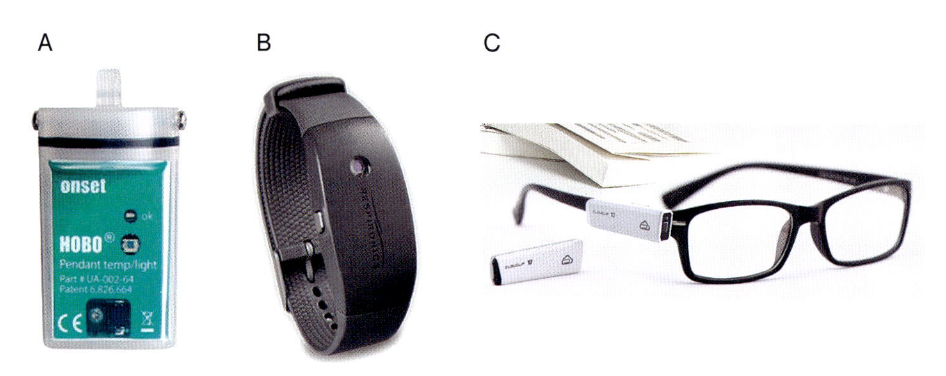

図5　他覚的な露光量測定用装置
A：HOBO®(Onset社)，B：Actiwatch(Philips社)，C：CLOUCLIP(云夹社)

光誘導性ドーパミン

Rose ら[26]は，昼間の屋外における明光曝露（10,000～100,000 ルクス以上に容易に達する可能性がある）が，室内における通常の照度（おおよそ 1,000 ルクス以下）と異なり，光誘導性のドーパミン放出と眼軸延長抑制に関与する重要な因子である可能性が高いと示唆している．この「光－ドーパミン」仮説は，複数の動物実験によって支持されている．

実験近視による光照射の影響

Ashby らは，ヒヨコの視性刺激遮断近視モデルを用いて，1 日 5 時間，500～15,000 ルクスの照度の光を照射することにより，作成される近視度数が約 60％軽減したことを報告した[41]．ツパイ[42]およびアカゲザル[43]においても同様の知見が得られている．さらに Lan ら[44]が，1 日 10 時間の断続的な光照射（1 分間，負荷サイクル 50％で 15,000 ルクス．500 ルクスの背景照度を併用）が，ヒヨコ近視モデルにおいて最も強力に近視発症を抑制することを示した．さらに，40,000 ルクスの非常に強い光を 1 日中照射すると，ヒヨコ近視モデルにおける近視発症がほぼ完全に抑制されることが報告された[45]．これらの実験結果を直接ヒトに当てはめることは難しいが，光照射と近視発症の関連を示す意味では重要な知見である．

照度と曝露時間

Read ら[40]は，10～15 歳の近視の小児 41 人と正視の小児 61 人において，14 日間にわたり，Actiwatch 2 によって評価した他覚的 1 日露光量を比較した．その結果，1 日露光量は近視の小児より，正視の小児で有意に多かった．なかでも，2,000 ルクスを超える光量のもとで過ごした時間が，近視の小児と正視の小児を最も識別する指標であった（AUC＝0.712，$p<0.001$）．

近視を予防するという観点から，屋外における照度と光への曝露時間との関連性を示すために行われた臨床試験が台湾で実施されている[35]．7 日間連続で HOBO® 照度計を着用した小学 1 年生 693 人を，介入群 267 人（週に最大 11 時間屋外に行くことを奨励）と対照群 426 人に割り付けた．学校の屋外活動時間が長く（200 分以上）ベースライン時で近視のない小学生は，有意に近視化が少なかった（照度計による測定値　≧1,000 ルクス：0.18 D，≧3,000 ルクス：0.16 D，≧5,000 ルクス：0.24 D）．しかしながら，学校での屋外活動時間が 125～199 分であった小児では，10,000 ルクス以上の光に曝されたベースライン時に近視のなかった小児のみ，有意に近視化が少ないという結果であった（0.16 D）．この知見から，1,000 ルクスまたは 3,000 ルクスという適度な照度（廊下や木陰のような場所）での屋外活動時間が長い学童は，十分に近視発症を抑制できる可能性があり，異常に明るい日光に曝露する必要はないということを示す．

近視の進行を抑制するために，屋外活動を推奨すべきか？

屋外活動は近視の発症を遅らせはするが，逆説的なことに Jones-Jordan ら[31]とWu ら[32]の結果はいずれも，屋外活動はすでに近視になってしまった症例の近視進行を遅らせる効果はないことを示している．小児を対象とした 23 研究のメタ解析[46]もこの知見を支持している．近視の発症や進行はいずれも眼軸延長によるものであるが，眼軸延長のメカニズムが近視発症前後で異なる可能性があるのかどうかは不明である．しかし，近視の進行は冬に速く，夏に遅くなることが一貫して示されており，これは屋外活動時間の増加の効果によって説明される[47]．屋外活動が近視の進行と発症を本当に調節するかどうかを明らかにすることは重要であり，実際にそのように作用するのであれば，屋外活動時間を増やすほど強度近視の予防効果が高くなると推察される．しかしながら，小児に屋外活動への参加を奨励することは近視予防の観点から重要ではあるが，日光曝露の増加に伴う皮膚がんなど，ほかの健康問題のリスクもあるため，慎重に推奨する必要がある．

COVID-19 感染拡大に伴う生活様式の変化での近視の進行

2020 年以降の COVID-19 感染拡大の影響によって制限された屋外活動とデジタル機器の使用増加は，若い世代の近視の発症または進行の原因と示されている[25, 48〜50]．2023 年に Najafzadeh の発表したメタ解析では，COVID-19 パンデミックのなかで，18 歳未満の小児における有意な屈折力の低下（0.61 D）と眼軸長の伸長（0.42 mm）がみられた[51]．だが，Yang らのメタ解析により，有意な眼軸長の伸長はみられなかった[52]．彼らは，パンデミック中の近視の進行は主に毛様体筋の痙攣と一過性の近視に関連すると仮説を立てた．近視進行リスクの高い群の大多数は学齢期の児童ということを考慮すれば，パンデミックで大きく変化したライフスタイルを改善するため，より多くの注意とケア対策を確立すべきである．

強度近視における環境因子の関与

22 年間にわたる小児の追跡調査研究において，両親の近視，ベースライン時の年齢，追跡調査後の最初の 1 年間の近視の進行が，成人期の強度近視と関連していることが報告されている[53]．この研究では，小児期の屋外活動や近業が，成人期の強度近視発症の独立した因子であるかのエビデンスは明らかでなかった．

Jonas ら[54]は，成人における長年の強度近視，つまり「遺伝的な」強度近視と，学童における新たな強度近視，つまり「後天的な」強度近視の発症要因を比較した．その結果，教育関連パラメータは，「遺伝的な」強度近視との明確な関連はなかったが，「後天的な」強度近視は教育との強い関連がみられた．Jonas らの結果は，発症年齢が異なるだけでなく，教育との関連性も異なる2種類の強度近視がある可能性を示唆する．低濃度アトロピンの使用，オルソケラトロジーなど近視の進行を遅らせる治療によって，2つのタイプのうち「後天的な」強度近視を減らすことができる可能性がある．しかし，眼底にさまざまな病変を生じて失明の原因となる病的近視を減らすことができるかは不明であり，病的近視の多くは遺伝的背景をもつ強度近視である可能性がある．

おわりに

教育が近視の疫学に重要な発症因子であることは広く知られているが，近業の影響はいまだ完全には明らかでない．これまでのところ，屋外活動時間が多い小児は近視発症や進行のリスクが低いことが明らかとなっており，屋外活動時間の増加により，近業と近視の両親をもつことに伴うリスクを抑止できると示唆されている．近視発症や進行における環境因子は，どれか一つの因子だけで説明できる単純なものではなく，さまざまな要因が複合的に作用していると考えられる．

文献

1) Cohn H：The Hygiene of the Eye in Schools. Simkin, Marshall and Compan, London, 1883.
2) Au Eong KG, Tay TH, Lim MK：Education and myopia in 110,236 young Singaporean males. Singapore Med J 34：489-492, 1993.
3) Wong TY, Foster PJ, Johnson GJ, et al.：Education, socioeconomic status, and ocular dimensions in Chinese adults：the Tanjong Pagar Survey. Br J Ophthalmol 86：963-968, 2002.
4) Bar Dayan Y, Levin A, Morad Y, et al.：The changing prevalence of myopia in young adults：a 13-year series of population-based prevalence surveys. Invest Ophthalmol Vis Sci 46：2760-2765, 2005.
5) Mirshahi A, Ponto KA, Hoehn R, et al.：Myopia and level of education：results from the Gutenberg Health Study. Ophthalmology 121：2047-2052, 2014.
6) Morgan IG, Rose KA：Myopia：is the nature-nurture debate finally over? Clin Exp Optom 102：3-17, 2019.
7) Holm S：The ocular refraction state of the Palae-Negroids in Gabon, French Equatorial Africa. Acta Ophthalmol 13：1-299, 1937.
8) Skeller E：Anthropological and ophthalmological studies on the Angmagssalik Eskimos. Meddr Gron 107：187-211, 1954.
9) Dandona R, Dandona L, Srinivas M, et al.：Population-based assessment of refractive error in India：the Andhra Pradesh eye disease study. Clin Exp Ophthalmol 30：84-93, 2002.
10) Dandona R, Dandona L, Srinivas M, et al.：Refractive error in children in a rural population in India. Invest Ophthalmol Vis Sci 43：615-622, 2002.
11) Naidoo KS, Raghunandan A, Mashige KP, et al.：Refractive error and visual impairment in African children in South Africa. Invest Ophthalmol Vis Sci 44：3764-3770, 2003.
12) Murthy GV, Gupta SK, Ellwein LB, et al.：Refractive error in children in an urban population in New Delhi. Invest Ophthalmol Vis Sci 43：623-631, 2002.
13) Morgan IG, French AN, Ashby RS, et al.：The epidemics of myopia：Aetiology and prevention. Prog Retin Eye Res 62：134-149, 2018.
14) Zylbermann R, Landau D, Berson D：The influence of study habits on myopia in Jewish teenagers. J Pediatr Ophthalmol Strabismus 30：319-322, 1993.

15) Saw SM, Cheng A, Fong A, et al. : School grades and myopia. Ophthalmic Physiol Opt 27 : 126-129, 2007.
16) Saw SM, Tan SB, Fung D, et al. : IQ and the association with myopia in children. Invest Ophthalmol Vis Sci 45 : 2943-2948, 2004.
17) Morgan IG, Rose KA : Myopia and international educational performance. Ophthalmic Physiol Opt 33 : 329-338, 2013.
18) Mutti DO, Zadnik K : Has near work's star fallen? Optom Vis Sci 86 : 76-78, 2009.
19) Ip JM, Saw SM, Rose KA, et al. : Role of near work in myopia : findings in a sample of Australian school children. Invest Ophthalmol Vis Sci 49 : 2903-2910, 2008.
20) Quek TP, Chua CG, Chong CS, et al. : Prevalence of refractive errors in teenage high school students in Singapore. Ophthalmic Physiol Opt 24 : 47-55, 2004.
21) Huang HM, Chang DS, Wu PC : The Association between Near Work Activities and Myopia in Children-A Systematic Review and Meta-Analysis. PLoS One 10 : e0140419, 2015.
22) Dirani M, Crowston JG, Wong TY : From reading books to increased smart device screen time. Br J Ophthalmol 103 : 1-2, 2019.
23) Yam JC, Tang SM, Kam KW, et al. : High prevalence of myopia in children and their parents in Hong Kong Chinese Population : the Hong Kong Children Eye Study. Acta Ophthalmol 98 : e639-e648, 2020
24) Mutti DO, Mitchell GL, Moeschberger ML et al. : Parental myopia, near work, school achievement, and children's refractive error. Invest Ophthalmol Vis Sci 43 : 3633-3640, 2002.
25) Jones LA, Sinnott LT, Mutti DO, et al. : Parental history of myopia, sports and outdoor activities, and future myopia. Invest Ophthalmol Vis Sci 48 : 3524-3532, 2007.
26) Rose KA, Morgan IG, Ip J, et al. : Outdoor activity reduces the prevalence of myopia in children. Ophthalmology 115 : 1279-1285, 2008.
27) French AN, Morgan IG, Mitchell P, et al. : Risk factors for incident myopia in Australian schoolchildren : the Sydney adolescent vascular and eye study. Ophthalmology 120 : 2100-2108, 2013.
28) Jones LA, Sinnott LT, Mutti DO, et al. : Parental history of myopia, sports and outdoor activities, and future myopia. Invest Ophthalmol Vis Sci 48 : 3524-3532, 2007.
29) Dirani M, Tong L, Gazzard G, et al. : Outdoor activity and myopia in Singapore teenage children. Br J Ophthalmol 93 : 997-1000, 2009.
30) Guo Y, Liu LJ, Xu L, et al. : Outdoor activity and myopia among primary students in rural and urban regions of Beijing. Ophthalmology 120 : 277-283, 2013.
31) Jones-Jordan LA, Sinnott LT, Cotter SA, et al. : Time outdoors, visual activity, and myopia progression in juvenile-onset myopes. Invest Ophthalmol Vis Sci 53 : 7169-7175, 2012.
32) Wu PC, Tsai CL, Wu HL, et al. : Outdoor activity during class recess reduces myopia onset and progression in school children. Ophthalmology 120 : 1080-1085, 2013.
33) He M, Xiang F, Zeng Y, et al. : Effect of Time Spent Outdoors at School on the Development of Myopia Among Children in China : A Randomized Clinical Trial. JAMA 314 : 1142-1148, 2015.
34) Shah RL, Huang Y, Guggenheim JA, et al. : Time Outdoors at Specific Ages During Early Childhood and the Risk of Incident Myopia. Invest Ophthalmol Vis Sci 58 : 1158-1166, 2017.
35) Wu PC, Chen CT, Lin KK, et al. : Myopia Prevention and Outdoor Light Intensity in a School-Based Cluster Randomized Trial. Ophthalmology 125 : 1239-1250, 2018.
36) Philipp D, Vogel M, Brandt M, et al. : The relationship between myopia and near work, time outdoors and socioeconomic status in children and adolescents. BMC Public Health 22 : 2058, 2022.
37) Gopalakrishnan A, Hussaindeen JR, Sivaraman V, et al. : Myopia and Its Association with Near Work, Outdoor Time, and Housing Type among Schoolchildren in South India.Optom Vis Sci 100 : 105-110, 2023.
38) Alvarez AA, Wildsoet CF : Quantifying light exposure patterns in young adult students. J Mod Opt 60 : 1200-1208, 2013.
39) Dharani R, Lee CF, Theng ZX, et al. : Comparison of measurements of time outdoors and light levels as risk factors for myopia in young Singapore children. Eye 26 : 911-918, 2012.

40) Read SA, Collins MJ, Vincent SJ : Light exposure and physical activity in myopic and emmetropic children. Optom Vis Sci 91 : 330-341, 2014.
41) Ashby R, Ohlendorf A, Schaeffel F : The effect of ambient illuminance on the development of deprivation myopia in chicks. Invest Ophthalmol Vis Sci 50 : 5348-5354, 2009.
42) Siegwart JT, Ward AH, Norton TT : Moderately elevated fluorescent light levels slow form deprivation and minus lens-induced myopia development in tree shrews. Invest Ophthalmol Vis Sci 53 : 3457, 2012.
43) Smith EL 3 rd, Hung LF, Huang J : Protective effects of high ambient lighting on the development of form-deprivation myopia in rhesus monkeys. Invest Ophthalmol Vis Sci 53 : 421-428, 2012.
44) Lan W, Feldkaemper M, Schaeffel F : Intermittent episodes of bright light suppress myopia in the chicken more than continuous bright light. PLoS One 9 : e110906, 2014.
45) Karouta C, Ashby RS : Correlation between light levels and the development of deprivation myopia. Invest Ophthalmol Vis Sci 56 : 299-309, 2014.
46) Xiong S, Sankaridurg P, Naduvilath T, et al. : Time spent in outdoor activities in relation to myopia prevention and control : a meta-analysis and systematic review. Acta Ophthalmol 95 : 551-566, 2017.
47) Donovan L, Sankaridurg P, Ho A, et al. : Myopia progression in Chinese children is slower in summer than in winter. Optom Vis Sci 89 : 1196-1202, 2012.
48) Zhang X, Cheung SSL, Chan HN, et al. : Myopia incidence and lifestyle changes among school children during the COVID-19 pandemic : a population-based prospective study. Br J Ophthalmol 106 : 1772-1778, 2022.
49) Mu J, Zhong H, Liu M, et al. : Trends in Myopia Development Among Primary and Secondary School Students During the COVID-19 Pandemic : A Large-Scale Cross-Sectional Study. Front Public Health 10 : 859285, 2022.
50) Negishi K, Ayaki M : Presbyopia developed earlier during the COVID-19 pandemic. PLoS One 16 : e0259142, 2021.
51) Najafzadeh MJ, Zand A, Shafiei M, et al. : Myopia Progression during the COVID-19 Era : A Systematic Review and Meta-analysis. Semin Ophthalmol 38 : 537-546, 2023.
52) Yang Z, Wang X, Zhang S et al. : Pediatric Myopia Progression During the COVID-19 Pandemic Home Quarantine and the Risk Factors : A Systematic Review and Meta-Analysis. Front Public Health 10 : 835449, 2022.
53) Pärssinen O, Kauppinen M : Risk factors for high myopia : a 22-year follow-up study from childhood to adulthood. Acta Ophthalmol 97 : 510-518, 2019.
54) Jonas JB, Xu L, Wang YX, et al. : Education-Related Parameters in High Myopia : Adults versus School Children. PLoS One 11 : e0154554, 2016.

近視の遺伝子研究

はじめに

近視を含めた屈折異常は，遺伝的要因と環境要因からなる多因子疾患である．屈折異常の遺伝率は報告によって差があるものの，近視のなかで高いものでは98%とも報告されており[1)]，近視発症において遺伝的背景が大きいことが判明している．2000年前後には，近視が遺伝性の疾患であるという考えのもとに連鎖解析が盛んに行われ，その結果2023年現在までに26ヵ所の遺伝子領域がMYP loci（近視遺伝子座）として報告された．その後，ヒトゲノム計画や国際ハップマッププロジェクトが完了するとともに，ゲノム研究の手法も急速に進歩した．今日では一般的になっている，一塩基多型（single nucleotide polymorphism：SNP）を利用したゲノムワイド関連解析（genome wide association study：GWAS）の手法が，近視遺伝子研究において広く行われてきた．

ここでは，現在までの近視遺伝子研究と，発見されてきた遺伝子について解説する．

連鎖解析とMYP locus

1990年にX染色体連鎖性疾患であるBornholm eye diseaseの家系を用いた研究により，MYP1 locus（Xq28）が有意な連鎖を示すことが報告された．また，強度近視を含む家系を用い，常染色体顕性遺伝（優性遺伝）モデルに基づいた解析により，MYP2 locus（18q11.31）とMYP3 locus（12q21-q23）が報告された．その後，家系研究，双生児研究，顕性遺伝・潜性遺伝（劣性遺伝）・X染色体連鎖遺伝モデルなどを用いた多くの研究が行われ，遺伝性疾患のデータベースであるOnline Mendelian Inheritance in Man（OMIM）には，2023年時点でMYP28までの遺伝子領域が報告されている．この28の領域に存在する遺伝子としては，*SCO2*（MYP6），*ZFN644*（MYP21），*CCDC111*（MYP22），*LRPAP1*（MYP23），*SLC39A5*（MYP24），*P4HA2*（MYP25），*ARR3*（MYP26），*CPSF1*（MYP27），*LOXL3*（MYP28）が挙げられ，これらの遺伝子は近視感受性遺伝子である可能性がある．詳細は**表1**にまとめる．

表 1　連鎖解析による近視感受性遺伝子座

遺伝子座	遺伝子領域	遺伝形式	報　告
MYP1	Xq28	X 連鎖性遺伝	Schwartz(1990 年)
MYP2	18p11.31	常染色体顕性遺伝	Young(1998 年)
MYP3	12q21-q23	常染色体顕性遺伝	Young(1998 年)
MYP4	7q36	常染色体顕性遺伝	Naiglin(2002 年)
MYP5	17q21-q22	常染色体顕性遺伝	Paluru(2003 年)
MYP6	22q13.33	常染色体顕性遺伝	Stambolian(2004 年)
MYP7	11p13	多因子遺伝	Hammond(2004 年)
MYP8	3q26		
MYP9	4q12		
MYP10	8p23		
MYP11	4q22-q27	常染色体顕性遺伝	Zhang(2005 年)
MYP12	2q37.1	常染色体顕性遺伝	Paluru(2005 年)
MYP13	Xq23-q27.2	X 連鎖性遺伝	Zhang(2006 年)
MYP14	1p36	多因子遺伝	Wojciechowski(2006 年)
MYP15	10q21.1	常染色体顕性遺伝	Nallasamy(2007 年)
MYP16	5p15.33-p15.2	常染色体顕性遺伝	Lam(2008 年)
MYP17	7p15	常染色体顕性遺伝	Naiglin(2002 年)
MYP18	14q22.1-q24.2	常染色体潜性遺伝	Yang(2009 年)
MYP19	5p15.1-p13.3	常染色体顕性遺伝	Ma(2010 年)
MYP20	13q12.12	多因子遺伝	Shi(2011 年)
MYP21	1p22.2	常染色体顕性遺伝	
MYP22	4q35.1	常染色体顕性遺伝	Zhao(2013 年)
MYP23	4p16.3	常染色体潜性遺伝	Aldahmesh(2013 年)
MYP24	12q13.3	常染色体顕性遺伝	Guo(2014 年)
MYP25	5q31.1	常染色体顕性遺伝	Guo(2015 年)
MYP26	Xq13.1	X 連鎖性遺伝	Xiao(2016 年)
MYP27	8q24.3	常染色体性顕性遺伝	Ouyang(2019 年)
MYP28	2p13.1	常染色体性潜性遺伝	Li(2016 年) Maddirevula(2020 年)

近視に対するゲノムワイド関連解析

近視感受性遺伝子の特定

2010年には1万人以上のDNAサンプルを用いた大規模なGWASにより，*GJD2*と*RAGSGRF1*の2つの遺伝子が，近視感受性遺伝子であることが報告された[2, 3]．これらの2つの遺伝子については，その後の研究によって再現性が確認され，さらには強度近視にも関連していることが報告されている．

2013年には，23andMeとCREAM(Consortium for Refractive Error and Myopia)の2つの研究グループからさらに大規模なGWASの結果が報告され，数多くの近視感受性遺伝子が特定された[4, 5]．

CREAMの研究では，白色人種とアジア黄色人種の合計4万人以上のDNAサンプルを用いてメタ解析を行うことにより，*GJD2*と*RAGSGRF1*以外に，*CD55*，*PRSS56*，*CHRNG*，*CACNA1D*，*BMP3*，*LAMA2*，*CHD7*，*TOX*，*ZMAT4*，*RORB*，*CYP26A1*，*BICC1*，*GRIA4*，*RDH5*，*PCCA*，*ZIC2*，*MYO1D*，*KCNJ2*，*CNDP2*，*LOC100506035*，*KCNQ5*，*TJP2*，*PTPRR*，*SIX6*，*RBFOX1*，*SHISA6*，*BMP2*が近視感受性遺伝子あることが報告された．一方23andMeの研究では，4万人以上のヨーロッパ白色人種のDNAメタ解析データを用いることにより，*GJD2*と*RAGSGRF1*以外に，*LAMA2*，*LRRC4C*，*RDH5*，*TOX/CA8*，*PRSS56*，*SHISA6*，*BMP3*，*DLG2*，*PDE11A*，*ZIC2*，*SETMAR*，*QKI*，*NPLOC*が近視感受性遺伝子として報告された．この2つの研究で報告された遺伝子のうち，日本人においても関連が示唆されたものについて**表2**にまとめる．

表2　日本人に関連する近視感受性遺伝子

・*CD55*	・*EHBP1L1*
・*KCNQ5*	・*GRIA4*
・*QKI*	・*BMP4*
・*SFRP1*	・*GJD2*
・*SH3GL2/*	・*RASGRF1*
・*BICC1*	・*B4GALNT2*
・*CYP26A1*	・*BMP2*
・*LRRC4C*	

表3　近視発症年齢に関連する遺伝子

・*LAMA2*	・*TJP2*
・*LRRC4C*	・*RASGRF1*
・*RBFOX1*	・*BMP3*
・*KCNQ5*	・*RGR*
・*RDH5*	・*DLG2*
・*TOX*	・*ZBTB38*
・*GJD2*	・*PDE11A*
・*SFRP1*	・*DLX1*
・*PRSS56*	・*KCNMA1*
・*SHISA6*	・*BMP4*
・*PABPCP2*	・*ZIC2*

小児の近視発症と遺伝子

23andMe の研究では，ヨーロッパ白色人種における近視発症年齢と SNP についてゲノムワイド生存解析を行っており，前述の *GJD2* と *RAGSGRF1* を含めた 22 の遺伝子が関連していることを報告した．これらの遺伝子については**表3**にまとめた．この 22 の遺伝子をもとに計算されたスコアは，10 歳未満での近視発症に対して有意な相関を示しており，これらの遺伝子は小児における近視発症に寄与していることが示唆された．しかしながらこれら 22 の遺伝子を用いても，近視発症の 2.9％しか説明できておらず，小児の近視発症には遺伝的要因・環境要因を含めてさまざまな要素が寄与していることが推測される．

強度近視に対するゲノムワイド関連解析

黄色人種では白色人種と比較して強度近視が多く存在するため，アジアを中心として強度近視感受性遺伝子の GWAS も行われてきた．

シンガポールとわが国の共同研究により，*CTNND2*，*ZC3H11A* が強度近視の感受性遺伝子として報告された[6, 7]．また中国の研究グループより，*VIPR2*，*SNTB1* も強度近視の感受性遺伝子として報告され，これらについては他施設で再現性が確認されている[8]．

2020 年には日本人の強度近視サンプルを用いた大規模 GWAS により，6 つの新しい感受性遺伝子が特定された（*HIVEP3*，*NFASC/CNTN2*，*CNTN4/CNTN6*，*FRMD4B*，*LINC02418*，*AKAP13*）[9]．

強度近視による病的近視は失明原因となりうる重要な疾患であり，今後は動物モデルを用いた研究により，近視の病態に対する理解が深まることが期待される．

文献

1) Sanfilippo PG, Hewitt AW, Hammond CJ, et al.：The Heritability of Ocular Traits. Surv Ophthalmol 55：561-583, 2010.
2) Solouki AM, Verhoeven VJ, Van Duijn CM, et al.：A genome-wide association study identifies a susceptibility locus for refractive errors and myopia at 15q14. Nat Genet 42：897-901, 2010.
3) Hysi PG, Young TL, Mackey DA, et al.：A genome-wide association study for myopia and refractive error identifies a susceptibility locus at 15q25. Nat Genet 42：902-905, 2010.
4) Kiefer AK, Tung JY, Do CB, et al.：Genome-wide analysis points to roles for extracellular matrix remodeling, the visual cycle, and neuronal development in Myopia. PLoS Genet 9：e1003299, 2013.
5) Verhoeven VJ, Hysi PG, Wojciechowski R, et al.：Genome-wide meta-analyses of multiancestry cohorts identify multiple new susceptibility loci for refractive error and myopia. Nat Genet 45：314-318, 2013.
6) Fan Q, Barathi VA, Cheng CY, et al.：Genetic variants on chromosome 1 q41 influence ocular axial length and high myopia. PLoS Genet 8：e1002753, 2012.
7) Li YJ, Goh L, Khor CC, et al.：Genome-wide association studies reveal genetic variants in CTNND 2 for high myopia in Singapore Chinese. Ophthalmology 118：368-375, 2011.
8) Shi Y, Gong B, Chen L, et al.：A genome-wide meta-analysis identifies two novel loci associated with high myopia in the Han Chinese population. Hum Mol Genet 22：2325-2333, 2013.
9) Meguro A, Yamane T, Takeuchi M, et al.：Genome-Wide Association Study in Asians Identifies Novel Loci for High Myopia and Highlights a Nervous System Role in Its Pathogenesis. Ophthalmology 127：1612-1624, 2020.

近視の動物研究

はじめに

弱度近視（あるいは学校近視）と強度近視（あるいは病的近視）は，程度の違いだけではなく，強度近視が遺伝によって運命づけられているなど，質的な違いもあるとされてきた．一方，弱度～中等度の近視のみならず強度近視の有病率も近年増加していることなどから，強度近視にも後天的な因子が関与していることが示唆されている．そのため，近視治療法・進行予防法の開発を目指し，近視動物モデルを用いた研究が行われている．

実験近視とは？―視性刺激遮断近視（FDM）とレンズ誘発性近視（LIM）

形態覚遮断近視 / 視性刺激遮断近視（form deprivation myopia：FDM）は，幼若サルを瞼々縫合したり，生後間もないヒヨコにゴーグル装着（**図 1** 参照）すると，眼軸延長を伴う強い近視になることから，実験近視として広まったものである．FDM では，後極部強膜が著しく菲薄化する[1]などヒト強度近視の病態と類似しており，実験近視眼の解析が広く行われた．一方で，遮閉ではなく強いマイナスレンズ（凹レンズ）を装用させるという方法でも，眼軸延長を伴う近視〔レンズ誘発性近視：lens-induced myopia（LIM）〕を作製することができ[2]，FDM と LIM が主要な実験近視となっている（**図 1**）．眼軸延長刺激となるゴーグルやレンズの装着から眼軸延長までの期間を比較すると，LIM のほうが著しく速いなど，FDM と LIM との機序の違いも示唆されている[3]．

実験近視に用いられてきた動物

近年の実験近視はサルから始まったが，サルが年単位で近視になるのに対して，ヒヨコはゴーグル装着から約 1 週間で 1 割弱の眼軸延長を伴う強度近視になり，また身体の大きさの割に眼球が大きく実験しやすいことや安価であることなどから広く普及した．しかし，ヒヨコ強膜の大部分が軟骨から成るなどヒトとの違いが大きいため，よりヒトに近くて簡便に作製することができる近視モデルを求めて，種々

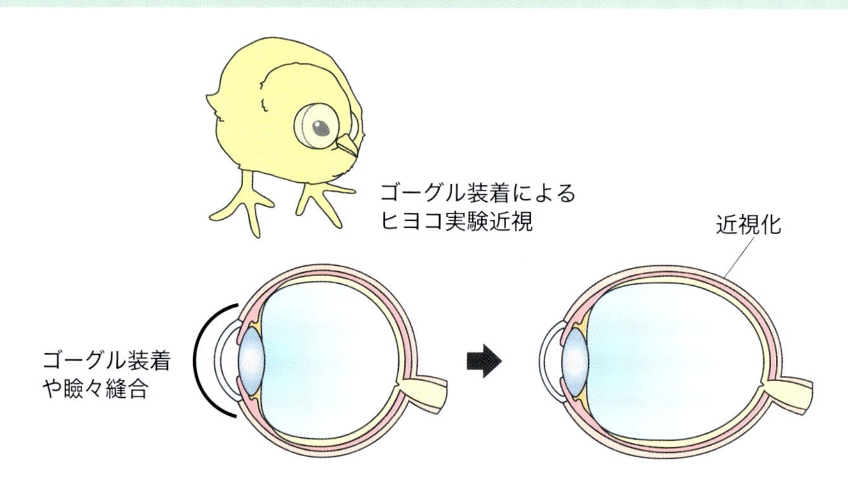

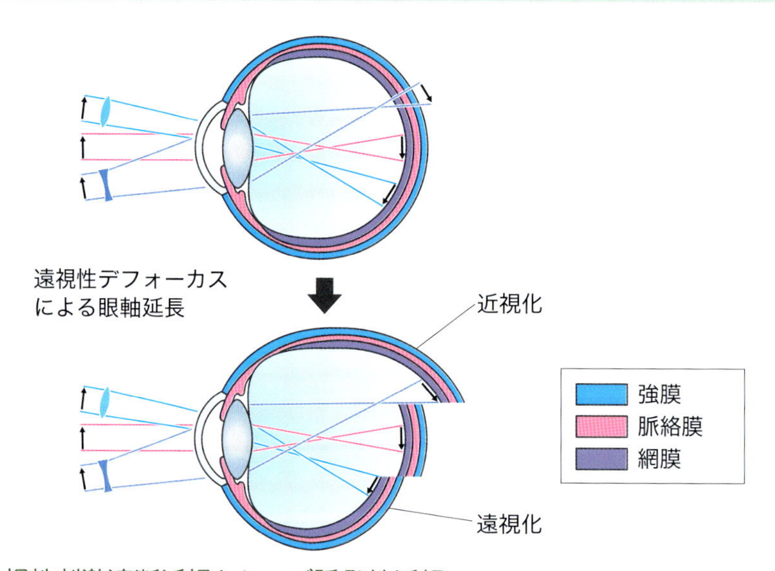

図 1　視性刺激遮断近視とレンズ誘発性近視

ヒヨコ実験近視で装着するゴーグルは半球状のドームのようなもので，プラスチック製試験管の底の部分を切って作製することができる．

の動物が使われてきた（**図 2**）．原始的霊長類とみなされていたツパイ（tree shrew）は，強膜の構造がヒトと同様に線維性でありサルと比べ成長が早く，瞼々縫合による片眼遮閉後 15 日という比較的短い期間で近視になることから，ヒヨコやサルに次いで多く用いられてきたが入手が難しい．最近，哺乳類のモデルとしてげっ歯類であるモルモットやラット，マウスを用いた FDM の報告も増えている．マウスモデルの最大の利点は，遺伝子改変マウスを作製して原因遺伝子と結果との関連を明らかにできることである．マウスは眼が小さいために眼軸長計測が困難であったが，MRI や

図2　実験近視に用いられてきた動物

SD-OCTを用いた眼軸長計測の可能性も示唆されている．また，モルモットはマウスより眼が少し大きいため，安定した生体計測が可能であり，強膜の部位特異的な変化も解析されている[4]．一方，ヒト強膜とヒヨコ強膜との類似性が報告される[5]など，最近はヒヨコの近視動物モデルとしての有用性もあらためて報告されている[6]．選択肢が広がった今，それぞれの動物の特性と限界を理解して近視動物モデルを使用していく必要がある．

実験近視の病態

FDMやLIMにおける近視化は，ボケ像が網膜に結ばれることがトリガーになり，そのボケを減少させるようにフィードバック機構が働いて，眼軸の延長が促進されると考えられている．ヒヨコでは，視神経を切断してもFDMを誘導できること[7]，網膜の半分だけ遮閉した場合にはその視野に対応する側の眼球後部が特に膨らむこと[8]から，近視化の主要なメカニズムが局所コントロールであることが示唆されている．また1日数時間，網膜にぼやけない通常の像が結んだ状態（normal vision）となると近視化しない，あるいは，遮閉によって眼軸延長した後にnormal visionとすると急速に脈絡膜の肥厚などによる正視化現象（emmetropization）がみられることも知られ[9]（**図3**），網膜内の何らかの因子が近視化に一次的な役割を果たしているとされている．

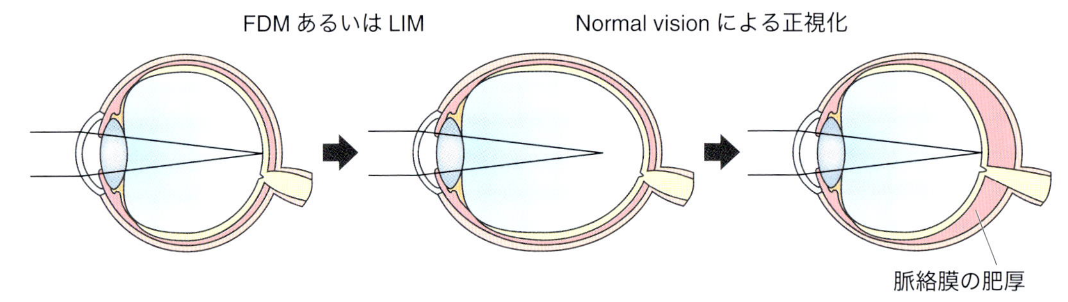

図３　正視化現象

眼軸延長に関与する網膜細胞

では，網膜のどの層が眼軸延長に影響を与えるのだろうか．種々の網膜破壊実験から，アマクリン細胞，双極細胞，視細胞（杆体・錐体），網膜色素上皮細胞が考えられた．一方，ヒト強度近視の電気生理学的検討から視細胞外節よりも中枢側に障害があるとされ[10)]，ヒトで ON 型双極細胞の機能が特異的に障害される完全型先天停在性夜盲〔complete type congenital stationary night blindness（CSNB1）〕は近視を合併する．CSNB1 の原因遺伝子は主に視細胞－双極細胞間シナプスに局在することが知られ，そのうち *Nyx* 遺伝子や *Grm6* 遺伝子に変異のあるマウスも，視性刺激遮断によってより強く近視化することが報告された[11, 12)]．視細胞－双極細胞間シナプスと眼軸延長との関連は，マウスを用いた実験近視の網羅的解析結果からも支持され[13)]，*GNB3* 遺伝子に変異のある自然発症 CSNB ニワトリが，ヒトの病的近視にみられる lacquer cracks（Bruch 膜のひび割れ）や後部ぶどう腫と類似の形態変化を生じることも報告された[14, 15)]．一方，アマクリン細胞が産生するドパミンや転写因子 ZENK が近視化に抑制的に働くことも報告されている[16)]．

眼軸延長に関与する分子

筆者らは，胚発生における軸形成に中心的な働きをしているレチノイン酸がヒヨコ FDM の網膜で増加することを報告した[17)]．また，常暗下で飼育してもレチノイン酸を食餌に添加すると眼軸長の伸長が起こるとされ[18)]，主に脈絡膜で産生されるレチノイン酸が視覚シグナルとは別経路で眼軸長の伸長を促進していることが示唆されている．強膜の変化としては，細胞外マトリックスの分解と合成の亢進などが報告されている[19)]．

おわりに

実験近視とヒト強度近視は，眼軸の延長や強膜の菲薄化に加え，長期間遮閉した実験近視や遺伝子変異のある動物モデルにもBruch膜のひび割れなどヒト病的近視特有の形態変化がみられるなど[14, 15, 20]現象に共通点が多く，機序においても共通点があることが示唆される．またこれらの知見は，病的近視の合併症を予防するためには，眼軸の過度な延長を抑制することが重要であることも示唆している．ヒトにおける眼軸の過度な延長は小児期から始まる．近視の進行予防をいつから，どのように行うべきかの問いに答えるためにも，動物研究は欠かせない．

実験近視は，機序解明から治療法開発を目指すモデルであると同時に，新しい介入方法開発のための疾患モデル[21, 22]でもある．最近は遺伝子組換えによる近視動物モデルも増え，近視モデルとしては，①従来の(狭義の)実験近視，②遺伝子組換え動物の実験近視，③遺伝子組換え動物の成長に伴い自然発症する近視の3種類があるといえる．加えて，病的近視患者由来のiPS細胞も樹立され[23]，機序解明のためのツールはまた一つ増えた．種々の近視モデルを駆使し，眼軸延長の機序が解明されるとともに，有効な近視進行予防法が開発されることを期待する．

文献

1) Funata M, Tokoro T：Scleral change in experimentally myopic monkeys. Graefes Arch Clin Exp Ophthalmol 228：174-179, 1990.
2) Schaeffel F, Glasser A, Howland HC：Accommodation, refractive error and eye growth in chickens. Vision Res 28：639-657, 1988.
3) 世古裕子：実験近視．"近視─基礎と臨床" 所　敬，大野京子 編著．金原出版，2012，pp179-205.
4) Jnawali A, Beach KM, Ostrin LA：In Vivo Imaging of the Retina, Choroid, and Optic Nerve Head in Guinea Pigs. Curr Eye Res 43：1006-1018, 2018.
5) Seko Y, Azuma N, Takahashi Y, et al.：Human sclera maintains common characteristics with cartilage throughout evolution. PLoS One 3：e3709, 2008.
6) Wisely CE, Sayed JA, Tamez H, et al.：The chick eye in vision research：An excellent model for the study of ocular disease. Prog Retin Eye Res 61：72-97, 2017.
7) Troilo D, Gottlieb MD, Wallman J：Visual deprivation causes myopia in chicks with optic nerve section. Curr Eye Res 6：993-999, 1987.
8) Wallman J, Gottlieb MD, Rajaram V, et al.：Local retinal regions control local eye growth and myopia. Science 237：73-77, 1987.
9) Wallman J, Winawer J：Homeostasis of eye growth and the question of myopia. Neuron 43：447-468, 2004.
10) Yamamoto S, Nitta K, Kamiyama M：Cone electroretinogram to chromatic stimuli in myopic eyes. Vision Res 37：2157-2159, 1997.
11) Pardue MT, Faulkner AE, Fernandes A, et al.：High susceptibility to experimental myopia in a mouse model with a retinal on pathway defect. Invest Ophthalmol Vis Sci 49：706-712, 2008.
12) Chakraborty R, Park HN, Hanif AM, et al.：ON pathway mutations increase susceptibility to form-deprivation myopia. Exp Eye Res 137：79-83, 2015.
13) Riddell N, Faou P, Crewther SG：Short term optical defocus perturbs normal developmental shifts in retina/RPE protein abundance. BMC Dev Biol 18：18, 2018.

14) Montiani-Ferreira F, Kiupel M, Petersen-Jones SM：Spontaneous lacquer crack lesions in the retinopathy, globe enlarged（rge）chick. J Comp Pathol 131：105-111, 2004.
15) Vutipongsatorn K, Nagaoka N, Yokoi T, et al.：Correlations between Experimental Myopia Models and Human Pathologic Myopia. Retina 39：621-635, 2018.
16) Schippert R, Burkhardt E, Feldkaemper M, et al.：Relative axial myopia in Egr- 1（ZENK）knockout mice. Invest Ophthalmol Vis Sci 48：11-17, 2007.
17) Seko Y, Shimizu M, Tokoro T：Retinoic acid increases in the retina of the chick with form deprivation myopia. Ophthalmic Res 30：361-367, 1998.
18) McFadden SA, Howlett MH, Mertz JR, et al.：Acute effects of dietary retinoic acid on ocular components in the growing chick. Exp Eye Res 83：949-961, 2006.
19) Harper AR, Summers JA：The dynamic sclera：extracellular matrix remodeling in normal ocular growth and myopia development. Exp Eye Res 133：100-111, 2015.
20) 所　敬：強度近視の眼軸延長機転と網膜脈絡膜萎縮（宿題報告）．日眼会誌 98：1213-1237, 1994.
21) Shinohara K, Yoshida T, Liu H, et al.：Establishment of novel therapy to reduce progression of myopia in rats with experimental myopia by fibroblast transplantation on sclera. J Tissue Eng Regen Med 12：e451-e461, 2018.
22) Torii H, Kurihara T, Seko Y, et al.：Violet Light Exposure Can Be a Preventive Strategy Against Myopia Progression. EBioMedicine 15：210-219, 2017.
23) Bai X, Yang X, Cheng Y, et al.：Establishment of an induced pluripotent stem cell line（FDEENTi001-A）from a patient with pathological myopia. Stem Cell Res 34：101369, 2019.

小児の近視

Q&A

近視についての基本的な質問

Q1 眼が悪いことと近視になることは，どう違うのでしょうか？

「眼が悪い」というのは漠然とした言い方で，網膜や神経が傷む治らない病気で眼鏡をかけても見えないような状態も含みます．しかし，一般的に小児では，裸眼視力が低下している状態を指すことが多いです．小児の裸眼視力の低下については，大部分で近視や乱視が進むのが原因であるので，「眼が悪い≒裸眼視力低下≒近視の進行」ととられています．

Q2 親が近視だと子どもに遺伝しますか？

近視には，遺伝的要因と環境要因の両方が関与します．特に強度の近視が多く出る家系もあり，近視に関連する遺伝子の存在も知られています．しかし，通常範囲の中等度の近視では，むしろ環境要因のほうが多く関わっていると思われます．

Q3 近視が成長に伴って自然に治ることはあるのですか？

近視は，眼球が前後方向に長く成長することによって起こります．したがって残念ながら，いったん長くなった眼球が自然に治ることはありません．学童期にみられる見かけ上の近視（調節けいれんあるいは調節緊張，通俗的には偽近視）は，毛様体筋が緊張して水晶体を過度に厚くする状態なので真の近視とは異なり，これがなくなれば裸眼視力が向上します．

Q4 近視の小児の割合は増えているのでしょうか？

幼稚園・保育所から高校まで，学校保健統計調査での裸眼視力の低下は，年々割合が増加しており，その大部分は近視によると思われるので，近視の小児が増えていることは確かです．また，わが国で始まった児童生徒の近視実態調査でもその傾向は明らかです．

Q5 日本でも近視の全国調査が始まっていますが，どのような意味があるでしょうか？

文部科学省の全国調査（児童生徒の近視実態調査）では，裸眼視力が0.3未満の割合が小学生から中学生まで学年が上がるにつれて増えており，近視が増加していることが明らかになっています．眼球の奥行きを示し，長いほど近視の度合いが強い「眼軸長」は，小学生から学年が上がるにつれて長くなり，平均値は中学3年生で成人と同じになっており，これも近視の増加を示しています．スマートフォンや学習で使うタブレット端末の影響がないか，分析を進める必要があります．各学年での変化や地域・環境による差など，長期にわたって調査を続けていくことで，日本社会の課題がわかるでしょう．

Q6 強度近視は遠近感が悪くなるのでしょうか？

近視は，水晶体の厚さを変えて遠近を見分ける力（調節力）には影響しませんので，遠近を見分けることができますし，その遠近の幅も変わりません．しかし，近視では近くに焦点が合いやすくなるので，遠近の幅は近いほうにシフトし，かなり近くに眼を近づけても見えるかわりに，遠方は見えにくくなります．近視が強度になれば，遠方だけでなく，近くのものでも焦点が合いにくくなって見えにくくなります．これらの状態でも，適切な眼鏡やコンタクトレンズを装用すれば，調節して見ることができる範囲が正常となり，通常の遠近感になります．

近視の進行の原因と予防

近視を進めたくないために，患者や保護者からさまざまな質問をされます．しかし近視の進行の原因は，まだ明らかになっていません．遺伝性に家族内で近視になりやすい人もいます．しかし多くは環境要因によって起こり，過度に近くを見続けること（近業によって調節が過緊張になる状態）が続くと，近視が進行すると考えられています．

この観点から考えると，次の質問では，どれもその行為自体が近視を進行しやすくする根本の理由とはなりません．

- 睡眠時間が短いと近視は進むのでしょうか？
- 暗い所で本を読んだりテレビを見たりすると近視が進むのでしょうか？
- 部屋の照明は明るいほうがよいのでしょうか(LEDにしたほうがよいのか)？
- 眼鏡を眼に押し付けて見ることが時々ありますが，止めさせたほうがよいのでしょうか？
- 眼鏡をかけると近視は進むのでしょうか？
- 眼鏡をかけたり外したりすると近視が進むのでしょうか？
- 黒板とホワイトボードはどちらが眼によいでしょうか？
- パソコンの照明やフォントの大きさの違いで近視は進むのでしょうか？

それでもこれらの状況で，見えにくいために過度に眼を近づけて長時間本を読んだりパソコンやテレビ画面を見たりすれば，強く調節緊張している時間が長くなって，近視の進行に影響する可能性があります．過度に近くで眼を使わない，姿勢を正して本を読むようにと昔から言われている所以です．

また，近視を進行させないためのトレーニング法，機器，食品についても，さまざまな質問をされます．

- 通信販売などで購入できる超音波や低周波を発生する機器は，近視予防に効果はあるのでしょうか？
- マッサージ(ツボ押し)は効果があるのでしょうか？
- 視力回復トレーニングは効果があるのでしょうか？
- ブルーベリーを食べると効果があるのでしょうか？ ほかに効果があるのはどんな食べ物ですか？
- サプリメントは効果があるのでしょうか？

これらは，近視の進行を予防できるというエビデンスがありません．

Q1 学校の授業でパソコンを使うようになりましたが，大丈夫でしょうか？

パソコンを使って学習することは現在の教育上重要であり，小・中学校では1人に1台配布されて授業で使われるようになりました．端末による眼への影響が心配されていますが，実際に学校での学習で連続して見る時間はまだそれほど長くないのではないでしょうか．休み時間は校庭に出て遊び，眼を休めましょう．

Q2 パソコンやスマートフォンを見る時間などに基準はあるのでしょうか？

文部科学省は授業でのパソコン使用について，以下の配慮事項を述べています．

①眼と端末の距離を 30 cm 以上離す．

②30 分に 1 回は 20 秒以上，画面から眼を離して遠くを見るなどして眼を休める．

③画面の角度や明るさを調節する．

スマートフォンに表示される文字は細かいので，使用にあたりさらに注意が必要でしょう．

Q3 パソコン・スマートフォンやゲームで近視が進むのでしょうか？

最近，これらの影響によって近視が進行するのではないかとの報告が出てきています．長時間にわたって眼を画面に近づけ，過度の調節緊張が続いていると思われるからです．夢中になって長時間にわたり続けることはよくありません．時間を 30 分などと決めて，眼を休めましょう．スマートフォンよりもタブレット端末やモニターなど大きな画面を使用することで顔を離して見る習慣づけも必要です．幼い頃からアニメやゲームを，スマートフォンなどの小さな画面で長く見ることを習慣づけることはよくありません．

Q4 遠い所や緑を見ると，近視が進まないのでしょうか？

短時間，遠くや緑を見て調節の緊張を休めても，近視の進行予防にはあまり効果はありません．長時間近くを見続けないようにという戒め程度に言われているものだと思います．近年，米国眼科学会が「20-20-20 ルール」を提唱しています．これは，20 分間継続してデジタル端末を見たあとは，20 秒間，20 フィート（約 6 m）離れたところを見て，近くを見続けることを減らす意味があります．近視の進行抑制に効果があるかは不明ですが，デジタル眼精疲労を軽減するにはよいとされています．

Q5 外で遊ぶと近視が進まないのでしょうか？

外で遊ぶ時間が長ければ，その間は遠方を見ているので，調節に緊張がかからないでしょう．家にこもってパソコンやスマートフォン，ゲームの画面を見続けているより，ずっと健康的です．外で遊ぶ時間が長いと近視の発症予防に効果的ですが，すでに近視である症例の進行を遅らせる効果はありません．しかし一方で，外で遊ぶ時間を増やすと，強度近視の予防効果が高くなると考えられています．

近視進行予防や治療の医療行為

Q1 ミドリン® M 点眼は近視進行予防に効果があるのでしょうか？

見かけ上の近視（調節けいれんあるいは調節緊張，通俗的には偽近視）に対しては，効果があると一般的にいわれています．しかし，この見かけ上の近視は学童にみられる一過性の現象であり，点眼を中止すると元に戻ることから，真の近視の進行予防の効果は明らかでありません．一方で，すでに発症した真の近視を元に戻す効果はありません．

Q2 低濃度アトロピン点眼は効果があるのでしょうか？ あるとしたら，どのくらいの年齢から始めて，どのくらいの期間続ければよいでしょうか？

近視の進行を予防するとの報告が得られていますが，予防できる近視の度数はごくわずかで，強い近視には効果がありません．また，進んだ近視を元に戻すこともできません．現在はわが国でも治験が進んでおり，将来使用できるようになるかもしれませんので，眼科医とよく相談してください．

Q3 オルソケラトロジーは効果があるのでしょうか？ あるとしたら，どのくらいの年齢から始めて，どのくらいの期間続ければよいでしょうか？

近視の進行を予防するとの報告が得られていますが，夜間にコンタクトレンズを装着し続けるので注意が必要です．使用に年齢制限は定められていませんが，通常のコンタクトレンズが扱えない小児には使うべきではありません．角膜が傷ついたり感染を起こしても，自分で気づかず訴えないことがあるからです．使用によって角膜の細胞が弱ることもあるので，オルソケラトロジーが取り扱える眼科専門医の定期検査を受けながら使う必要があります．1～2年使ってみて効果がない場合は，中止したほうがよいと思います．

Q4 特殊な眼鏡やコンタクトレンズによる近視進行予防は，効果があるのでしょうか？

海外では，網膜の各部位に合わせるピントを変えるなどで近視進行を抑制する眼鏡やコンタクトレンズが使われています．これらによって眼軸の延長が抑制されることも報告されはじめています．コンタクトレンズは年長でないと使えないでしょうが，眼鏡は小さな子どもでも使用可能で副作用はありません．しかし，わが国で使えるようになるには，安全性と効果を確認する治験をこれから行う必要があります．

Q5 レーシックは効果があるのでしょうか？

レーシックは凸レンズの役割をもつ角膜を，近視の眼鏡ないしはコンタクトレンズの分の度数だけ削って薄くし，近視の度数を減らす手術です．近視の進行を予防する治療ではありません．また，小児には危険なので行っていません．

眼鏡とコンタクトレンズ

Q1 近視が進み，眼科で眼鏡をかけたほうがよいと勧められたのですが，本人が不自由ないと言ってかけたがりません．本当に必要でしょうか？

近視は急には進まないので，裸眼視力は徐々に低下していて本人は見えにくくなったという自覚がありません．黒板が見えにくくなってやっと気づくようなときは，近視がかなり進んだ状態でしょう．自宅で視力の良い家族の人と，遠くのカレンダーの文字などを読み比べてみて自覚を促すのも効果的です．眼科医の指示に従い，適切な時期に装用するようにしてください．

Q2 近視の眼鏡をかけなければならない裸眼視力の目安はどのくらいでしょうか？

学校で黒板の字が見えにくくなる，テレビやプロジェクターを使った授業で画面の字が読みにくい，などが基準になります．学年や席の位置によっても違い，低学年で字が大きく，席が前のほうであれば，なかなか困らないでしょう．しかし，移動教室などで席が後ろになった場合に見えなければ困ります．おおよそですが，裸眼視力 0.5 くらいで眼鏡装用を考え始め，0.2～0.3 であれば少なくとも授業中にかけることを考えたほうがよいと思います．正確には屈折度数を測定して，眼鏡の必要性を判断する必要があります．

Q3 軽度な近視の場合，眼鏡は学校の授業のときだけかけたらよいのでしょうか？ それとも常用がよいのでしょうか？

どちらでもよいと思います．眼鏡があったほうが本人が便利なら常用，なくても困らなければ授業中など遠方をきちんと見るときに限ってもよいでしょう．軽度な近視の場合，眼鏡のかけ外しによって近視が進行することはありません．

Q4 スポーツをしているのですが，眼鏡とコンタクトレンズのどちらのほうがよいでしょうか？

最近の眼鏡は合成樹脂（プラスチック）製のレンズが主で簡単には割れないのですが，飛んできたボールがぶつかるような状況では，フレームが壊れて顔や眼に怪我をすることもあります．その点では，コンタクトレンズのほうが安全です．ハードコンタクトレンズは何かにぶつかっても眼の中で割れることはないでしょうが，ずれる場合もあります．それを考慮すると，ソフトコンタクトレンズのほうが使いやすいかもしれません．最近は使い捨てソフトコンタクトレンズの良い物があるので，通常は眼鏡を用い，運動時はコンタクトレンズを使うのもよいと思います．また最近の眼鏡は，小児用に特化したものからスポーツの種目別など，多くの種類のスポーツ用眼鏡・ゴーグルが開発されていて，度付きレンズ対応可能です．スポーツで眼球の打撲が危惧される場合には，スポーツ用ゴーグルも選択肢として考えられます．

Q5 コンタクトレンズを希望しているのですが，何歳から装用してよいのでしょうか？

コンタクトレンズの管理がしっかりできる年齢になってからがよいと思います．出し入れが自分できちんとできて，ごみが入ったときなどに自分で対処ができ，しかも簡単にはなくさないような状態でないと装用してはいけません．一般には中学生以上，時には小学校上級くらいからがよいでしょう．

Q6 眼鏡とコンタクトレンズでは，どちらのほうが近視が進みにくいのでしょうか？

いずれも同じで，近視が進みやすいあるいは進行を予防するということはありません．

Q7 眼鏡は，遠くがよく見えるようにピッタリ合わせたほうがよいでしょうか？ 強い眼鏡をかけると近視が進みやすいのでしょうか？ 弱めのほうが眼によいのでしょうか？

近視の進行を予防する点でどちらのほうがよいかについては，本人の見え方の便利度も考慮して，いろいろな考え方があると思いますが，最近では完全矯正眼鏡を基本とするのが主流です．したがって，遠くがよく見えるようにピッタリ合わせたほうがよいでしょう．いきなりピッタリ合わせた眼鏡をかけると疲れるという人もいますが，今まで見えていないことを普通と思っていただけで，しばらくすると慣れてきます．一方で，度が強すぎる過矯正眼鏡をかけると疲れなどの原因になるので，眼科で正確な度数を調べてもらって作製するようにしましょう．

Q8 発達障害（神経発達症）があって，眼鏡をかけてくれません．かける必要があるでしょうか？

どのくらい遠くを見る必要があるか，不便を感じているかによると思います．軽度の近視の場合は，日常生活や学校で不便を感じていなければ，無理にかけさせなくてもよいでしょう．かければ見やすくて，どうしても必要と本人が感じれば，自らかけて手放さないと思います．発達障害（神経発達症）がある場合，眼鏡装用の定着に時間がかかることがあるので，快適な装用状態を維持して根気強く対応していくことが大切です．

Q9 **アトピー性皮膚炎で顔の皮膚の炎症や知覚過敏があり，眼鏡のフレームがかけられません．どうしたらよいでしょうか？**

顔の皮膚の状態によると思います．皮膚の治療で改善する場合はそれを努力するのがよいでしょうから，皮膚科医師とも相談してみてください．また，眼鏡のかけ心地はフレームで改善することもあります．最近はさまざまに考案された軽いフレームもあるので，眼鏡専門店でも相談してみてください．

近視の合併症

Q1 **子どもの頃から近視が進行すると，将来網膜の病気や緑内障になりやすいと聞きましたが，近視が強くなければ大丈夫でしょうか？**

強度近視がひどくなると，将来さまざまな合併症を生じる「病的近視」になる可能性が高まります．病的近視では，網膜に孔があく（網膜剝離，黄斑円孔），異常な血管ができる（脈絡膜新生血管），網膜が傷む（網脈絡膜萎縮），眼の中の水の流れに異常が起こる（緑内障）など，さまざまな近視特有の合併症を生じることがあります．ただし，これらの病気は近視がさほど強くなくても生じるので，網膜剝離や緑内障は，近視がさほど強くない中等度近視でもなる危険（リスク）があります．そのため，近視が強くないからといって，必ずしも大丈夫とはいえません．近視になると強くなくても病気を起こすことがあるので，注意深い経過観察が大切となります．

Q2 **強度近視の場合，激しいスポーツは危険なのでしょうか？**

一般に，飛んだり跳ねたりするような運動，サッカーのヘディングのように頭の骨が守ってくれるような状態では，眼球に大きな影響は起こりません．しかし，眼に直接ボールが当たって眼球が変形するような打撲では，網膜剝離などの合併症を起こすことがあり，網膜が薄い強度近視では合併症のリスクがやや高まります．スポーツを制限する必要はありませんが，ボクシングなどの格闘技や高い所からのプールへの飛び込みなどで，眼を強打することは避けたほうがよいでしょう．保護眼鏡をするほどではありませんが，プールや海で混泳している場合は誰かにぶつかることもあるので，ゴーグル装用を勧めます．

近視や近視進行予防の情報ページ

日本近視学会

近視疾患診療，
診断のガイドラインなど

https://www.myopiasociety.jp/member/guideline/

親子で学ぶ近視サイト

https://kinshi-yobou.com/

日本近視学会
YouTubeチャンネル

https://www.youtube.com/channel/UCIfpbZU35aZXeZYXIxiDWbw

日本小児眼科学会

マニュアル・
ガイドライン

http://www.japo-web.jp/info.php?page=6

日本視能訓練士協会

3歳児健診の視覚検査

https://www.jaco.or.jp/ippan/sansaiji/

日本視能訓練士協会
YouTubeチャンネル

https://www.youtube.com/channel/UCuvOYWwfkVMife7h39upY7g

日本眼科医会

子どもの目・啓発コンテンツ
（ギガっこ デジたん！）

https://www.gankaikai.or.jp/info/detail/post_132.html

気をつけよう！
子どもの近視

https://www.gankaikai.or.jp/health/57/index.html

コンタクトレンズ関連情報

https://www.gankaikai.or.jp/contact-lens/index.html

乳幼児・学校保健
関連情報

https://www.gankaikai.or.jp/school-health/index.html

日本眼科医会
YouTubeチャンネル

https://www.youtube.com/channel/UC0bMJHDnhMvEThMxQ5L-r_Q/featured

索引

数字

欧文

A

B

C

D

E

F

G

H

I

K

L

M

N

O

和 文

き

く

け

こ

さ

し

り

る

れ

ろ

6月10日は
こどもの目の日

はぐくもう！
6歳で
視力1.0

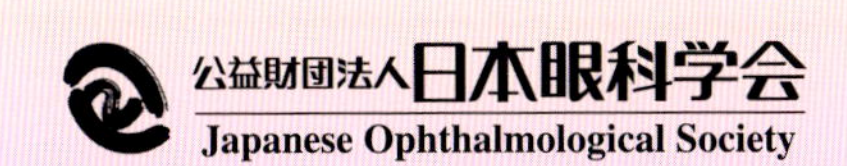
公益財団法人日本眼科学会
Japanese Ophthalmological Society

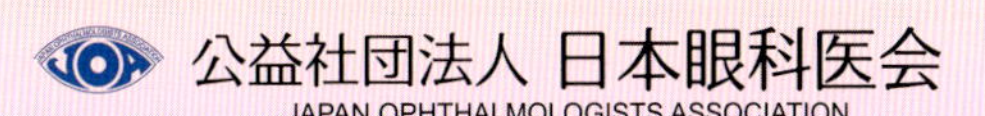
公益社団法人 日本眼科医会
JAPAN OPHTHALMOLOGISTS ASSOCIATION

小児の近視―診断と治療　第2版

発　行　2019年 9 月20日　第 1 版第 1 刷
2023年10月10日　第 2 版第 1 刷©

編　集　日本近視学会
日本小児眼科学会
公益社団法人 日本視能訓練士協会

発行者　青山　智

発行所　株式会社 三輪書店
〒113-0033　東京都文京区本郷6-17-9　本郷綱ビル
TEL 03-3816-7796　FAX 03-3816-7756
https://www.miwapubl.com

装　丁　築地亜希乃（bookwall）

印刷所　シナノ印刷 株式会社

ISBN 978-4-89590-797-2 C3047